고난도
구문독해
500

고난도 구문독해 500

지은이 김상근
펴낸이 임상진
펴낸곳 (주)넥서스

출판신고 1992년 4월 3일 제311-2002-2호 ①
10880 경기도 파주시 지목로 5
Tel (02)330-5500 Fax (02)330-5555

ISBN 979-11-6683-474-5 53740

가격은 뒤표지에 있습니다.
잘못 만들어진 책은 구입처에서 바꾸어 드립니다.

www.nexusbook.com

500 문장으로 마스터하는 구문독해의 모든 것!

고난도 구문독해 500

김상근 지음

NEXUS Edu

고난도
구문독해
500

PREFACE 머리말

수능 영어 절대 평가 시대.

혹자는 절대 평가로 인해 수능 영어가 쉬워졌다고 하지만 사실상 킬러 문항이라고 불리는 초고난도 문제만 사라졌을 뿐, 최신 수능 영어 지문의 소재는 상대 평가 시절만큼이나 어렵고 지문의 길이는 오히려 길어졌습니다.

지문의 이해도가 문제 풀이의 핵심이 되는 상황에서 지문을 구성하는 개개 문장을 정확하게 해석하고 이해하는 능력은 수능 영어 고득점을 위해 꼭 필요합니다. 절대 평가라고 얕잡아 보거나 감만 믿고 풀다가는 목표로 했던 등급을 얻기 힘들 것입니다. 꾸준히 고난도 구문을 연습해야만 수능 영어 1등급을 노려볼 수 있습니다.

『고난도 구문독해 500』은 지난 10년간의 고3 학력평가와 평가원에서 출제한 6월, 9월 모의평가 및 수능 문제에서 엄선한 500개의 고난도 문장으로 구성되어 있습니다. 독해 필수 구문 31 Unit은 각각 10~20개의 예제를 포함하고 있으며 혼자서도 충분히 문장을 분석하고 해석할 수 있도록 자세한 분석과 직독직해를 수록했습니다.

입시에서 수능 영어 1등급은 수시와 정시에서의 성공을 위한 필요조건입니다. 10여 년의 학교 현장 경험 및 인강 노하우를 바탕으로『고난도 구문독해 500』을 제작했고, 이 책은 여러분의 목표 실현에 큰 도움이 될 것입니다.

김상근

THE AUTHOR 저자 소개

김상근

고려대학교 영어교육과 졸

현) 덕원여자고등학교 교사

현) 강남구청 인터넷수능방송 강사

현) 서울특별시 교육연구정보원 자소서 컨설팅지원단

전) EBSi 수능방송 강사

전) 교육개발원 온라인콘텐츠 영어강사

전) 교육부 학교생활기록부 선도 교원 퍼실리테이터

전) 한국교육과정평가원 학생부 재구조화 연구위원

전) 대교협 입사관 대상 학생부 관련 강연 진행

전) 제주도 교육청 학교생활기록부 교원 퍼실리테이터

전) KERIS 학생부 기재와 관리 교사 대상 연수

전) 경기대학교 선발학생 종단연구 자문위원

전) 숙명여대 대입전형 자문위원

블로그 https://blog.naver.com/sangpia

• **저서**

2013년도, 이것만 공부하면 사주안에 영어 끝, 넥서스에듀

2014년도, 내손안의 수능어법, Orbi

2015년도, 수능Q&Q 특강 영어영역 구문, 천재교육

2016년도, 2017 수능대비 Final 모의고사, Orbi

2016년도, 학생부종합전형 고교백서, 넥서스

2016년도, 처음부터 시작하는 학생부A-Z, 꿈결

2017년도, 혼공 유형독해 기본(순한맛), 랭기지플러스

2017년도, 혼공 유형독해 실력(매운맛), 랭기지플러스

2017년도, 구문독해 구사일생1, 2권, 넥서스

2018년도, 특단 구문독해, 넥서스

2018년도, 특단 어법어휘모의고사, 넥서스

2022년도, 구문독해 204(개정판) 1, 2권, 넥서스

PREVIEW 구성과 특징

본문

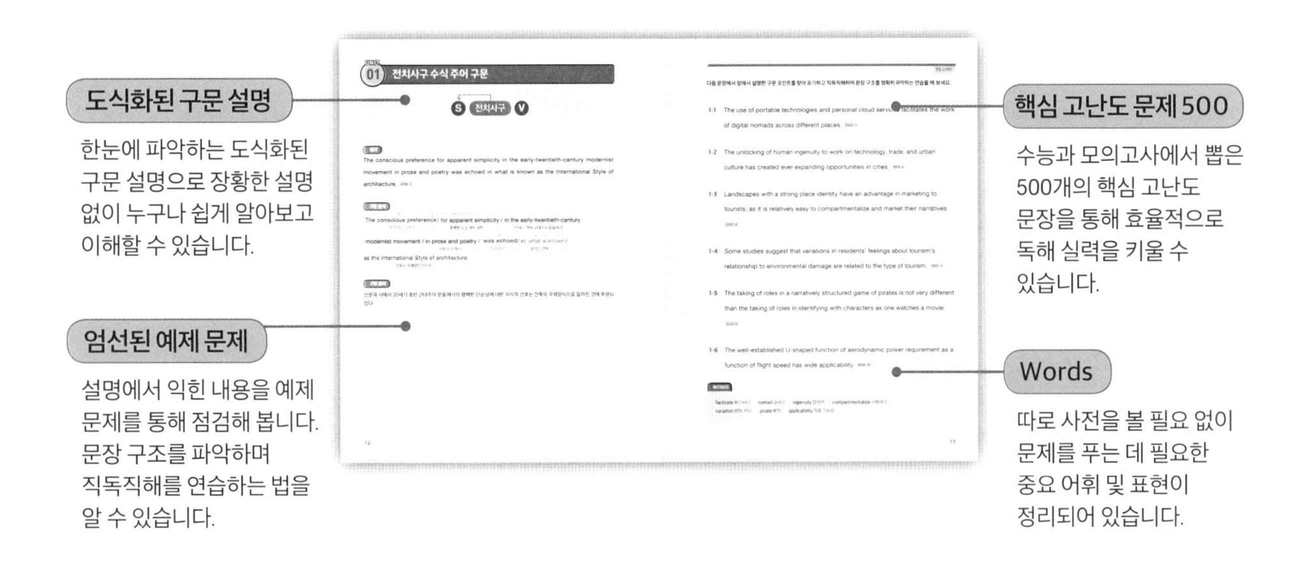

도식화된 구문 설명

한눈에 파악하는 도식화된 구문 설명으로 장황한 설명 없이 누구나 쉽게 알아보고 이해할 수 있습니다.

엄선된 예제 문제

설명에서 익힌 내용을 예제 문제를 통해 점검해 봅니다. 문장 구조를 파악하며 직독직해를 연습하는 법을 알 수 있습니다.

핵심 고난도 문제 500

수능과 모의고사에서 뽑은 500개의 핵심 고난도 문장을 통해 효율적으로 독해 실력을 키울 수 있습니다.

Words

따로 사전을 볼 필요 없이 문제를 푸는 데 필요한 중요 어휘 및 표현이 정리되어 있습니다.

해설

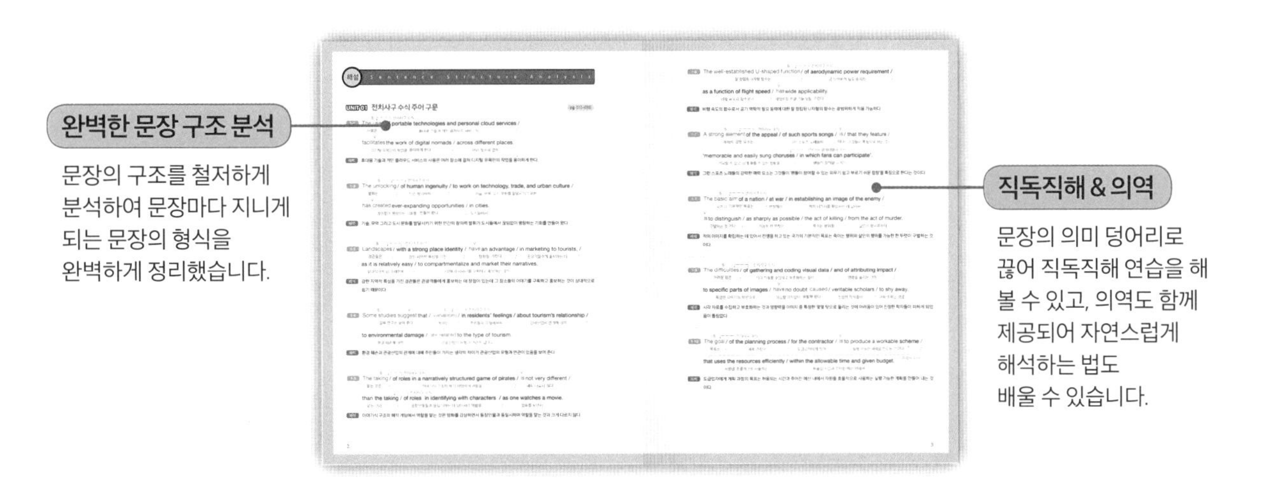

완벽한 문장 구조 분석

문장의 구조를 철저하게 분석하여 문장마다 지니게 되는 문장의 형식을 완벽하게 정리했습니다.

직독직해 & 의역

문장의 의미 덩어리로 끊어 직독직해 연습을 해 볼 수 있고, 의역도 함께 제공되어 자연스럽게 해석하는 법도 배울 수 있습니다.

'*' 표시는 일종의 예외 표시입니다. 예를 들어 관계사 which 파트인데 의문사 which가 있는 문장에 표시한 것입니다.

CONTENTS 목차

추가 제공 자료 www.nexusEDU.kr www.nexusbook.com

부가자료 무료로 다운받기

www.nexusbook.com에서 **도서명**으로 검색하여 다운받으세요

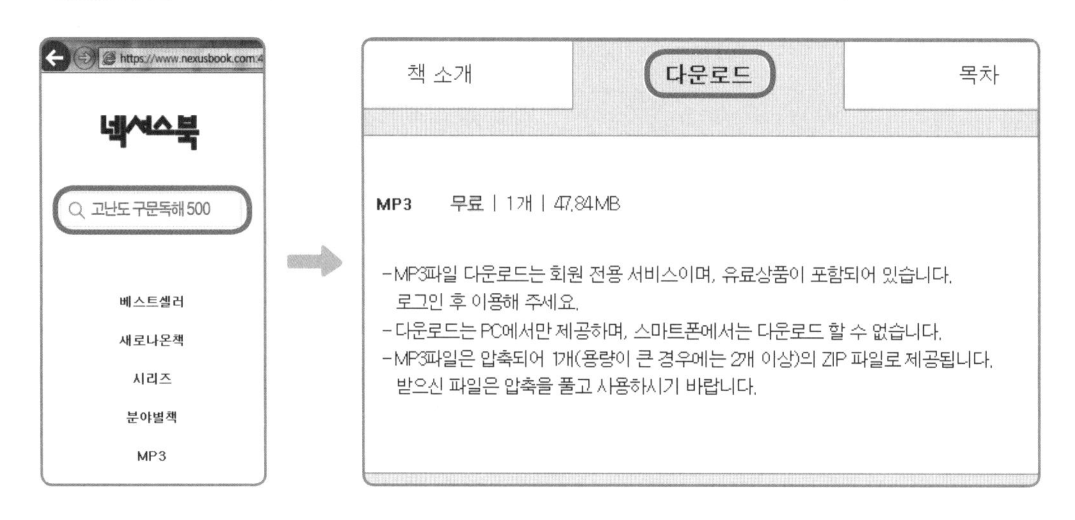

500 문장으로 마스터하는 구문독해의 모든 것!

전치사구 수식 주어 구문

예제

The conscious preference for apparent simplicity in the early-twentieth-century modernist movement in prose and poetry was echoed in what is known as the International Style of architecture. 2019. 4

구문 분석

S ─ 전치사구 수식
The conscious preference / for apparent simplicity / in the early-twentieth-century
의식적인 선호는 / 명백한 단순성에 대한 / 20세기 초의 근대주의 운동에서

V, S V
modernist movement / in prose and poetry / **was echoed** / in what is known /
/ 산문과 시에서 / 투영되었다 / 알려진 것에 /

as the International Style of architecture.
건축의 국제양식으로서

구문 해석

산문과 시에서 20세기 초반 근대주의 운동에서의 명백한 단순성에 대한 의식적 선호는 건축의 국제양식으로 알려진 것에 투영되었다.

정답 p.002

다음 문장에서 앞에서 설명한 구문 포인트를 찾아 표기하고 직독직해하며 문장 구조를 명확히 파악하는 연습을 해 보세요.

1-1 The use of portable technologies and personal cloud services facilitates the work of digital nomads across different places. 2020. 4

1-2 The unlocking of human ingenuity to work on technology, trade, and urban culture has created ever-expanding opportunities in cities. 2018. 4

1-3 Landscapes with a strong place identity have an advantage in marketing to tourists, as it is relatively easy to compartmentalize and market their narratives. 2017. 9

1-4 Some studies suggest that variations in residents' feelings about tourism's relationship to environmental damage are related to the type of tourism. 2017. 수능

1-5 The taking of roles in a narratively structured game of pirates is not very different than the taking of roles in identifying with characters as one watches a movie. 2021. 6

1-6 The well-established U-shaped function of aerodynamic power requirement as a function of flight speed has wide applicability. 2020. 10

WORDS

facilitate 촉진하다　nomad 유목민　ingenuity 창의력　compartmentalize 구획하다
variation 변화, 변이　pirate 해적　applicability 적용 가능성

1-7 A strong element of the appeal of such sports songs is that they feature 'memorable and easily sung choruses in which fans can participate'. 2021. 10

1-8 The basic aim of a nation at war in establishing an image of the enemy is to distinguish as sharply as possible the act of killing from the act of murder. 2019. 수능

1-9 The difficulties of gathering and coding visual data and of attributing impact to specific parts of images have no doubt caused veritable scholars to shy away. 2021. 3

*veritable 진정한

1-10 The goal of the planning process for the contractor is to produce a workable scheme that uses the resources efficiently within the allowable time and given budget. 2021. 6

1-11 The precedence of approximations and ratios over exact numbers, Pica suggests, is due to the fact that ratios are much more important for survival in the wild than the ability to count. 2018. 4

1-12 The lack of real, direct experience in and with nature has caused many children to regard the natural world as mere abstraction, that fantastic, beautifully filmed place filled with endangered rainforests and polar bears in peril. 2017. 9

WORDS

distinguish 구별하다　attribute A to B A를 B탓으로 돌리다　specific 구체적인　contractor 계약자, 도급업자
abstraction 추상(화), 추상적 개념　in peril 위험에 처한

1-13 When children of Latino immigrant parents go to school, their emphasis on understanding rather than speaking, on respecting the teacher's authority rather than expressing one's own opinions leads to negative academic assessment. 2015. 4

1-14 As the sociologist Diana C. Mutz discovered in her book *Hearing the Other Side*, those with the highest levels of education have the lowest exposure to people with conflicting points of view while those who have not graduated from high school can claim the most diverse discussion mates. 2020. 3

1-15 The growth of academic disciplines and sub-disciplines, such as art history or palaeontology, and of particular figures such as the art critic, helped produce principles and practices for selecting and organizing what was worthy of keeping, though it remained a struggle. 2021. 9

1-16 The relief from no longer feeling "fear or hatred" toward the blamer spontaneously triggers a tremendous rush of gratitude and — miraculously — the person's quiet rage turns into forgiveness and, beyond that, a willingness to work toward solutions. 2022. 3

WORDS

exposure 노출 discipline 학과 palaeontology 고생물학자 spontaneously 동시에 trigger 유발하다
rage 분노 forgiveness 용서

1-17 As long as energy costs remain high, the relation between work that we can afford to do and work that we expect nature to do will control the lower limit of natural concentrations that we can exploit, and this puts very real limits on our global mineral resources. 2022. 4

1-18 The recovery of appetite or the motivation to eat is apparent to anyone who has consumed a large meal and is quite full, and does not require additional energy or nutrients to meet their daily needs, but decides to consume additional calories after seeing the dessert cart. 2018.수능

1-19 Some social critics would argue that the move toward an increasingly isolated individualism had been underway for some time — at least since the middle of the twentieth century, when psychoanalysis had infused the ideal of individual self-making with a new psychological component. 2013. 10

1-20 The immense improvement in the yield of farming during the twentieth century, as a result of innovations in mechanization, fertilizer, new varieties, pesticides and genetic engineering, has banished famine from the face of the planet almost entirely, and drastically reduced malnutrition, even while the human population has continued to expand. 2021. 7

WORDS

exploit 활용하다 isolated 고립된 immense 거대한 malnutrition 영양 부족

분사 수식 주어 구문

예제 1

Even the intrinsic satisfactions associated with the individual's own behaviors may turn sour if the other person somehow does the wrong thing. 2018. 3

구문 분석 1

Even the **intrinsic satisfactions** (S) / associated with the individual's own behaviors / (분사 수식)
심지어 내적 만족감조차도 / 개인 자신의 행동과 연관된 /

may turn (V) sour / if the other person (S) somehow does (V) the wrong thing.
상해버릴 수 있다 / 만약 상대방이 어떤 식으로든 잘못된 것을 한다면

구문 해석 1

심지어 그 사람 자신의 행동과 연관된 내적 만족감조차도 상대방이 어떤 방식으로든 잘못된 행동을 한다면 상해버릴 수 있다.

예제 2

As in Einstein's formulation, the two theories underlying the tremendous progress of physics were mutually incompatible. 2011. 9

구문 분석 2

As in Einstein's formulation, / **the two theories** (S) / underlying the tremendous progress of physics / (분사 수식)
Einstein의 공식에서처럼 / 두 개의 이론은 / 물리학의 엄청난 진보의 기본을 이루는 /

were (V) mutually incompatible.
서로 양립할 수 없었다

구문 해석 2

Einstein의 공식에서처럼 물리학의 엄청난 진보의 기본이 되는 두 개의 이론은 서로 양립할 수 없었다.

정답 p.006

다음 문장에서 앞에서 설명한 구문 포인트를 찾아 표기하고 직독직해하며 문장 구조를 명확히 파악하는 연습을 해 보세요.

2-1 Archaeologists claiming to follow hypothesis-testing procedures found themselves having to create a fiction. 2019. 6

2-2 But the incredible amount of time required to copy a scroll or book by hand limited the speed with which information could spread this way. 2019. 수능

2-3 A good deal of the information stored in working memory is encoded in an auditory form, especially when the information is language based. 2016. 9

2-4 Given such downsides, companies serving mainstream consumers with successful mainstream products face what seems like an obvious investment decision. 2021.9

2-5 Water derived from the capture of flash floods is not subject to Islamic law as this constitutes an uncertain source, and is therefore free for those able to collect and use it. 2020.6

WORDS

archaeologist 고고학자 hypothesis-testing 가설 검증 auditory 청각의
derive A from B A에서 B를 가져오다 constitute 구성하다

2-6 Time spent on on-line interaction with members of one's own, preselected community leaves less time available for actual encounters with a wide variety of people. 2018. 수능

2-7 The pleasure associated with experiencing immeasurable objects — indefinable or formless objects — can be defined as enjoying one's own emotional and mental activity. 2021. 9

2-8 Strawberry ice cream tinted with red food coloring seems to have a stronger strawberry flavor than one that has no added food coloring, even when there is no real difference. 2013. 6

2-9 Evolutionary biologist Robert Trivers gives an extraordinary example of a case where an animal having conscious access to its own actions may be damaging to its evolutionary fitness. 2020. 4

2-10 Experimental results derived from a single subject are, therefore, of limited value; there is no way to know whether the subject's responses are typical or atypical of the response of humans as a group. 2021. 수능

WORDS

interaction 상호작용 preselected 미리 정해진 immeasurable 측정할 수 없는 indefinable 규정할 수 없는

2-11 In the less developed world, the percentage of the population involved in agriculture is declining, but at the same time, those remaining in agriculture are not benefiting from technological advances. 2018. 수능

2-12 Rather incredibly, one archaeologist employed by a treasure hunting firm said that as long as archaeologists are given six months to study shipwrecked artifacts before they are sold, no historical knowledge is lost! 2018. 수능

2-13 Consumers facing such decisions consider not only the product's immediate consumption outcomes but also the product's general effect on society, including how the manufacturer behaves (e.g., toward the environment). 2016. 9

2-14 Physicians working in the field of the interactions of biologic rhythms with medications are calling for medical training to include education on the daily rhythms of illness and research into time-specific treatments. 2012. 10

2-15 It's also important to remember that the data recorded at a weather station give an indication of conditions prevailing in an area but will not be exactly the same as the conditions at a landscape some distance from the weather station. 2021. 3

WORDS

agriculture 농업　employ 이용하다　shipwrecked 난파된　medication 의학　indication 지표

삽입구(절) 있는 주어 구문

Stonehenge, the 4,000-year-old ring of stones in southern Britain, is perhaps the best-known monument to the discovery of regularity and predictability in the world we inhabit. 2021. 6

구문 분석

S / 삽입구

Stonehenge, / the 4,000-year-old ring of stones / in southern Britain, /

스톤헨지는 / 4,000년 된 고리 모양의 돌들인 / 영국 남부에 있는 /

V

is perhaps the best-known monument / to the discovery of regularity and predictability /

아마도 가장 잘 알려진 기념비일 것이다 / 규칙성과 예측 가능성의 발견에 대한 /

S V

in the world / we inhabit.

세상에서 / 우리가 살고 있는

구문 해석

영국 남부에 있는 4,000년 된 고리 모양을 하고 있는 돌들인 스톤헨지는 아마도 우리가 살고 있는 세계에서 규칙성과 예측 가능성을 발견한 가장 잘 알려진 기념비일 것이다.

정답 p.009

다음 문장에서 앞에서 설명한 구문 포인트를 찾아 표기하고 직독직해하며 문장 구조를 명확히 파악하는 연습을 해 보세요.

3-1 Nutritional scientists — pursuing the hot paradigm of isolating nutrients — failed to see a multitude of links in the complex chain that leads to good health. 2013. 9

3-2 King Jayavarman VII, the warrior king who united Cambodia in the 12th century, made his army train in bokator, turning it into a fearsome fighting force. 2011. 6

3-3 Corn, the primary source of ethanol in the United States (which is the world's second-largest ethanol producer), yields only 2 gallons of ethanol per gallon of fossil fuel. 2012. 10

3-4 Many signals, as they are passed from generation to generation by whatever means, go through changes that make them either more elaborate or simply different. 2022. 3

3-5 The two sets of memories — the person talking about his or her family and the partner's edited version of this story — go into the 'cooking-pot' of the couple's new construct system. 2018. 9

WORDS

nutritional 영양의 pursue 추구하다 paradigm 방법론 a multitude of 다수의 force 군대
yield 산출하다, 생산하다 elaborate 정교한

3-6 J. K. Rowling, the author of the famous *Harry Potter* series, has personally corresponded with several dying children who were fans of her books and with the parents of children who have died. 2016. 10

3-7 Decades of war and geopolitical turmoil, combined with sweeping changes to the scale and social organization of governments, put a new premium on training large groups of elite civil and military engineers. 2017. 3

3-8 Many species of tree are now endangered, including mahogany and teak, and deforestation, particularly in tropical rainforests, has had a severe impact both on local communities and on native plants and wildlife. 2013. 9

3-9 Then he and his team, with video cameras in hand, measured the length of their strides, the amount of eye contact they made with their "students," the percentage of time they spent talking, and the volume of their speech. 2014. 수능

3-10 The existence of Stonehenge, built by people without writing, bears silent testimony both to the regularity of nature and to the ability of the human mind to see behind immediate appearances and discover deeper meanings in events. 2021. 6

WORDS

correspond with ~와 서신 왕래하다 turmoil 혼란 combine A with B A와 B를 결합하다
sweeping 광범위한 severe 심각한 stride 보폭 testimony 증언 regularity 규칙성

3-11 As you observe your passing thoughts, emotions, and sensations, naming them — Oh, that is my old friend Fear; there goes the Inner Critic — neutralizes their effect on you and helps you to maintain your state of balance and calm. 2017. 4

3-12 The view of AI breakthroughs that the public gets from the media — stunning victories over humans, robots becoming citizens of Saudi Arabia, and so on — bears very little relation to what really happens in the world's research labs. 2020. 10

3-13 Behavioral economists — the economists who actually study what people do as opposed to the kind who simply assume the human mind works like a calculator — have shown again and again that people reject unfair offers even if it costs them money to do so. 2018. 6

3-14 The utility of "negative sentiments" (emotions like grief, guilt, resentment, and anger, which there is seemingly a reason to believe we might be better off without) lies in their providing a kind of guarantee of authenticity for such dispositional sentiments as love and respect.

WORDS

neutralize 중화시키다 stunning 놀라운 behavioral 행동의 reject 거부하다 utility 유용성
sentiment 감정 authenticity 진실성 dispositional 성향적인

관계사 수식 주어 구문

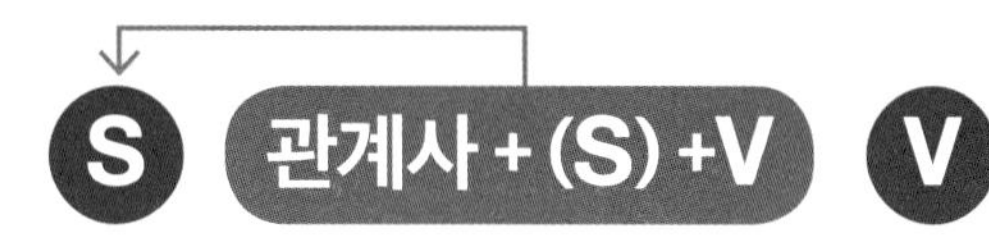

that
who / whom / whose
which / where / when / why

예제

That's why books that tout a single formula for success or improvement, without taking into account the different places people are starting from, are worthless. 2021. 10

구문 분석

That's why / **books** / that tout a single formula / for success or improvement, /
그것이 이유이다 / 책들이 / 하나의 공식을 권유하는 / 성공이나 개선을 위한 /

without taking into account the different places / people are starting from, / **are** worthless.
다른 장소를 고려하지 않은 채 / 사람들이 출발하는 / 가치가 없다

(S: books, 관계사 수식: that ~; S: people, V: are starting; V: are)

구문 해석

그것이 바로 사람들의 서로 다른 출발점을 고려하지 않고 성공이나 개선을 위한 하나의 방식만을 권유하는 서적들이 가치가 없는 이유이다.

정답 p.013

다음 문장에서 앞에서 설명한 구문 포인트를 찾아 표기하고 직독직해하며 문장 구조를 명확히 파악하는 연습을 해 보세요.

4-1 Toys that appear to be alive are curiosities because they challenge how we think inanimate objects and living things should behave. 2021. 10

4-2 Most of the various forms of signaling that are used by different species of animals have not arisen afresh in each separate species. 2022. 3

4-3 Toddlers whose parents don't overreact become children who pick themselves up from a fall, brush themselves off, and go on their merry way. 2012. 10

4-4 The only risk that you will face as an introvert is that people who do not know you may think that you are aloof or that you think you are better than them. 2018. 6

4-5 Things that in real life are imperfectly realized, merely hinted at, and entangled with other things appear in a work of art complete, entire, and free from irrelevant matters. 2017. 9

WORDS

inanimate 살아 있지 않는 arise 발생하다 toddler 아이 introvert 내성적인 aloof 냉담한
entangled 얽혀 있는 irrelevant 무관한

4-6 One infrastructure that allows efficient exchange is transportation, which makes it possible for producers to trade their surpluses even when they are separated by distance. 2021. 3

4-7 One reason that people can play a card game such as bridge over and over is that no matter how many times you have played the game, it will be different in some way. 2016. 9

4-8 Anyone who has tried to complete a jigsaw puzzle as the clock ticked on toward a deadline knows that the more they struggle to find the missing pieces, the harder it is to find them. 2017. 3

4-9 A shopkeeper who realizes he is losing exchange opportunities because of his dishonest behavior may begin to act as if he were a kind and honest man in order to garner more business. 2020. 10

4-10 Moreover, people who searched the Internet for facts they didn't know and were later asked where they found the information often misremembered and reported that they had known it all along. 2021. 10

WORDS

infrastructure 기반시설 complete 완료하다 tick 째깍거리다 misremember 잘못 기억하다

4-11 The "Iceman" whose 5,200 year-old corpse was discovered on a glacier on the Italian-Austrian border had stuffed grasses into his shoes to keep his feet warm and was carrying a sloe berry. 2013. 10

4-12 For example, subjects who were presented with different shapes of pasta showed increased hedonic ratings and increased energy consumption relative to subjects eating only a single shape of pasta. 2018. 수능

4-13 The Securities and Exchange Commission that monitors American stock markets forces firms to meet certain reporting requirements before their stock can be listed on exchanges such as the New York Stock Exchange. 2017. 9

4-14 Furthermore, the restrictive ingredient lists and design criteria that are typical of such products may make green products inferior to mainstream products on core performance dimensions (e.g., less effective cleansers). 2021. 9

4-15 Activities which develop many of the coordination skills, aural sensitivity, responses to visual cues and symbols, and the musical understanding necessary to play an instrument can all be established without instruments. 2022. 3

WORDS

stuff 채워 넣다　hedonic 쾌락의　restrictive 제한하는　ingredient 재료　sensitivity 감성, 예민함
instrument 악기, 기구

4-16 An employee who realizes she isn't being trusted by her co-workers with shared responsibilities at work might, upon reflection, identify areas where she has consistently let others down or failed to follow through on previous commitments. 2019. 6

4-17 One misconception that often appears in the writings of physical scientists who are looking at biology from the outside is that the environment appears to them to be a static entity, which cannot contribute new bits of information as evolution progresses. 2019. 9

4-18 The 'unstable' qualities of childhood that Hollindale cites require a writer or translator to have an understanding of the freshness of language to the child's eye and ear, the child's affective concerns and the linguistic and dramatic play of early childhood. 2016. 9

4-19 The person who is sold on and goes through disease screening procedures but does not follow through with medical treatment for a diagnosed condition, is as much of a failure as a person who did not avail himself of the screening program to begin with. 2021. 10

WORDS

consistently 지속적으로 commitment 약속, 헌신 misconception 오해 static 정적인 entity 존재
contribute 기여하다 progress 진보, 발전 unstable 불안한 affective 정서적인 linguistic 언어적인
diagnosed 진단된

4-20 It is no coincidence that countries where sleep time has declined most dramatically over the past century, such as the US, the UK, Japan, and South Korea, and several in Western Europe, are also those suffering the greatest increase in rates of physical diseases and mental disorders. 2018. 3

WORDS

coincidence 우연의 일치   disorder 질병

관계사 생략 수식 주어 구문

The main reason you're drawn to novel or surprising things is that it could upset the safe, predictable status quo and even threaten your survival. 2015. 3

구문 분석 1

S (why) S V 관계사 생략 문장 수식 V
The main reason / you're drawn to novel or surprising things / is that /
주된 이유는 / 당신이 새롭거나 놀라운 것에 끌리는 / 것이다 /

S V_1 V_2
it could upset the safe, predictable status quo / and even threaten your survival.
그것이 안전하고 예측 가능한 현재 상황을 뒤집을 수 있다는 / 그리고 심지어 당신의 생존을 위협할 수 있다는

구문 해석 1

여러분이 새롭거나 놀라운 것에 끌리는 주된 이유는 그것이 안전하고 예측 가능한 현재의 상황을 엉망진창으로 만들 수 있고 심지어 여러분의 생존을 위협할 수도 있기 때문이다.

정답 p.017

다음 문장에서 앞에서 설명한 구문 포인트를 찾아 표기하고 직독직해하며 문장 구조를 명확히 파악하는 연습을 해 보세요.

5-1 One middle-aged woman we talked with still finds herself extremely vulnerable to being seen as foolish. 2016. 3

5-2 Sometimes all the outcomes customers are trying to achieve in one area have a negative effect on other outcomes. 2013. 수능

5-3 The amount of electrical energy a 10W light bulb uses depends on how long it is lit: in one hour, it will use 10Wh of energy. 2017. 7

5-4 The words you speak to someone may have the potential to make or break that person, so it is important to choose words carefully. 2017. 4

5-5 The single most important change you can make in your working habits is to switch to creative work first, reactive work second. 2021. 6

WORDS

vulnerable 취약한　light bulb 전등　switch 바꾸다　reactive 반응의

5-6 You may find that a problem you had thought you could solve in a reasonable amount of time is taking much longer than you had anticipated. 2016. 7

5-7 What this demonstrates is that it's equally important to the success of the exercise that the person you're throwing to catches the ball as that you are able to catch the ball. 2018. 수능

5-8 The reason even solid physical goods — like a soda can — can deliver more benefits while inhabiting less material is because their heavy atoms are substituted by weightless bits. 2019. 6

5-9 Suddenly, a phrase I once read came floating into my mind: 'You must do him or her a kindness for inner reasons, not because someone is keeping score or because you will be punished if you don't.' 2015. 3

5-10 Without wanting to be combative in any way whatsoever, I respond by informing them that perhaps the reason they still have so much to do at the end of the day is precisely because they do not get enough sleep at night. 2020. 10

WORDS

reasonable 합리적인 anticipate 예상하다, 기대하다 demonstrate 설명하다 inhabit 거주하다
substitute 대체하다 float 떠다니다 combative 전투적인 precisely 정확하게

06 동격절 수식 주어 구문

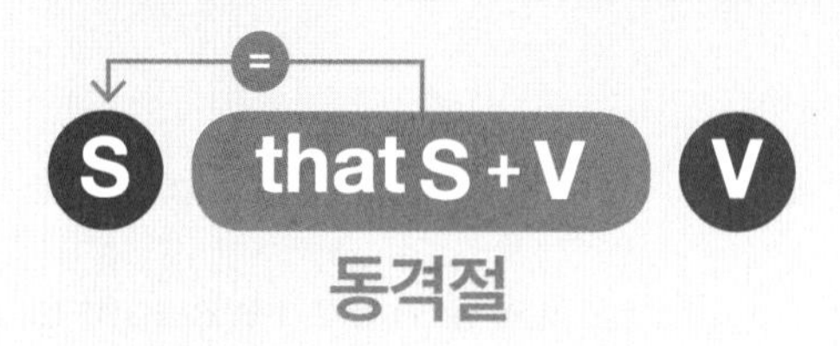

예제

The idea that planting trees could have a social or political significance appears to have been invented by the English, though it has since spread widely. 2021. 6

구문 분석

S = 동격절 수식 S V V
The idea / that planting trees / could have a social or political significance / **appears** to
생각은 / 나무를 심는 것이 / 사회적 혹은 정치적인 의미를 가질 수 있다는 / ~인 것 같다

S V
/ have been invented / by the English, / though it has since spread widely.
만들어져 왔다 / 영국인들에 의해 / 비록 그것이 이후에 널리 퍼졌음에도 불구하고

구문 해석

나무를 '심는 것'이 사회적이거나 정치적인 의미를 가질 수 있다는 생각은, 비록 이후에 널리 퍼져나가기는 했지만, 영국인들에 의해 고안된 것처럼 보인다.

정답 p.019

다음 문장에서 앞에서 설명한 구문 포인트를 찾아 표기하고 직독직해하며 문장 구조를 명확히 파악하는 연습을 해 보세요.

6-1 The fact that the conventions are established and repeated intensifies another kind of pleasure. 2020. 3

6-2 The assumption that what is being studied can be understood in terms of causal laws is called determinism. 2019. 9

6-3 His basic idea that politics is a unique collective activity that is directed at certain common goals and ends still resonates today. 2019. 6

6-4 The fact that we have not found such a case in countless examinations of the fossil record strengthens the case for evolutionary theory. 2022. 6

6-5 Belief that the wine is more expensive turns on the neurons in the medial orbitofrontal cortex, an area of the brain associated with pleasure feelings. 2018. 9

* the medial orbitofrontal cortex 내측 안와 전두엽

WORDS

convention 관례, 전통　intensify 강화하다　assumption 가정　determinism 결정론　unique 독특한
resonate 울려 퍼지다　associate with ~와 관련 있는

6-6 In many countries, the fact that some environmental hazards are difficult to avoid at the individual level is felt to be more morally egregious than those hazards that can be avoided. 2022. 수능

6-7 In larger-scale projects, however, even where a strong personality exercises powerful influence, the fact that substantial numbers of designers are employed in implementing a concept can easily be overlooked. 2022. 9

6-8 The idea that people selectively expose themselves to news content has been around for a long time, but it is even more important today with the fragmentation of audiences and the proliferation of choices. 2021. 7

6-9 Sometimes the fact that a line could have been drawn elsewhere is taken as evidence that we should not draw a line at all, or that the line that has been drawn has no force; in most contexts this view is wrong. 2013. 7

6-10 The fact that there might be someone somewhere in the same building or district who may be more successful at teaching this or that subject or lesson is lost on teachers who close the door and work their way through the school calendar virtually alone. 2017. 수능

WORDS

hazard 위험 egregious 지독한 expose 노출시키다 personality 개성 substantial 상당한
implement 실행하다 fragmentation 파열, 분열, 조각 proliferation 확산 virtually 사실상, 가상으로

기타 수식 주어 구문

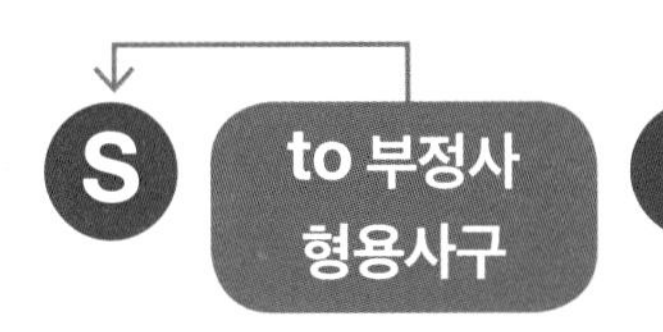

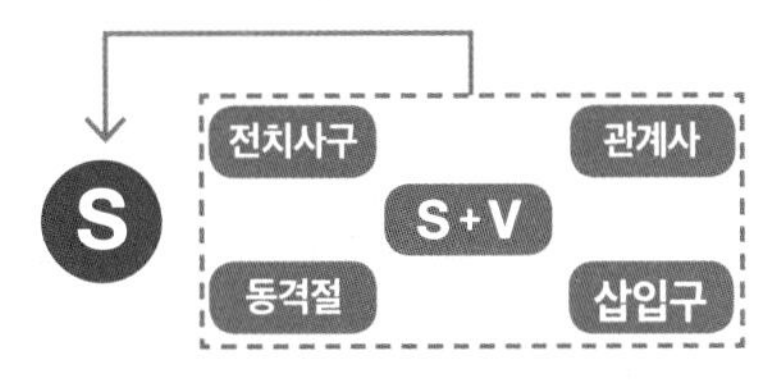

예제 1

A proposal to change club colours in order to project a more attractive image may be defeated because it breaks a link with tradition. 2021. 6

구문 분석 1

S / to부정사 수식

A proposal / to change club colours / in order to project a more attractive image /
제안은 / 클럽 색을 바꾸려는 / 더 매력적인 이미지를 투사하기 위해서 /

V

may be defeated / because it breaks a link / with tradition.
무산될 지도 모른다 / 왜냐하면 그것은 관계를 끊으니까 / 전통과의

구문 해석 1

더 매력적인 이미지를 투사하기 위해 클럽 색깔을 바꾸자는 제안은 그것이 전통과의 관계를 끊기 때문에 무산될 수도 있다.

예제 2

The technical and economic importance of the light and of the electrical system that surrounded it matches that of any other invention we could name, at least from the last two hundred years. 2022. 3

구문 분석 2

S / 전치사구 수식 / 관계사 수식

The technical and economic importance / of the light and of the electrical system / that surrounded it /
기술적, 경제적 중요성은 / 빛과 전기 시스템의 / 그것을 둘러싼 /

V / S / V

matches / that of any other invention / we could name, / at least from the last two hundred years.
필적한다 / 어떤 다른 발명품의 그것에 / 우리가 이름을 댈 수 있는 / 최소한 지난 200년 이래로

구문 해석 2

전깃불과 그 주변을 둘러싸고 있는 전기 시스템의 기술적, 경제적 중요성은 적어도 지난 200년 이래 우리가 열거할 수 있는 다른 어떤 발명품의 기술적, 경제적 중요성에 필적한다.

정답 p.021

다음 문장에서 앞에서 설명한 구문 포인트를 찾아 표기하고 직독직해하며 문장 구조를 명확히 파악하는 연습을 해 보세요.

7-1 Even an invention as elementary as finger-counting changes our cognitive abilities dramatically. 2019. 수능

7-2 In other words, those most likely to live in the tightest echo chambers are those with the highest level of education. 2020. 3

7-3 The tendency for the market to reward caring for others may just be an incentive to act, or pretend, as if one cares for others. 2020. 10

7-4 Applicants desirous of applying for an opportunity to audition for this position should send résumé to watsonorchestra@wco.org. 2020. 3

7-5 Distrust of one who is sincere in her efforts to be a trustworthy and dependable person can be disorienting and might cause her to doubt her own perceptions and to distrust herself. 2019. 9

7-6 An Egyptian sculpture no bigger than a person's hand is more monumental than that gigantic pile of stones that constitutes the war memorial in Leipzig, for instance. 2019. 수능

WORDS

elementary 기초적인 cognitive 인지적인 chamber 방 pretend ~인 척 하다 desirous 바라는
sculpture 조각 monumental 기념비적인 gigantic 거대한 constitute 구성하다

7-7 A strong sensitivity to the odd detail that doesn't quite correspond with the way things usually are or ought to be is a major asset for a soldier in a war zone. 2015. 3

7-8 Your ability to make complex use of touch, such as buttoning your shirt or unlocking your front door in the dark, depends on continuous time-varying patterns of touch sensation. 2021. 수능

7-9 Manuals of "good manners" addressed to the aristocracy always have a negative reference to the peasant who behaves badly, who "doesn't know" what the rules are, and for this reason is excluded from the lordly table. 2019. 수능

7-10 Minorities that are active and organised, who support and defend their position consistently, can create social conflict, doubt and uncertainty among members of the majority, and ultimately this may lead to social change. 2019. 수능

7-11 Indeed, someone listening to a funny story who tries to correct the teller — 'No, he didn't spill the spaghetti on the keyboard and the monitor, just on the keyboard' — will probably be told by the other listeners to stop interrupting. 2022. 수능

WORDS

correspond with ~와 일치하다　asset 자산　aristocracy 귀족　peasant 소작　exclude 배제하다
lordly 귀족의　interrupt 방해하다

7-12 One wonders whether our children's inherent capacity to recognize, classify, and order information about their environment — abilities once essential to our very survival — is slowly devolving to facilitate life in their increasingly virtualized world. 2017. 9

7-13 People who were asked to make tricky choices and trade-offs — such as setting up a wedding registry or ordering a new computer — were worse at focusing and solving problems than others who had not made the tough choices. 2013. 4

7-14 One wise friend of ours who was a parent educator for twenty years advises giving calendars to preschool-age children and writing down all the important events in their life, in part because it helps children understand the passage of time better, and how their days will unfold. 2020. 3

7-15 Those with wandering minds, who might once have been able to focus by isolating themselves with their work, now often find they must do their work with the Internet, which simultaneously furnishes a wide range of unrelated information about their friends' doings, celebrity news, and millions of other sources of distraction. 2016. 7

WORDS

inherent 내재하는 facilitate 촉진하다 tricky 까다로운 trade-off 거래 unfold 펼치다
simultaneously 동시에 distraction 주의 산만

UNIT 08 문장 주어 구문

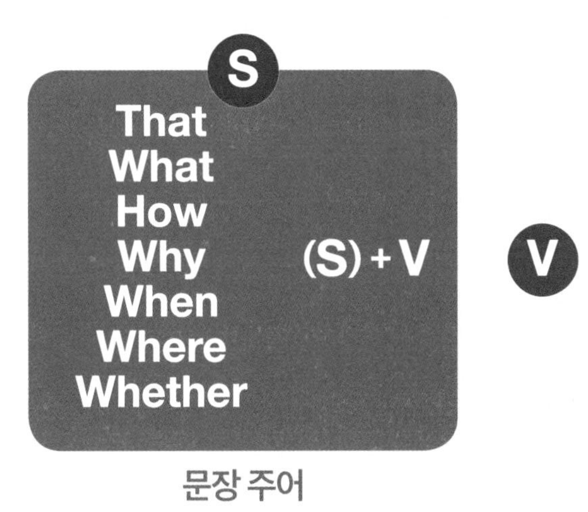

문장 주어

예제

What she found in her paper was scribbled words, half sentences, and a pile of seemingly strange and disjointed ideas. 2019. 6

구문 분석

S S V 관계사 what절 주어

What she found in her paper / **was** scribbled words, / half sentences, /

그녀가 자신의 논문에서 발견했던 것은 / 휘갈겨 쓴 단어들이었다 / 불완전한 문장 /

and a pile of seemingly strange and disjointed ideas.

그리고 외형적으로 이상하고 단절된 생각의 무더기

구문 해석

그녀가 자신의 논문에서 발견한 것은 휘갈겨 쓴 단어, 불완전한 문장, 겉보기에 이상하고 일관성이 없는 생각의 무더기였다.

정답 p.025

다음 문장에서 앞에서 설명한 구문 포인트를 찾아 표기하고 직독직해하며 문장 구조를 명확히 파악하는 연습을 해 보세요.

8-1 How the bandwagon effect occurs is demonstrated by the history of measurements of the speed of light. 2021. 수능

8-2 Why Neanderthals became extinct about 40,000 years ago to be replaced by modern humans is debated. 2020. 10

8-3 That the result of expressing toothpaste is a long, thin, cylinder does not entail that toothpaste itself is long, thin, or cylindrical. 2016. 9

8-4 Much of what we do each day is automatic and guided by habit, requiring little conscious awareness, and that's not a bad thing. 2019. 9

8-5 What makes a story a myth is the fact that it is received by a given society and that a given society participates in its transmission. 2013. 6

8-6 Whether such women are American or Iranian or whether they are Catholic or Protestant matters less than the fact that they are women. 2018. 9

WORDS

entail 수반하다　conscious 의식있는　participate 참여하다　transmission 전송　Protestant 기독교의

8-7 Robots are mechanical creatures that we make in the laboratory, so whether we have killer robots or friendly robots depends on the direction of AI research. 2017. 7

8-8 It has been said that eye movements are windows into the mind, because where people look reveals what environmental information they are attending to. 2017. 9

8-9 Those who give small amounts to many charities are not so interested in whether what they are doing helps others — psychologists call them warm glow givers. 2018. 수능

8-10 Whether or not we can catch up on sleep — on the weekend, say — is a hotly debated topic among sleep researchers; the latest evidence suggests that while it isn't ideal, it might help. 2015. 4

8-11 In an astonishing example of how nurturing can influence nature, there is considerable evidence confirming that how parents emotionally respond to their children can encourage or suppress genetic tendencies. 2015. 3

WORDS

charity 자선단체 astonishing 놀라운 nurture 양육하다 considerable 상당한 suppress 억누르다

기타 긴 주어 구문

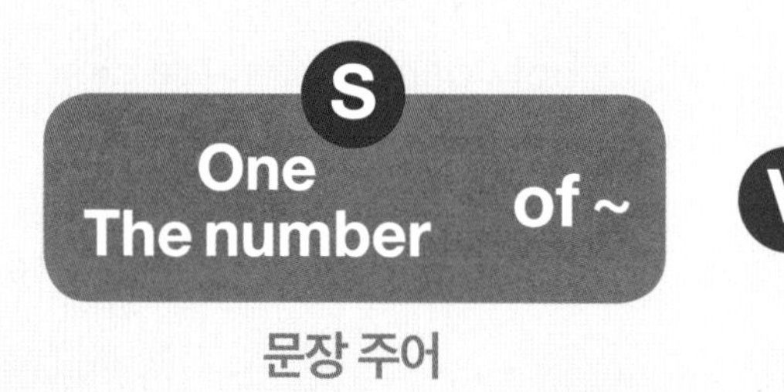

문장 주어

예제

One of the funniest things about becoming a boss is that it causes an awful lot of people to forget everything they know about how to relate to other people. 2020. 10

구문 분석

S one of the + 복수 명사 V S V
One of the funniest things / about becoming a boss / **is** that / it causes /
가장 재미난 것들 중 하나는 / 상사가 되는 것에 대한 / 이다 / 그것이 유발한다 /

S V
an awful lot of people / to forget everything / they know about /
엄청나게 많은 사람들이 / 모든 것을 잊도록 하는 / 그들이 알고 있는 /

how to relate to other people.
다른 사람들과 관계 맺는 방법에 대해

구문 해석

상사가 되는 것에 관한 매우 재미있는 사실 중 하나는 이것이 엄청나게 많은 사람들로 하여금 다른 사람들과 관계 맺는 방법에 관하여 그들이 아는 모든 것을 잊게 만든다는 점이다.

정답 p.027

다음 문장에서 앞에서 설명한 구문 포인트를 찾아 표기하고 직독직해하며 문장 구조를 명확히 파악하는 연습을 해 보세요.

9-1 When we eat chewier, less processed foods, it takes us more energy to digest them, so the number of calories our body receives is less. 2019. 4

9-2 One of the most productive strategies to build customer relationships is to increase the firm's share of customer rather than its market share. 2022. 4

9-3 The number of complaints has dramatically decreased this year and we are very pleased, it seems our customer service initiatives are working. 2021. 7

9-4 The total number of international students in 2016-2017 was over three times larger than the total number of international students in 1979-1980. 2019. 수능

9-5 One of the most satisfactory aspects of using essential oils medicinally and cosmetically is that they enter and leave the body with great efficiency, leaving no toxins behind. 2018. 10

WORDS

chewy 질긴 processed 가공된 digest 소화하다 strategy 전략 complaint 불평 initiative 계획
satisfactory 만족스러운 cosmetically 화장용으로

9-6 One of Bob's first papers as a psychology student was written to show that individual differences in children's intelligence could not be explained by genetic factors alone. 2018. 3

9-7 One of the great risks of writing is that even the simplest of choices regarding wording or punctuation can sometimes prejudice your audience against you in ways that may seem unfair. 2020. 6

9-8 One of the reasons I have been able to accomplish much and keep growing personally is that I have not only set aside time to reflect, but I have separated myself from distractions for short blocks of time. 2011. 6

9-9 One of the most common mistakes made by organizations when they first consider experimenting with social media is that they focus too much on social media tools and platforms and not enough on their business objectives. 2022. 수능

9-10 One of the most demanding, and at the same time inspiring, aspects of translating for children is the potential for such creativity that arises from what Peter Hollindale has called the 'childness' of children's texts: 'the quality of being a child — dynamic, imaginative, experimental, interactive and unstable'. 2016. 9

WORDS

genetic 유전의 punctuation 구두점 prejudice 선입견 set aside 챙겨두다 distraction 집중을 방해하는 것
demanding 까다로운 inspiring 고무적인 interactive 상호적인 unstable 불안정한

to부정사 시작 구문

~하는 것은

~하기 위해서

To say that we need to curb anger and our negative thoughts and emotions does not mean that we should deny our feelings. 2013. 수능

구문 분석 1

S / S V / to부정사 주어(~하는 것은)

To say / that we need to curb / anger and our negative thoughts and emotions /
말하는 것은 / 우리가 억제할 필요가 있다고 / 분노와 우리의 부정적인 생각과 감정을 /

V / S V

does not mean / that we should deny our feelings.
의미하지는 않는다 / 우리가 우리 감정을 부인해야만 한다는 것을

구문 해석 1

우리가 분노, 부정적 생각과 감정을 억제할 필요가 있다고 말하는 것은 우리가 우리 감정을 부인해야 한다는 것을 의미하지는 않는다.

예제 2

To access those benefits, subjects must yield control to journalists over how their stories are told to the public. 2018. 4

구문 분석 2

~하기 위해서 / S V

To access those benefits, / **subjects must yield** control / to journalists /
그러한 혜택들을 얻기 위해서 / 대상들은 통제를 양보해야만 한다 / 언론인들에게 /

S V

over how their stories are told / to the public.
그들의 이야기가 어떻게 들리는지에 대해서 / 대중들에게

구문 해석 2

그런 혜택을 얻기 위해, 취재 대상들은 자신들의 이야기가 대중에게 전달되는 방식에 대해서 기자들에게 통제권을 양도해야 한다.

정답 p.029

다음 문장에서 앞에서 설명한 구문 포인트를 찾아 표기하고 직독직해하며 문장 구조를 명확히 파악하는 연습을 해 보세요.

10-1 To define "stress" as "the physiological and psychological responses to stressful situations" would be to give a circular definition. 2013. 7

10-2 To avoid aggression and to reduce stress, an act of communication is needed to make it clear to the other monkey that no harm is intended. 2013. 10

10-3 To play 'time machine' all you have to do is to imagine that whatever circumstance you are dealing with is not happening right now but a year from now. 2009. 9

10-4 To understand how human societies operate, it is therefore not sufficient to only look at their DNA, their molecular mechanisms and the influences from the outside world. 2021. 10

10-5 To stop being late, all one has to do is change the motivation by deciding that in all circumstances being on time is going to have first priority over any other consideration. 2011. 6

WORDS

define 정의하다 physiological 생리학적인 circular 순환적인 aggression 공격성 intend 의도하다 sufficient 충분한 molecular 분자의 motivation 동기 priority 우선순위

10-6 To be disappointed that our progress in understanding has not remedied the social ills of the world is a legitimate view, but to confuse this with the progress of knowledge is absurd. 2014. 수능

10-7 But to ask for any change in human behaviour — whether it be to cut down on consumption, alter lifestyles or decrease population growth — is seen as a violation of human rights. 2021. 수능

10-8 To help societies prevent or reduce damage from catastrophes, a huge amount of effort and technological sophistication are often employed to assess and communicate the size and scope of potential or actual losses. 2019. 수능

10-9 To test whether distraction affected their ability to memorize, the researchers asked the students to perform a simultaneous task—placing a series of letters in order based on their color by pressing the keys on a computer keyboard. 2018. 4

10-10 To overcome death as the obstacle that was hindering the evolution of human intelligence, our ancestors developed the killer app that propelled our species forward, ahead of all others: namely, spoken and written language in words and maths. 2022. 4

WORDS

progress 진보, 발전 remedy 치료하다 legitimate 합법적인 consumption 소비 violation 위반
catastrophe 재앙 employ 이용하다 assess 평가하다 simultaneous 동시의 hinder 방해하다

UNIT 11 가주어/가목적어 구문

to 부정사
that S + V

가주어 진주어

to 부정사
that S + V

find / keep / leave / make / consider

가목적어 진목적어

예제 1

But it's better to disappoint a few people over small things, than to abandon your dreams for an empty inbox. 2021. 6

구문 분석 1

가주어S V 형용사 진주어
But **it's** better / to disappoint a few people / over small things, /
하지만 더 낫다 / 소수의 사람들을 실망시키는 것이 / 작은 일에 대해서 /

than to abandon your dreams / for an empty inbox.
당신의 꿈을 포기하는 것보다 / 비어 있는 수신함을 위해서

구문 해석 1

그러나 빈 수신함을 위해 (수신함을 늘 비어 있게 하려고) 자신의 꿈을 포기하는 것보다, 사소한 것에 대해 몇 사람을 실망하게 하는 것이 낫다.

예제 2

Some people may find it hard to believe they are making a difference all the time. 2020. 10

구문 분석 2

S V 가목적어 형용사 진목적어 S V
Some people may find it hard / to believe / they are making a difference / all the time.
일부 사람들은 어렵다고 생각할 수도 있다 / 믿는 것을 / 그들이 차이를 만들어내고 있다는 것을 / 항상

구문 해석 2

어떤 사람들은 자신들이 언제나 영향을 미치고 있다는 것을 믿기 어렵다고 생각할지도 모른다.

정답 p.031

다음 문장에서 앞에서 설명한 구문 포인트를 찾아 표기하고 직독직해하며 문장 구조를 명확히 파악하는 연습을 해 보세요.

11-1 It is impossible for a child to successfully release himself unless he knows exactly where his parents stand, both literally and figuratively. 2013. 수능

11-2 If students do a science project, it is a good idea for them to present it and demonstrate why it makes an important contribution. 2013. 6

11-3 We might find it harder to engage in self-exploration if every false step and foolish act is preserved forever in a permanent record. 2018. 10

11-4 If you have a complaint about somebody in your personal life, it would never occur to you to wait for a formally scheduled meeting to tell them. 2020. 10

11-5 Allport considers it normal to be pulled forward by a vision of the future that awakened within persons their drive to alter the course of their lives. 2022. 3

11-6 As with links, the ease and ready availability of searching makes it much simpler to jump between digital documents than it ever was to jump between printed ones. 2021. 3

WORDS

release 내보내다 literally 말 그대로 figuratively 비유적으로 demonstrate 설명하다 contribution 기여
engage in 관여하다 preserved 보존된 permanent 영구적인 formally 정식으로 alter 바꾸다

11-7 These countries had suffered from negative public and media image which made it challenging for them to compete over tourists with countries with strong and familiar brands. 2018. 3

11-8 It is extremely difficult for you to perceive people objectively, particularly if you have expectations — based on your past experiences — about how those people are likely to be. 2012. 10

11-9 It is not at all rare for investigators to adhere to their broken hypotheses, turning a blind eye to contrary evidence, and not altogether unknown for them to deliberately suppress contrary results. 2028. 4

11-10 Lack of fossil evidence makes it impossible to run the movie backward and watch the first steps of the dance unfold, but modern studies suggest that plants are often the ones taking the lead. 2019. 4

11-11 When delighted by the way one's beautiful idea offers promise of further advances, it is tempting to overlook an observation that does not fit into the pattern woven, or to try to explain it away. 2018. 4

WORDS

compete 경쟁하다 objectively 객관적으로 investigator 조사관 hypothesis 가설(pl. hypotheses)
deliberately 고의적으로 suppress 억누르다 unfold 펼치다 tempting 솔깃한

11-12 It seems almost unrealistic to expect any target audience to visit a destination and "put aside" these long-lasting negative images and stereotypes, just because of an advertising campaign or other promotional effort. 2018. 3

11-13 Thus, it becomes the leader's job to create conditions that are good for the whole by enforcing intermittent interaction even when people wouldn't choose it for themselves, without making it seem like a punishment. 2021. 9

11-14 Human activities like farming, irrigation, forestry and mining have made it easier for these nonnative species to become established by removing native vegetation, disturbing the soil and altering the availability of water and nutrients. 2013. 10

11-15 However, when we move away from the property-based notion of a right (where the right to privacy would protect, for example, images and personality), to modern notions of private and family life, we find it harder to establish the limits of the right. 2021. 6

WORDS

destination 목적지, 여행지 enforce 집행하다 intermittent 간헐적인 vegetation 초목
disturb 방해하다 nutrient 영양소

to부정사 특수 구문

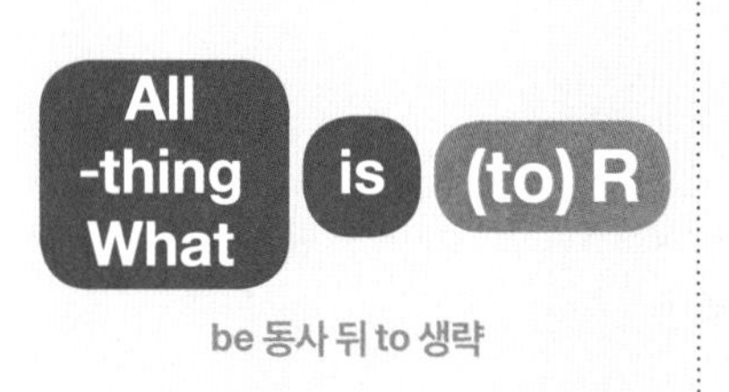

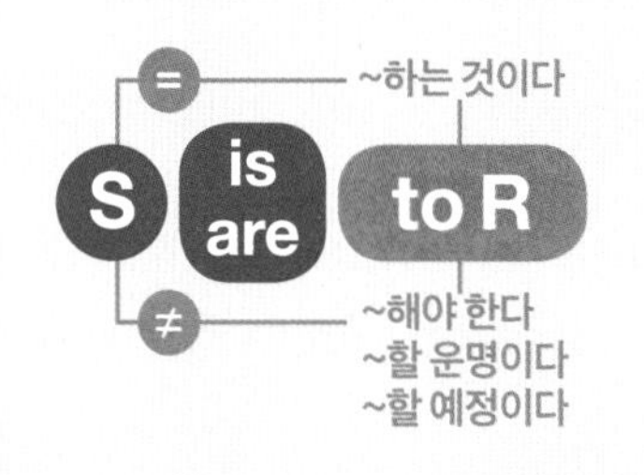

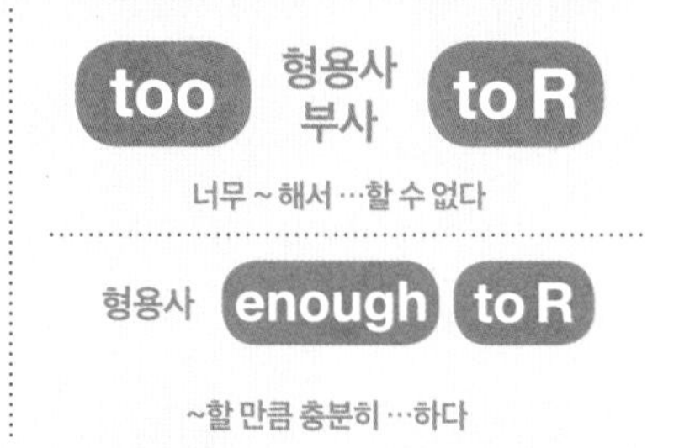

예제 1

All we need to do is hold an image in our mind, and our automated motor plan will run off smoothly. 2018. 4

구문 분석 1

S S V V (to 생략)
All we need to do / **is** hold an image in our mind, /
우리가 할 필요가 있는 모든 것은 / 우리 마음 속에 이미지를 담아두는 것이다 /

S V
and **our automated motor plan** / **will run** off smoothly.
그러면 우리 자동화된 운동 계획은 / 부드럽게 진행될 것이다

구문 해석 1

우리가 해야 할 필요가 있는 것이라고는 이미지를 우리 마음속에 담아두는 것이 전부이며, 그러면 우리의 자동화된 운동 계획이 순조롭게 진행할 것이다.

예제 2

Because a main goal of science is to discover lawful relationships, science assumes that what is being investigated is lawful. 2022. 수능

구문 분석 2

S V
Because a main goal of science / is to discover lawful relationships, /
과학의 주된 목적은 / 법칙적인 관계들을 발견하는 것이기 때문에 /

S V S what절 주어 V
science assumes / that what is being investigated / is lawful.
과학은 가정한다 / 연구되어지고 있는 것은 / 법칙적이다라고

구문 해석 2

과학의 주요 목적은 법칙적인 관계를 발견하는 것이기 때문에, 과학은 연구되고 있는 것이 법칙적이라고 가정한다.

정답 p.034

다음 문장에서 앞에서 설명한 구문 포인트를 찾아 표기하고 직독직해하며 문장 구조를 명확히 파악하는 연습을 해 보세요.

12-1 The added expense of cleaning the paper makes it too expensive to use for some purposes. 2016. 4

12-2 She reminded me that life is too short not to lend a helping hand when the opportunity arises. 2016. 10

12-3 It takes two to six times more grain to produce food value through animals than to get the equivalent value directly from plants. 2019. 9

12-4 Although polar bears are powerful marine mammals, able to swim a hundred miles or more nonstop, they're too slow to catch a seal in open water. 2011. 6

12-5 Most people keep away from people they consider too blunt and some will be even brave enough to leave your company if you are insensitive. 2017. 4

WORDS

remind 상기시키다 arise 발생하다 equivalent 동등한 insensitive 둔감한

12-6 Our brains did not have enough time to evolve for them, but I reason that they were made possible because we can mobilize our old areas in novel ways.

2019. 수능

12-7 All we have to do nowadays is drive to the supermarket or the fast food restaurant, where for very low cost we can obtain nearly all of our daily calories.

2013. 10

12-8 If we the ordinary people are to keep pace with science, we need more science writers, and more science writing that is clear, wise and eloquent, and that demands to be read. 2011. 9

12-9 Indeed, one role of a paradigm is to enable scientists to work successfully without having to provide a detailed account of what they are doing or what they believe about it. 2022. 수능

12-10 According to this view, the (or perhaps, a) goal of science is to construct an economical framework of laws or generalizations that are capable of subsuming all observable phenomena. 2022. 수능

WORDS

evolve 발달하다　eloquent 웅변을 잘하는　generalization 일반화　subsume 포함하다　observable 식별할 수 있는

UNIT 13 -ing 시작 구문

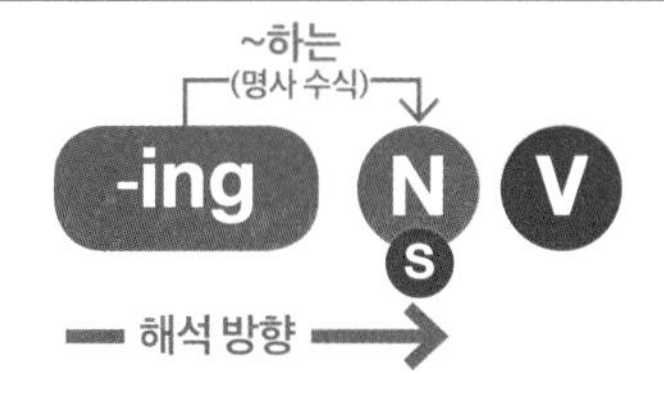

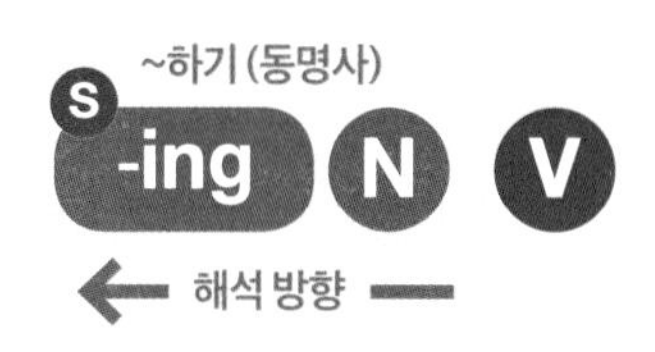

예제 1

Taking the student in, the mechanic showed him the ins and outs of being a mechanic in that shop. 2017. 4

구문 분석 1

분사구문 (~하면서) / S / V

Taking the student in, / **the mechanic showed** him / the ins and outs of /

그 학생을 받아들이면서 / 그 정비사는 그에게 보여 주었다 / 자세한 것들을 /

being a mechanic in that shop.

그 정비소에서 정비사가 되는 것의

구문 해석 1

그 학생을 받아들이면서 그 정비사는 그 정비소에서 정비사가 되는 것의 상세한 것들을 그에게 보여 주었다.

예제 2

Soaring birds take advantage of thermals, but some species, like the Broad-winged Hawk, are specialists and in the right conditions can travel hundreds of miles with almost no flapping. 2021. 4

구문 분석 2

명사 수식 → S_1 / V_1 / S_2

Soaring **birds** / **take** advantage of thermals, / but **some species**, / like the Broad-winged Hawk, /

날아오르는 새들은 / 상승 온난 기류를 사용한다 / 하지만 일부 종들은 / 넓적날개말똥가리와 같은 /

V_{2-1} / V_{2-2}

are specialists / and in the right conditions / **can travel** hundreds of miles / with almost no flapping.

전문가들이다 / 그리고 적절한 조건에서 / 수백 마일을 이동할 수 있다 / 거의 날갯짓을 하지 않고

구문 해석 2

날아오르는 새들은 상승 온난 기류를 이용하지만, 넓적날개말똥가리와 같은 몇몇 종들은 전문가여서 적절한 조건에서는 거의 날갯짓을 하지 않고 수백 마일을 이동할 수 있다.

예제 3

Raising awareness of children from a very early age about the particular characteristics of SNS and the potential long-term impact of a seemingly trivial act is crucial. 2018. 수능

구문 분석 3

S(동명사 주어)
Raising awareness of children / from a very early age /
아이들의 의식을 높이는 것은 / 매우 어린 나이부터 /

about the particular characteristics of SNS / and the potential long-term impact /
SNS의 특정한 특성에 대해서 / 그리고 잠재적인 장기적인 영향 /

V
of a seemingly trivial act / **is** crucial.
외형적으로 사소한 행동의 / 필수적이다

구문 해석 3

SNS의 특수한 특성과 겉보기에는 사소한 행동의 잠재적인 장기적인 영향에 대한 아이들의 의식을 아주 어린 나이부터 높이는 것이 필수적이다.

정답 p.036

다음 문장에서 앞에서 설명한 구문 포인트를 찾아 표기하고 직독직해하며 문장 구조를 명확히 파악하는 연습을 해 보세요.

13-1 Giving honest information may be particularly relevant to integrity because honesty is so fundamental in discussions of trust-worthiness. 2022. 7

13-2 Being observed while doing some task or engaging in some activity that is well known or well practiced tends to enhance performance. 2017. 수능

13-3 Using the same kinds of physical remains to draw inferences about social systems and what people were thinking about is more difficult. 2021. 9

13-4 Recovering from a series of early failures, Edison regained his reputation as a great inventor, and electric wiring in the home gained wide acceptance. 2018. 3

13-5 Rising above the passive and accidental nature of existence, humans generate their own purposes and thereby provide themselves with a true basis of freedom. 2022. 3

13-6 In an ancient tribe, however, living in small huts in a tiny village settlement, a mother would have been able to hear any of the babies crying in the night. 2016. 9

WORDS

relevant 관련된　integrity 진실성　enhance 향상시키다　inference 추론　reputation 명성　passive 수동적인
generate 발생시키다

13-7 Knowing what their teammates are doing provides a sense of comfort and security, because people can adjust their own behavior to be in harmony with the group. 2021. 9

13-8 Allowing the space for this self-organizing emergence to occur is difficult for many managers because the outcome isn't controlled by the management team's agenda and is therefore less predictable. 2021. 10

13-9 That is why getting a basketball through a hoop while not using a ladder or pitching a baseball across home plate while standing a certain distance away becomes an important human project. 2018. 6

13-10 Stepping into someone else's vantage point reminds you that the other fellow has a first-person, present-tense, ongoing stream of consciousness that is very much like your own but not the same as your own. 2018. 3

13-11 Guiding students' progress through the math curriculum in a way that promotes successful, long-term learning and positive math attitudes requires paying attention to their different levels of achievable challenge and different learning strengths. 2016. 4

WORDS

security 안전 adjust 조정하다 emergence 등장 ongoing 지속적인 consciousness 의식
promote 촉진하다 attitude 태도 achievable 성취할 수 있는

13-12 We agree that explicit instruction benefits students but propose that incorporating culturally relevant pedagogy and consideration of nonacademic factors that promote learning and mastery must enhance explicit instruction in mathematics instruction. 2020. 10

13-13 Having no choice but to drink water contaminated with very high levels of arsenic, or being forced to passively breathe in tobacco smoke in restaurants, outrages people more than the personal choice of whether an individual smokes tobacco. 2022. 수능

* arsenic 비소

13-14 Communicating the vision to organization members nearly always means putting "where we are going and why" in writing, distributing the statement organization-wide, and having executives personally explain the vision and its justification to as many people as possible. 2016. 9

WORDS

explicit 분명한 instruction 설명, 지시 incorporate 포함하다 pedagogy 교육학 contaminate 오염시키다
outrage 격분하게 만들다 distribute 배분하다 executive 간부 justification 정당성

문장 뒤 분사 구문

그리고 ~한다

예제 1

The project manager (or team) can consider different methodologies thereby deciding what works best or what does not work at all. 2021. 6

구문 분석 1

S / V

The project manager (or team) / **can consider** different methodologies /

프로젝트 매니저는 (혹은 팀) / 다른 방법론을 고려할 수 있다 /

분사구문(동시상황) S V S V

thereby **deciding** / what works best / or what does not work at all.

그래서 결정한다 / 무엇이 잘 작동되는지 / 아니면 전혀 작동되는 것이 무엇인지

구문 해석 1

그 프로젝트 매니저(또는 팀)는 여러 다른 방법론을 고려함으로써 어떤 것이 가장 잘 작동되는지 또는 어떤 것이 전혀 작동되지 않는지를 결정할 수 있다.

예제 2

People often feel excluded from science, convinced that it takes an advanced degree to understand what scientists do. 2011. 9

구문 분석 2

S V

People often **feel** excluded / from science / ,

사람들은 종종 배제됨을 느낀다 / 과학으로부터 /

분사구문 가주어 S V 진주어

convinced / that it takes an advanced degree / to understand / what scientists do.

그리고 확신한다 / 고급 학위가 필요하다고 / 이해하는 데 / 과학자들이 하는 것을

구문 해석 2

사람들은 종종 과학으로부터 배제되어 있다고 느끼며, 과학자들이 하는 일을 이해하기 위해서는 고급 학위가 필요할 것이라고 확신한다.

정답 p.039

다음 문장에서 앞에서 설명한 구문 포인트를 찾아 표기하고 직독직해하며 문장 구조를 명확히 파악하는 연습을 해 보세요.

14-1 Some people believe that giving to charity is some kind of instinct, developed because it benefits our species in some way. 2011. 6

14-2 As much as we like to think of ourselves as being different and special, humans are a part of Earth's biosphere, created within and by it. 2022. 3

14-3 Before the Internet, most professional occupations required a large body of knowledge, accumulated over years or even decades of experience. 2016. 7

14-4 We work, shop, and seek entertainment, for the most part, outside our own neighborhoods, necessitating a journey to work, to shop, and to visit the multiplex. 2016. 3

14-5 In the 1960s, conventional conservation wisdom held that the Maasai's roaming herds were overstocked, degrading the range and Amboseli's fever-tree woodlands. 2018. 4

WORDS

instinct 본능 biosphere 생물권 occupation 직업, 점령 accumulate 축적하다 necessitate 필요하게 만들다
conventional 관습적인 conservation 보호, 보존 roam 거닐다 overstocked 공급과잉의

14-6 Asch found striking differences in how the participants characterized the target person, depending on whether the first words they encountered were positive or negative. 2012. 10

14-7 These technological and economic advances have had significant cultural implications, leading us to see our negative experiences as a problem and maximizing our positive experiences as the answer. 2019. 6

14-8 After making a choice, the decision ultimately changes our estimated pleasure, enhancing the expected pleasure from the selected option and decreasing the expected pleasure from the rejected option. 2013. 9

14-9 It is astonishing that, until now, we have made so little effort to unveil this wisdom from the past, based on how people have actually lived rather than utopian dreamings of what might be possible. 2013. 10

14-10 Hundreds of thousands fled Europe in the nineteenth century to create new lives in Australia, the United States, Canada and South Africa, working as trappers, lumberjacks and ranchers, or lured by the gold rushes. 2013. 10

WORDS

participant 참여자 encounter 직면하다 implication 영향, 함축 unveil 발표하다 lumberjack 벌목꾼
rancher 목장주인 lure 유인하다, 유혹하다

14-11 Across hundreds of thousands of years, artistic endeavors may have been the playground of human cognition, providing a safe arena for training our imaginative capacities and infusing them with a potent faculty for innovation. 2022. 7

14-12 When the video came on, showing nature scenes with a musical soundtrack, the experimenter exclaimed that this was the wrong video and went supposedly to get the correct one, leaving the participant alone as the video played. 2021. 9

14-13 In a society where people of all ages and income levels live together, and diverse industries coexist while depending on each other, cities will continue to exist overcoming environmental changes such as population decline. 2022. 4

14-14 Some fifty years ago one US economist contrasted what he called the "cowboy" economy, bent on production, exploitation of resources, and pollution, with the "spaceman" economy, in which quality and complexity replaced "throughput" as the measure of success. 2022. 7

WORDS

endeavor 노력　cognition 인지　faculty 능력, 교수단　diverse 다양한　contrast 대조하다
exploitation 착취, 이용　pollution 오염

14-15 Facing landfill costs, labor expenses, and related costs in the provision of garbage disposal, for example, some cities have required households to dispose of all waste in special trash bags, purchased by consumers themselves, and often costing a dollar or more each. 2022. 수능

14-16 With this administrative management system, urban institutions of government have evolved to offer increasing levels of services to their citizenry, provided through a taxation process and/or fee for services (e.g., police and fire, street maintenance, utilities, waste management, etc.). 2021. 9

14-17 But without some degree of trust in our designated experts — the men and women who have devoted their lives to sorting out tough questions about the natural world we live in — we are paralyzed, in effect not knowing whether to make ready for the morning commute or not. 2022. 수능

WORDS

disposal 제거　dispose of ~을 없애다　administrative 행정상의　institution 기관　taxation 조세
maintenance 유지　designate 지정하다　devote 헌신하다　paralyze 마비시키다　commute 통근하다

14-18 In response to variations in chemical composition, temperature and most of all pressure, volatile substances contained in the magma like water or carbon dioxide can be released to form gas bubbles, producing great changes in the properties of the magma and in many cases leading to an eruption. 2018. 10

14-19 Conversely, if a mutation killed the animals at two years, striking them down when many could reasonably expect to still be alive and producing children, evolution would get rid of it very promptly. 2022. 4

14-20 The introduction and spread of electric light and power was one of the key steps in the transformation of the world from an industrial age, characterized by iron and coal and steam, to a post-industrial one, in which electricity was joined by petroleum, light metals and alloys, and internal combustion engines to give the twentieth century its distinctive form and character. 2022. 3

WORDS

composition 구성 volatile 휘발성의, 변덕스러운 substance 물질 eruption 분출 mutation 돌연변이
evolution 진화 promptly 즉시 petroleum 석유 alloy 합금 internal 내부의 combustion 연소
distinctive 독특한

명사 수식 분사 구문

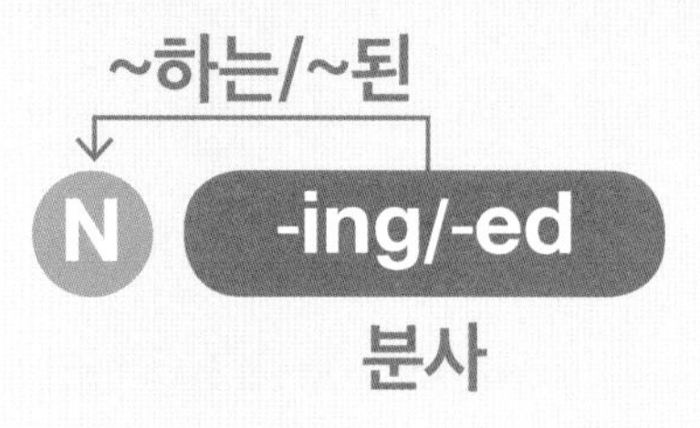

예제 1

The subjects are chosen randomly from the same population by flipping a coin or some other method involving chance. 2021. 9

구문 분석 1

The subjects (S) **are chosen** (V) randomly / from the same population / by flipping a coin /
실험 대상자들은 무작위로 선정된다 / 동일 모집단으로부터 / 동전 던지기에 의해서 /

or some other method / involving chance.
혹은 일부 다른 방법에 의해서 / 우연을 포함한

구문 해석 1

실험 대상자는 동전 던지기나 우연이 포함된 어떤 다른 방법에 의해 동일 모집단에서 임의로 선정된다.

예제 2

To define "philosophy" as "the activity carried out by philosophers" would be another example of a circular definition. 2013. 7

구문 분석 2

To define "philosophy" (S) / as "the activity / carried out by philosophers" /
철학을 정의하는 것은 / 활동으로서 / 철학자에 의해서 수행되어지는 /

would be (V) another example / of a circular definition.
또 다른 예시일 수도 있다 / 순환적 정의의

구문 해석 2

"철학"을 "철학자에 의해 행해지는 활동"이라고 정의하는 것은 순환적 정의의 또 다른 예가 될 것이다.

정답 p.044

다음 문장에서 앞에서 설명한 구문 포인트를 찾아 표기하고 직독직해하며 문장 구조를 명확히 파악하는 연습을 해 보세요.

15-1 Psychic costs associated with separation from family, friends, and the fear of the unknown also should be taken into account in cost-benefit assessments. 2021. 9

15-2 The meaning of "stress" is the very thing which someone requesting the definition is seeking to understand, and so should not be presupposed in the definition. 2013. 7

15-3 UNEP estimates that every kilogram of mercury taken out of the environment can lead to up to $12,500 worth of social, environmental, and human health benefits. 2021. 10

15-4 She pointed out, for instance, that the actors affected by the rules for the use and care of resources must have the right to participate in decisions to change the rules. 2022. 수능

15-5 The skeletons found in early farming villages in the Fertile Crescent are usually shorter than those of neighboring foragers, which suggests that their diets were less varied. 2019. 4

WORDS

psychic 초자연적인　separation 분리　assessment 평가　definition 정의　presuppose 예상하다
mercury 수은　fertile 풍부한　crescent 초승달　forager 약탈자

15-6 Archaeologists do it, but there are necessarily more inferences involved in getting from physical remains recognized as trash to making interpretations about belief systems. 2021. 9

15-7 Leaders need to take steps to explain the true reasons for their decisions to those individuals affected by it, leaving less room for negative interpretations of leader behavior. 2022. 7

15-8 Since the Industrial Revolution began in the eighteenth century, CO_2 released during industrial processes has greatly increased the proportion of carbon in the atmosphere. 2018. 6

15-9 As Marilyn Strathern has remarked, the notions of 'the political' and 'political personhood' are cultural obsessions of our own, a bias long reflected in anthropological constructs. 2021. 수능

15-10 The complementary relationship between knowledge and ignorance is perhaps most exposed in transitional societies seeking to first disrupt and then stabilize social and political order. 2022. 4

WORDS

archaeologist 고고학자 inference 추론 interpretation 해석, 이해 proportion 부분, 비율
personhood 개인적 특질, 개성 obsession 강박상태, 집착 anthropological 인류학적인
complementary 상호보완적인 ignorance 무지 transitional 과도기적인 disrupt 방해하다 stabilize 안정화하다

15-11 The actual exploration challenge is the time required to access, produce, and deliver oil under extreme environmental conditions, where temperatures in January range from -20°C to –35°C. 2013. 수능

15-12 When we learn to read, we recycle a specific region of our visual system known as the visual word-form area, enabling us to recognize strings of letters and connect them to language areas. 2019. 수능

15-13 A consumer buying a good in a store will likely trigger the replacement of this product, which will generate demands for activities such as manufacturing, resource extraction and, of course, transport. 2021. 9

15-14 If preschool children are allowed realistic freedom to make some of their own decisions, they tend to develop a positive orientation characterized by confidence in their ability to initiate and follow through. 2016. 3

15-15 Some methods used in "organic" farming, however, such as the sensible use of crop rotations and specific combinations of cropping and livestock enterprises, can make important contributions to the sustainability of rural ecosystems. 2022. 수능

WORDS

exploration 탐구, 탐험　specific 구체적인　a string of 일련의　generate 발생시키다　manufacturing 생산
extraction 추출　orientation 기질, 성향　initiate 주도하다, 시작하다　rotation 회전　sustainability 지속 가능성

15-16 The repairman is called in when the smooth operation of our world has been disrupted, and at such moments our dependence on things normally taken for granted (for example, a toilet that flushes) is brought to vivid awareness. 2018. 3

15-17 In order to capture the social disruption surrounding Christianity and the Roman Catholic Church, many artists abandoned old standards of visual perfection from the Classical and Renaissance periods in their portrayal of religious figures. 2022. 4

15-18 An inlander pushed forward a net bag containing between 10 and 35 pounds of taro and sweet potatoes, and the Sio villager sitting opposite responded by offering a number of pots and coconuts judged equivalent in value to the bag of food. 2021. 3

15-19 This zone is created by the low rates of oxygen diffusing down from the surface layer of the ocean, combined with the high rates of consumption of oxygen by decaying organic matter that sinks from the surface and accumulates at these depths. 2020. 4

15-20 If physicists, for example, were to concentrate on exchanging email and electronic preprints with other physicists around the world working in the same specialized subject area, they would likely devote less time, and be less receptive to new ways of looking at the world. 2018. 수능

WORDS

repairman 수리공 disrupt 방해하다 take for granted ~을 당연시 여기다 vivid 선명한 abandon 버리다
standard 기준 portrayal 묘사 inlander 내륙인 equivalent 동등한 diffuse 확산하다 surface 표면
accumulate 축적하다 preprint 견본 인쇄 receptive 수용적인

UNIT 16

특수 분사 구문

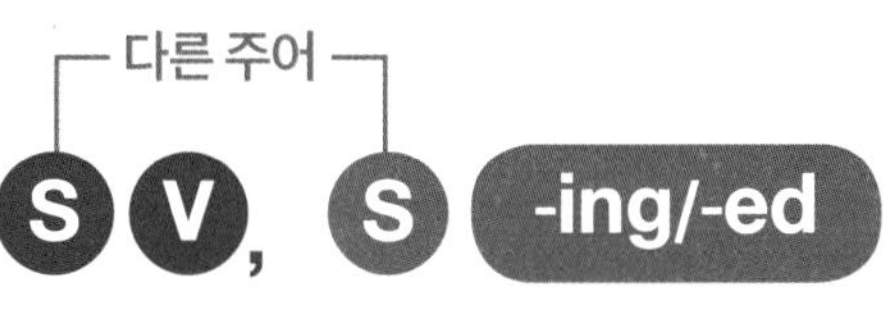

예제 1

Being observed enhances performance, people doing whatever it might be better when they know that others are watching. 2017. 수능

구문 분석 1

Being observed (S) / **enhances** (V) performance, / people (주어 다른 분사구문) / doing / whatever it (S) might be (V) / better /
관찰되어지는 것은 / 성과를 향상시킨다 / 사람들은 / 한다 / 그것이 무엇이든지 / 더 잘 /

when they (S) know (V) / that others (S) are watching (V).
그들이 알 때 / 다른 사람들이 보고 있다는 것을

구문 해석 1

다른 누군가가 지켜보고 있을 때 수행 능력이 높아지는 것인데, 사람들은 다른 사람들이 보고 있다는 것을 알 때 그 일이 무엇이든 더 잘한다.

예제 2

Most insect communication is based on chemicals known as pheromones, with specialized glands releasing compounds to signal emergencies or signpost a route to food. 2020. 4

구문 분석 2

Most insect communication (S) **is based** (V) / on chemicals / known as pheromones, /
대부분 곤충의 의사소통은 기반을 둔다 / 화학 물질에 / 페로몬이라고 알려진 /

with specialized glands / releasing compounds / to signal emergencies / or signpost a route to food. (with+명사+분사(동시상황))
그리고 특수한 분비샘이 / 화합물을 배출한다 / 응급상황을 알리기 위해서 / 혹은 먹이까지의 길을 알려주려고

구문 해석 2

대부분 곤충의 의사소통은 페로몬이라고 알려진 화학 물질에 기반하며, 응급 상황이라는 신호를 보내거나 먹이까지의 길을 알려 주는 화합물을 방출하는 특수한 분비샘을 이용한다.

정답 p.048

다음 문장에서 앞에서 설명한 구문 포인트를 찾아 표기하고 직독직해하며 문장 구조를 명확히 파악하는 연습을 해 보세요.

16-1 If hit by a fast-moving vehicle, posts need to come apart in just the right way in order to reduce damage and save lives. 2022. 7

16-2 Even the most complex cell has only a small number of parts, each responsible for a distinct, well-defined aspect of cell life. 2022. 수능

16-3 Given the right conditions, entrepreneurship can be fully woven into the fabric of campus life, greatly expanding its educational reach. 2020. 9

16-4 If there are things you don't notice while viewing a situation or event, your schemata will lead you to fill in these "gaps" with knowledge about what's normally in place in that setting. 2019. 수능

16-5 With population growth slowing, the strongest force increasing demand for more agricultural production will be rising incomes, which are desired by practically all governments and individuals. 2019. 9

WORDS

distinct 뚜렷한 given 고려하자면 fabric 직물, 기본 구조 schemata 도식, 개요

16-6 Divide an ecosystem into parts by creating barriers, and the sum of the productivity of the parts will typically be found to be lower than the productivity of the whole, other things being equal. 2022. 6

16-7 Moreover, because there are relatively few processors and retailers, each handling a high volume of goods, the provision of feedback from customers to individual producers on their particular goods is impractical. 2020. 4

16-8 Having arrived in regions with colder winters or poorer soils, rye proved its strength by producing more and better crops than the wheat and barley it had attached itself to, and in a short time it replaced them. 2020. 4

16-9 With tablets and cell phones surpassing personal computers in Internet usage, and as slim digital devices resemble nothing like the room-sized mainframes and bulky desktop computers of previous decades, it now appears that the computer artist is finally extinct. 2022. 6

WORDS

divide 나누다 processor 가공업자 retailer 소매상 provision 공급, 대비 impractical 터무니없는
rye 호밀 barley 보리 attach 부착하다 surpass 능가하다 extinct 멸종의

16-10 On a 100 point scale, with 100 being the worst rating for a morally reprehensible act, the students who drank the bitter liquid gave the acts an average rating of 78; those who drank the sweet beverage gave an average of 60; and the water group gave an average of 62. 2013. 7

16-11 Charles and Carstensen review a considerable body of evidence indicating that, as people get older, they tend to prioritize close social relationships, focus more on achieving emotional well-being, and attend more to positive emotional information while ignoring negative information. 2021. 6

16-12 Settled into a comfortable genre, with our basic expectations satisfied, we become more keenly aware of and responsive to the creative variations, refinements, and complexities that make the film seem fresh and original, and by exceeding our expectations, each innovation becomes an exciting surprise. 2020. 3

WORDS

reprehensible 비난 받을 만한　bitter 쓴　considerable 상당한　indicate 나타내다　prioritize 우선순위를 매기다
keenly 치열하게　refinement 개선, 정제　exceed 초과하다

관계사 수식 구문

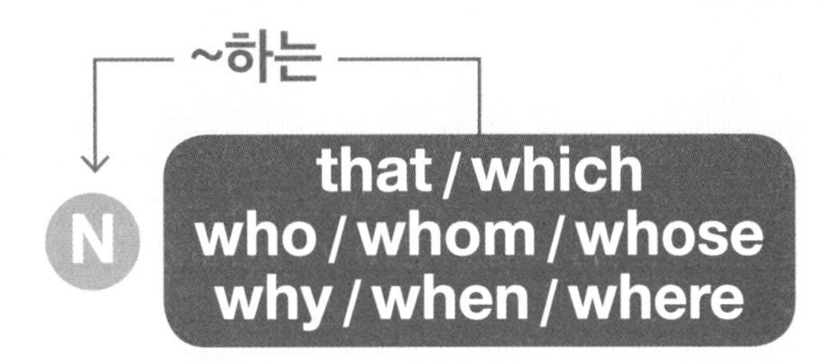

예제

Sociologists point out that the suburbs have done an efficient job of sorting people into communities where they will be surrounded by people of the same socioeconomic status.

2021. 10

구문 분석

Sociologists(S) **point**(V) out / that the suburbs(S) have done(V) an efficient job /
사회학자들은 지적한다 / 교외 지역은 효율적인 일을 해 왔다고 /

of sorting people / into communities / where they(S) will be surrounded(V) / (관계사 수식)
사람들을 분류하는 데 / 지역 사회로 / 그들이 둘러싸이게 될 /

by people of the same socioeconomic status.
같은 사회·경제적 지위의 사람들에 의해서

구문 해석

사회학자들은 교외 지역이 사람들을 같은 사회·경제적 지위에 있는 사람들 가운데서 살게 할 지역 사회로 나누어 놓는 일을 효율적으로 해 왔음을 지적한다.

정답 p.051

다음 문장에서 앞에서 설명한 구문 포인트를 찾아 표기하고 직독직해하며 문장 구조를 명확히 파악하는 연습을 해 보세요.

17-1 Yet there wasn't a single day when I sat down to write an article, blog post, or book chapter without a string of people waiting for me to get back to them. 2021. 6

17-2 The flexibility of medicinal use makes the essential oils of special benefit to patients whose digestive systems have, for whatever reason, been impaired. 2018. 10

17-3 A sovereign state is usually defined as one whose citizens are free to determine their own affairs without interference from any agency beyond its territorial borders. 2019. 9

17-4 An individual characteristic that moderates the relationship with behavior is self-efficacy, or a judgment of one's capability to accomplish a certain level of performance. 2018. 6

17-5 The spatial horizons of our understanding are thereby greatly expanded, for they are no longer restricted by the need to be physically present at the places where the observed events, etc., occur. 2020. 10

WORDS

flexibility 유연성 digestive 소화의 impaired 손상된 sovereign state 주권국가 interference 간섭, 방해
moderate 조정하다, 누그러뜨리다 spatial 공간의 present 존재하는

17-6 Ultimately, however, even dishonesty that was meant to protect employee morale will eventually be exposed, undermining trustworthiness at a time when commitment to the organization is most vital. 2022. 7

17-7 In a different set of studies, researchers found that those who had searched the Internet to answer specific questions rated their ability to answer unrelated questions as higher than those who had not. 2021. 10

17-8 Like the movies, book publishing is another industry where lots of money is traditionally spent on advertising but can't begin to compete with the power of friends telling friends about their discoveries. 2017. 3

17-9 While we might expect that members of society who take part in singing only as members of a larger group may learn their music through imitation, musicianship, seen as a special skill, usually requires more directed learning.

2018. 3

17-10 When confronted by a seemingly simple pointing task, where their desires are put in conflict with outcomes, chimpanzees find it impossible to exhibit subtle self- serving cognitive strategies in the immediate presence of a desired reward.

2013. 9

WORDS

morale 사기 undermine 약화시키다 commitment 약속, 헌신 specific 구체적인 musicianship 음악적 기교
exhibit 전시하다 subtle 미묘한 cognitive 인지적인 immediate 즉각적인

17-11 In the past when there were few sources of news, people could either expose themselves to mainstream news — where they would likely see beliefs expressed counter to their own — or they could avoid news altogether. 2021. 7

17-12 Such an environment is far different from one where children are shaped by rewards for winning (alone), praise for the best grades, criticism or non-selection despite making their best effort, or coaches whose style is to hand out unequal recognition. 2020. 3

17-13 High levels of adversity predicted poor mental health, as expected, but people who had faced intermediate levels of adversity were healthier than those who experienced little adversity, suggesting that moderate amounts of stress can foster resilience. 2020. 6

17-14 Earliest indications of the need for inspiration for fashion direction are possibly evidenced by a number of British manufacturers visiting the United States in around 1825 where they were much inspired by lightweight wool blend fabrics produced for outerwear. 2022. 7

WORDS

counter to ~의 반대로　recognition 인정　adversity 역경　intermediate 중간의　moderate 중간의
resilience 회복력　inspiration 영감

17-15 Such reliance can create a paradoxical situation in which species and ecosystems inside the protected areas are preserved while the same species and ecosystems outside are allowed to be damaged, which in turn results in the decline of biodiversity within the protected areas. 2016. 4

17-16 The person designing the algorithm may be an excellent software engineer, but without the knowledge of all the factors that need to go into an algorithmic process, the engineer could unknowingly produce an algorithm whose decisions are at best incomplete and at worst discriminatory and unfair. 2021. 7

17-17 The primary difference between morality and prudence is simply that, in the latter case, the long-term benefits are secured through one's own agency, whereas in the former case, they are mediated through the agency of another, namely, the person whose reciprocity is secured thanks to one's compliance with the moral law. 2018. 10

17-18 In this regard, even a journey through the stacks of a real library can be more fruitful than a trip through today's distributed virtual archives, because it seems difficult to use the available "search engines" to emulate efficiently the mixture of predictable and surprising discoveries that typically result from a physical shelf-search of an extensive library collection. 2018. 수능

WORDS

reliance 의존　preserve 보호하다　incomplete 불완전한　discriminatory 차별적인　morality 도덕
prudence 신중, 사려　mediate 중재하다　reciprocity 호혜　compliance 준수　stack 무더기, 쌓다
distribute 유통시키다　archive 기록보관소　emulate 모방하다　extensive 광범위한

***17-19** Psychological studies indicate that it is knowledge possessed by the individual that determines which stimuli become the focus of that individual's attention, what significance he or she assigns to these stimuli, and how they are combined into a larger whole. 2018. 9

***17-20** Herodotus writes that the Phoenicians, upon returning from their heroic expedition, reported that after sailing south and then turning west, they found the sun was on their right, the opposite direction to where they were used to seeing it or expecting it to be. 2022. 3

***17-21** Compounding the problem, an algorithm design firm might be under contract to design algorithms for a wide range of uses, from determining which patients awaiting transplants are chosen to receive organs, to which criminals facing sentencing should be given probation or the maximum sentence. 2021. 7

WORDS

possess 소유하다　significance 중요성　assign 맡기다　expedition 탐험, 여행　compound 합성의
transplant 이식하다　probation 보호관찰

전치사+관계대명사 구문

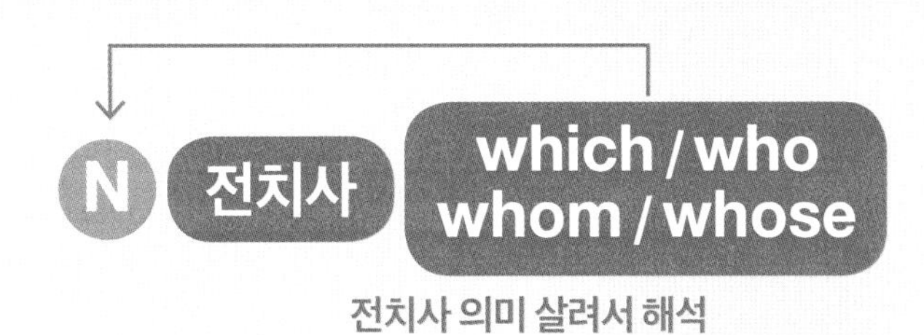

예제

Human movement can be affected, either positively or negatively, by the environment within which the movement takes place. 2021. 3

구문 분석

Human movement can be affected, / either positively or negatively, /
(S: Human movement, V: can be affected)
인간의 움직임은 영향을 받을 수 있다 / 긍정적이든 부정적이든 /

by the environment / within which / the movement takes place.
(전치사의 의미를 살리고 which의 선행사를 넣어서 해설; S: the movement, V: takes)
환경에 의해서 / 그(환경) 안에서 / 움직임은 발생한다

구문 해석

인간의 움직임은 그 움직임이 일어나는 환경에 의해 긍정적 혹은 부정적으로 영향을 받을 수 있다.

정답 p.057

다음 문장에서 앞에서 설명한 구문 포인트를 찾아 표기하고 직독직해하며 문장 구조를 명확히 파악하는 연습을 해 보세요.

18-1 Creating smaller, more inward-looking, xenophobic societies may thus help to reduce exposure to diseases to which one has no natural immunity. 2016. 10

18-2 Alphabet letterpress printing, in which each letter was cast on a separate piece of metal, or type, marked a psychological breakthrough of the first order. 2016. 7

18-3 Employees are rated not only by their supervisors but by coworkers, clients or citizens, professionals in other agencies with whom they work, and subordinates. 2021. 6

18-4 Standard descriptions of the actions of the muscles controlling the hand can give a misleading impression of the degree to which the fingers can be controlled independently. 2020. 10

18-5 However, efforts are on to have a built environment in which loss of life is minimized, and lifelines and infrastructure continue to function during and after an earthquake disaster. 2021. 10

WORDS

inward-looking 내향적인 immunity 면역 breakthrough 돌파구 supervisor 감독관 subordinate 부하 직원
infrastructure 기반시설

18-6 The typical scenario in the less developed world is one in which a very few commercial agriculturalists are technologically advanced while the vast majority are incapable of competing. 2019 수능

18-7 Establishing correspondences without knowing the rules by which those correspondences are constructed is like comparing Mansi words with Khanty words when we understand neither language. 2021. 4

18-8 Because overwhelming fear can get in the way of many types of adaptive action, it sometimes is adaptive for cultures to provide "rose-colored glasses" with which to understand reality and our place in it. 2020. 7

18-9 There is good evidence that the current obesity crisis is caused, in part, not by what we eat (though this is of course vital, too) but by the degree to which our food has been processed before we eat it. 2019. 4

18-10 Because of the inner qualities with which the individual is endowed through heritage and environment, the mind functions as a filter; every outside impression that passes through it is filtered and interpreted. 2022. 수능

WORDS

commercial 상업의　correspondence 서신왕래, 관련성　overwhelming 압도적인　adaptive 적응할 수 있는
obesity 비만　endow 수여하다　heritage 유산　interpret 해석하다

18-11 Seeing the hero battle obstacles and overcome crises engages the viewer in an emotional struggle in which the drama's storyline and its conclusion events carry an emotional impact that would otherwise be missing. 2017. 7

18-12 As a result, researchers gradually began to believe that runners are subconsciously able to adjust leg stiffness prior to foot strike based on their perceptions of the hardness or stiffness of the surface on which they are running. 2020. 6

18-13 People with a strong sense of self-efficacy, therefore, may be more willing to step outside the culturally prescribed behaviors to attempt tasks or goals for which success is viewed as improbable by the majority of social actors in a setting. 2018. 6

18-14 The transformation of such proto-language into language required the evolution of grammar — rules that define the order in which a finite number of words can be strung together to create an infinite number of utterances, each with a specific meaning. 2018. 7

WORDS

obstacle 장애물 overcome 극복하다 subconsciously 잠재의식적으로 stiffness 경직도
prescribe 규정하다, 처방하다 improbable 사실 같지 않은 finite 유한한 infinite 무한한

18-15 When Peter Liu, a UCLA sleep researcher, brought chronically sleep-restricted people into the lab for a weekend of sleep during which they slept about 10 hours per night, they showed improvements in the ability of insulin to process blood sugar. 2015. 4

18-16 We continually rely on the distribution systems through which we experience art — museums, galleries, radio stations, television networks, etc. — to narrow the field of possibilities for us so that we don't have to spend all of our energy searching for the next great thing. 2015. 3

18-17 It is precisely this issue of vulnerability on which a number of social scientists focused, arguing that although floods, landslides and earthquakes are natural processes, the disasters that can be associated with them are not a result of natural processes, but of human vulnerability. 2013. 9

18-18 While current affairs programmes are often 'serious' in tone sticking to the 'rules' of balance, more popular programmes adopt a friendly, lighter, idiom in which we are invited to consider the impact of particular news items from the perspective of the 'average person in the street'. 2022. 수능

WORDS

chronically 만성적으로　distribution 배급, 유통　precisely 정확하게　landslide 산사태　vulnerability 취약성
stick to 고수하다　perspective 관점

18-19 Imagine there are two habitats, a rich one containing a lot of resources and a poor one containing few, and that there is no territoriality or fighting, so each individual is free to exploit the habitat in which it can achieve the higher pay-off, measured as rate of consumption of resource. 2022. 7

18-20 Sociologists of genetics argue that media portrayals of genetic influences on health have increased considerably over time, becoming part of the public discourse through which individuals understand symptoms, make help-seeking decisions, and form views of people with particular traits or conditions. 2019. 9

WORDS

habitat 서식지 territoriality 영토권 exploit 이용하다 portrayal 묘사 discourse 담론

계속적 용법 구문

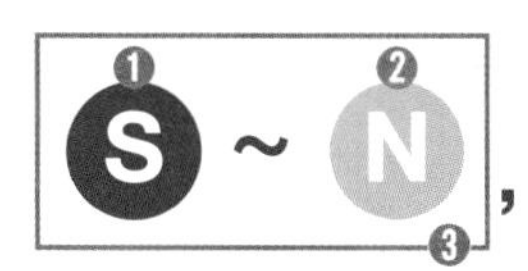

which가 의미하는 것
❶ 주어 ❷ 앞 명사 ❸ 앞 문장 전체

When the surrounding temperature increases, the activity in the hive decreases, which decreases the amount of heat generated by insect metabolism. 2018. 9

구문 분석

When the surrounding temperature (S) increases (V), / **the activity** (S) in the hive / **decreases** (V), /
주변의 온도가 올라갈 때 / 벌집 안에서의 활동은 / 감소한다

which는 앞 문장 전체를 받는다
which decreases the amount of heat / generated by insect metabolism.
이는 열의 양을 감소시킨다 / 곤충의 신진대사에 의해 발생된

구문 해석

주변 온도가 올라가면, 벌집 안에서의 활동은 줄어드는데, 이는 곤충의 신진대사에 의해 발생하는 열의 양을 감소시킨다.

정답 p.062

다음 문장에서 앞에서 설명한 구문 포인트를 찾아 표기하고 직독직해하며 문장 구조를 명확히 파악하는 연습을 해 보세요.

19-1 We expect people to monitor machines, which means keeping alert for long periods, something we are bad at. 2021. 수능

19-2 Some decisions by their nature present great complexity, whose many variables must come together a certain way for the leader to succeed. 2020. 6

19-3 The company's passion for satisfying customers is summed up in its credo, which promises that its luxury hotels will deliver a truly memorable experience. 2022. 6

19-4 The blueprints for our shells spring from our minds, which may spontaneously create something none of our ancestors ever made or even imagined. 2019. 6

19-5 At times they need to be surprised with your small achievements, which could be some additional skills you acquired, or some awards you won in your field of passion. 2021. 10

WORDS

variable 변수 credo 신조 spontaneously 자연스럽게 acquire 얻다 passion 열정

19-6 Why does the "pure" acting of the movies not seem unnatural to the audience, who, after all, are accustomed in real life to people whose expression is more or less indistinct? 2017. 9

19-7 Although richer people spend smaller proportions of their income on food, in total they consume more food — and richer food, which contributes to various kinds of disease and debilitation. 2019. 9

19-8 Unlike the "urban villagers," whose loose ties to the outside restrict them within their boundaries, cosmopolitan networks profit from exposure to new information and a more extensive range of relationships. 2017. 9

19-9 A fundamental insight of modern economics is that the key to the creation of wealth is a division of labor, in which specialists learn to produce a commodity with increasing cost-effectiveness and have the means to exchange their specialized products efficiently. 2021. 3

19-10 It seemed like a fair deal: we would accept new technologies, which would modify our habits and oblige us to adjust to certain changes, but in exchange we would be granted relief from the burden of work, more security, and above all, the freedom to pursue our desires. 2022. 7

WORDS

accustomed 익숙한 proportion 비율 debilitation 악화 cosmopolitan 세계적인 extensive 광범위한
insight 통찰 division 분화 commodity 상품 modify 수정하다 adjust 조정하다 pursue 추구하다

19-11 Since that time, it has become apparent that broadly effective pesticides can have harmful effects on beneficial insects, which can negate their effects in controlling pests, and that persistent pesticides can damage non-target organisms in the ecosystem, such as birds and people. 2022. 6

19-12 In spite of increasing acceleration, for example in travelling through geographical or virtual space, our body becomes more and more a passive non-moving container, which is transported by artefacts or loaded up with inner feelings of being mobile in the so-called information society. 2022. 6

WORDS

apparent 명백한　beneficial 유익한, 이로운　negate 무효화하다　persistent 지속적인　acceleration 가속
virtual space 가상공간　transport 운송하다　artefact 인공물

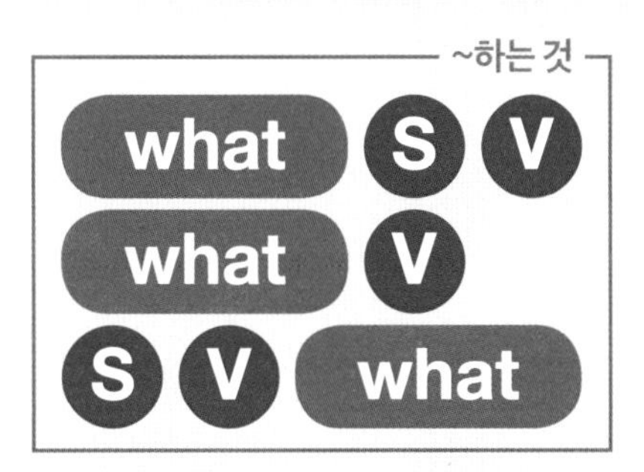

UNIT 20 관계사 what 구문

Many aspects of human culture have what archaeologists describe as low archaeological visibility, meaning they are difficult to identify archaeologically. 2022. 9

구문 분석

S / V / what절 (~하는 것) S V

Many aspects of human culture / **have** / what archaeologists describe /

인류 문화의 많은 특징들은 / 가진다 / 고고학자들이 설명하는 것을 /

문장 뒤 분사(그리고~) S V

as low archaeological visibility, / meaning / they are difficult /

낮은 고고학적 가시성으로서 / 이는 의미한다 / 그것들이 어렵다고 /

to identify archaeologically.

고고학적으로 식별하기가

구문 해석

인류 문화의 많은 측면은 고고학자들이 낮은 고고학적 가시성이라고 말하는 것을 지니고 있는데, 이것은 그것들이 고고학적으로 식별하기 어렵다는 것을 의미한다.

정답 p.064

다음 문장에서 앞에서 설명한 구문 포인트를 찾아 표기하고 직독직해하며 문장 구조를 명확히 파악하는 연습을 해 보세요.

20-1 As we invent more species of AI, we will be forced to surrender more of what is supposedly unique about humans. 2018. 수능

20-2 Children who visit cannot help but remember what their parents or grandparents once were and be depressed by their incapacities. 2017. 수능

20-3 When you begin to tell a story again that you have retold many times, what you retrieve from memory is the index to the story itself. 2019. 9

20-4 The fast-moving, risk-loving, and pioneering private sector, by contrast, is what really drives the type of innovation that creates economic growth. 2021. 7

20-5 In economic systems what takes place in one sector has impacts on another; demand for a good or service in one sector is derived from another. 2021. 9

WORDS

surrender 포기하다 supposedly 아마도 retrieve 되찾다 derive from ~로부터 가져오다

20-6 Good teachers know that learning occurs when students compare what they already know with the new ideas presented by the teacher or textbook. 2021. 3

20-7 Intellectual, introspective, and exceedingly detail-oriented, investigators are happiest when they're using their brain power to pursue what they deem as a worthy outcome. 2015. 9

20-8 Any discussion of coevolution quickly runs into what philosophers call a "causality dilemma," a problem we recognize from the question, "Which came first, the chicken or the egg?" 2019. 4

20-9 In the Arapesh tribe, both men and women were taught to play what we would regard as a feminine role: They were cooperative, non-aggressive, and sensitive to the needs of others. 2013. 7

20-10 Philosopher Thomas Nagel argued that there is no "view from nowhere," since we cannot see the world except from a particular perspective, and that perspective influences what we see. 2022. 6

WORDS

introspective 자기 성찰적인　exceedingly 과도하게　investigator 조사관　philosopher 철학자
causality 인과관계　non-aggressive 비공격적인　perspective 관점

20-11 To assess subjects' real life experiences, the researchers compared lists of goals that subjects had set for themselves against what they had actually accomplished and also relied on self-reports. 2013. 9

20-12 Most historians of science point to the need for a reliable calendar to regulate agricultural activity as the motivation for learning about what we now call astronomy, the study of stars and planets. 2021. 9

20-13 Once you start to see praise for what it is — and what it does — these constant little valuative outbursts from adults start to produce the same effect as fingernails being dragged down a blackboard. 2017. 9

20-14 We all begin in a kind of sensory chaos — what William James called an "aboriginal sensible muchness": a more or less undifferentiated mass of sounds and lights, colors and textures and smells. 2017. 7

20-15 The researchers were led to the conclusion that the 5-year-olds in the toys group were attending quite strategically, distributing their attention between toy play and viewing so that they looked at what was for them the most informative part of the program. 2017. 4

WORDS

reliable 믿을 만한　regulate 규제하다　astronomy 천문학　valuative 평가의　outburst 분출　sensory 감각의
aboriginal 원주민의, 원래의　undifferentiated 식별되지 않는　distribute 분배하다　informative 유용한

특이 관계사 구문

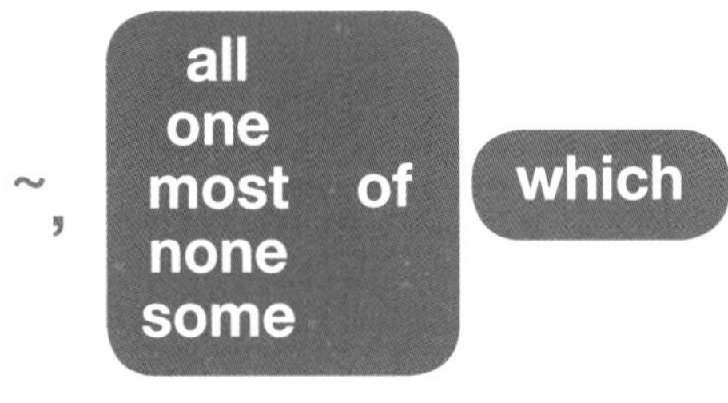

~, 그런데 이것 중 모두는/하나는/대부분은 ...

생략됨 일종의 삽입으로 생각

예제 1

Multitasking is another way of saying you are going to complete several tasks, none of which are going to be very good. 2015. 9

구문 분석 1

(S) **Multitasking** (V) **is** another way / of saying / (that) (S) you (V) are going to complete several tasks, /
다중 작업은 또 다른 방식이다 / 말하는 / 당신이 몇 가지 과제를 완수하려고 하는데 /

부정대명사 of which
none of which / (V) are going to be very good.
그중 어떤 것도 / 아주 잘 되지 않을 것이다라고

구문 해석 1

다중 작업이 몇 가지 과제를 완수하려고 하는데, 그중 어느 것도 아주 잘 되지 않을 거라고 말하는 또 다른 방식이다.

예제 2

Over the past 60 years, as mechanical processes have replicated behaviors and talents we thought were unique to humans, we've had to change our minds about what sets us apart. 2018. 수능

구문 분석 2

Over the past 60 years, / as (S) mechanical processes / (V) have replicated behaviors and talents (that) /
지난 60년 동안 / 기계식 공정이 / 행동과 재능을 복제해 왔기에

[we thought / were unique to humans,] / (S) **we've** (V) **had to change** our minds / about what (V) sets us apart.
우리는 생각했다 / 인간에게 독특한 / 우리는 생각을 바꿔야만 했다 / 우리를 다르게 만드는 것에 대해서

구문 해석 2

지난 60년 동안, 기계식 공정이 우리가 생각하기에 인간에게만 있는 행동과 재능을 복제해 왔기 때문에, 우리는 우리를 다르게 만드는 것에 관한 우리의 생각을 바꿔야만 했다.

정답 p.068

다음 문장에서 앞에서 설명한 구문 포인트를 찾아 표기하고 직독직해하며 문장 구조를 명확히 파악하는 연습을 해 보세요.

21-1 There's a direct analogy between the fovea at the center of your retina and your fingertips, both of which have high acuity. 2021. 수능

*fovea 중심와

21-2 Jobs may not be permanent, and you may lose your job for countless reasons, some of which you may not even be responsible for. 2017. 수능

21-3 The contestants had pinpointed 110 locations on the company's property, half of which had never been earmarked by company geologists. 2012. 10

21-4 Good papers do not merely review literature and then say something like "there are many different points of view, all of which have something useful to say." 2018. 3

21-5 Justinian helped his people by recovering the lands that had once been part of the Roman Empire, many of which had fallen into the hands of invaders from the north. 2014. 4

WORDS

analogy 유사함 retina 망막 acuity 예민함 permanent 영구적인 contestant 대회 참가자
pinpoint 정확히 지적하다 earmark 배정하다 geologist 지질학자 empire 제국

21-6 Building in regular "you time," however, can provide numerous benefits, all of which help to make life a little bit sweeter and a little bit more manageable. 2018. 9

21-7 People rooted in landscape may feel strong connections to other community members and may resent the invasion of outsiders who they believe are different and challenge their common identity. 2017. 9

21-8 Much of this loss has been driven by habitat destruction from logging and the rapid spread of vast plantations of oil palm, the fruit of which is sold to make oil used in cooking and in many food products. 2020. 7

21-9 According to Derek Bickerton, human ancestors and relatives such as the Neanderthals may have had a relatively large lexicon of words, each of which related to a mental concept such as 'meat', 'fire', 'hunt' and so forth. 2018. 7

21-10 If glaciers started re-forming, they have a great deal more water now to draw on — Hudson Bay, the Great Lakes, the hundreds of thousands of lakes of Canada, none of which existed to fuel the last ice sheet — so they would grow very much quicker. 2018. 6

WORDS

replicate 복제하다　resent 분노하다　habitat 서식지　logging 벌채　lexicon 어휘목록　glacier 빙하

21-11 The location of senile mental deterioration was no longer the aging brain but a society that, through involuntary retirement, social isolation, and the loosening of traditional family ties, stripped the elderly of the roles that had sustained meaning in their lives. 2019. 9

21-12 Book advertisements in *The New York Review of Books* and *The New York Times Book Review* regularly include pictures of authors and quote authors as they talk about their work, both of which show that our interest is as much in authors as in their books. 2020. 3

21-13 Respondents' most emotional memories of their personal details at the time they learned of the attacks are also those of which they are most confident and, paradoxically, the ones that have most changed over the years relative to other memories about 9/11. 2016. 7

21-14 For every patient seeking help in becoming more organized, self-controlled, and responsible about her future, there is a waiting room full of people hoping to loosen up, lighten up, and worry less about the stupid things they said at yesterday's staff meeting or about the rejection they are sure will follow tomorrow's lunch date. 2020. 3

WORDS

deterioration 악화　involuntary 비자발적인　loosen 느슨하게 하다　strip 빼앗다　quote 인용하다
rejection 거절

UNIT 22 복합 관계사 구문

무엇이든지 (대명사) = everything

whatever ~ , V

S V whatever ~

무엇이더라도 (부사절)

whatever ~ , S V

however ~ , S V

아무리 ~ 하더라도 (부사절)

예제 1

Whatever the hardship a person may experience, the indicators of satisfaction quickly return to their initial levels. 2018. 10

구문 분석 1

복합관계사절(무엇이더라도) S V S

Whatever the hardship / a person may experience, / **the indicators** of satisfaction /

어려움이 무엇이더라도 / 사람이 경험하는 / 만족의 지표는 /

V

quickly **return** to / their initial levels.

빠르게 돌아온다 / 그것들의 처음 수준으로

구문 해석 1

사람이 어떠한 어려움을 겪든지 간에, 만족의 지표는 재빠르게 그것의 초기 수준으로 되돌아온다.

예제 2

Difficulties arise when we do not think of people and machines as collaborative systems, but assign whatever tasks can be automated to the machines and leave the rest to people. 2021.수능

구문 분석 2

S V S V_1

Difficulties arise / when we do not think of / people and machines / as collaborative systems, /

어려움이 발생한다 / 우리가 생각하지 않을 때 / 사람들과 기계들을 / 협력적인 시스템으로서

V_2 복합관계사(어떤 일이든) S V_1 V_3

but assign / whatever tasks can be automated / to the machines / and leave the rest / to people.

하지만 할당할 때 / 자동화될 수 있는 어떤 일이든 / 기계들에게 / 그리고 나머지를 남겨둘 때 / 사람들에게

구문 해석 2

사람과 기계를 협업 시스템으로 생각하지 않고 자동화될 수 있는 작업은 무엇이든 기계에 할당하고 그 나머지를 사람들에게 맡길 때 어려움이 발생한다.

정답 p.071

다음 문장에서 앞에서 설명한 구문 포인트를 찾아 표기하고 직독직해하며 문장 구조를 명확히 파악하는 연습을 해 보세요.

22-1 People work within the forms provided by the cultural patterns that they have internalised, however contradictory these may be. 2021. 9

22-2 A fearful prey animal like a deer ought to just get out of there whenever it sees something strange and different that it doesn't understand. 2012. 10

22-3 Accepting whatever others are communicating only pays off if their interests correspond to ours — think cells in a body, bees in a beehive. 2021. 9

22-4 A turtle that withdraws into its shell at every puff of wind or whenever a cloud casts a shadow would never win races, not even with a lazy rabbit. 2021. 9

22-5 I have found that in general, however touchy the question, if a person is telling the truth his or her manner will not change significantly or abruptly. 2011. 9

WORDS

internalise 내면화하다 contradictory 모순되는 correspond 상응하다 withdraw 철수하다 puff of wind 미풍 casts a shadow 그림자를 드리우다 abruptly 갑자기

22-6 When a company comes out with a new product, its competitors typically go on the defensive, doing whatever they can to reduce the odds that the offering will eat into their sales. 2013. 6

22-7 International law could play a minimal role or none at all, and was perhaps just an illusion, a sophisticated kind of propaganda — a set of rules that would be swept away whenever the balance of power changed. 2021. 10

22-8 Experiments have shown that whatever number of lake trout a pond is stocked with in the beginning, the population will increase until it reaches a particular density, then level off at about the same number. 2013. 6

22-9 When millionaires are asked about the size of the fortune necessary to make them feel ‘truly at ease’, they all respond in the same way, whatever the level of income they have already attained: they need double what they already possess! 2018. 10

22-10 Wherever we fixate in that view, the things we see before the point of fixation are moving quickly across our retina opposite to the direction we are moving in, while things past the point are moving slowly across our retina in the same direction as we are traveling. 2017. 4

WORDS

competitor 경쟁자 sophisticated 정교한 propaganda 선전 sweep away 일소하다
be stocked with ~로 채워지다 attain 얻다 fixate 고정하다 retina 망막

UNIT 23 후위 수식 구문

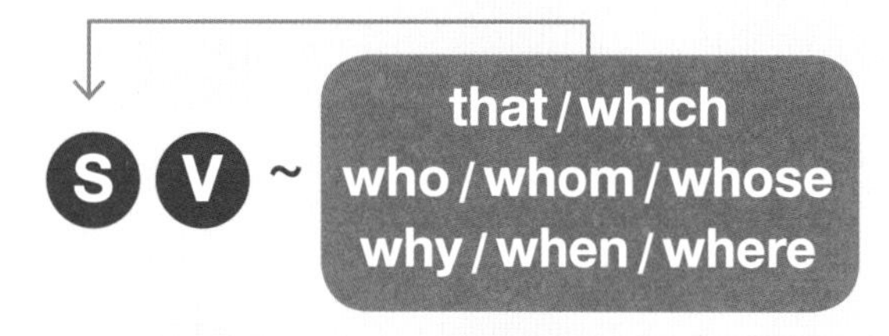

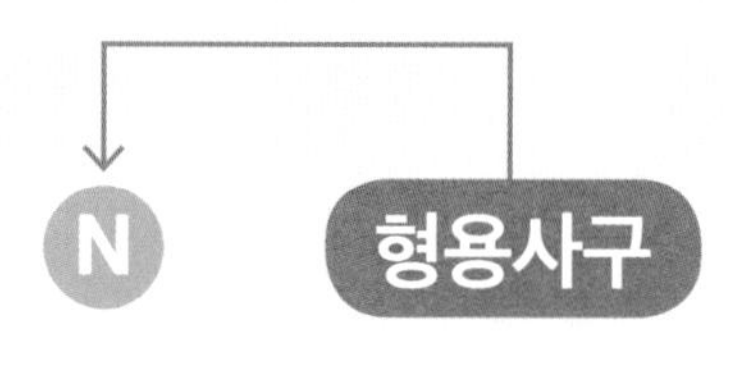

예제 1

A special harmony emerges that we missed before. 2019. 6

구문 분석 1

S V S V
A special harmony emerges / that we missed before.
특별한 조화가 나타난다 / 우리가 그전에 놓쳤던

구문 해석 1

우리가 그전에 놓쳤던 특별한 조화가 나타난다.

예제 2

As a patient, and a teenager eager to return to college, I asked each doctor who examined me, "What caused my disease?" 2016.3 고2

구문 분석 2

As a patient, / and a teenager / eager to return to college, /
환자로서 / 그리고 십대로서 / 간절히 대학으로 되돌아 가고픈

S V
I asked each doctor / who examined me, / "What caused my disease?"
나는 의사마다 물었다 / 나를 검사했던 / 무엇이 내 병을 유발했나요?

구문 해석 2

환자로서, 그리고 간절히 대학으로 돌아 가기를 바라는 십대로서, 나는 나를 진찰했던 의사마다 물었다. "무엇이 제 병의 원인인가요?"

정답 p.073

다음 문장에서 앞에서 설명한 구문 포인트를 찾아 표기하고 직독직해하며 문장 구조를 명확히 파악하는 연습을 해 보세요.

23-1 For instance, when issues arise that touch on women's rights, women start to think of gender as their principal identity. 2018. 9

23-2 When you live in Sweden, chances are good that any group within five hundred miles has been exposed to the same few pathogens. 2022. 3

* pathogen 병원균

23-3 At the end of the War, however, a transition began that replaced old-style farming with production systems that were much more intensive. 2018. 7

23-4 Elinor Ostrom found that there are several factors critical to bringing about stable institutional solutions to the problem of the commons. 2022. 수능

23-5 The possibility also exists that an unfamiliar object may be useful, so if it poses no immediate threat, a closer inspection may be worthwhile. 2021. 9

WORDS

principal 주요한 transition 전이, 전송 intensive 집약적인, 집중적인 institutional 제도적인
inspection 검사, 조사

23-6 A program should be established that looks for likely invasion routes of pests into a museum facility and takes steps to prevent use of these routes. 2016. 10

23-7 Often useless material is gathered that may seem important at the time but does not seem so in their study room on the night before an exam or essay due date. 2018. 3

23-8 Albert Einstein sought relentlessly for a so-called unified field theory — a theory capable of describing nature's forces within a single, all-encompassing, coherent framework. 2011. 9

23-9 Eventually a point will be reached where the next arrivals will do better by occupying the poorer quality habitat where, although the resource is in shorter supply, there will be less competition. 2022. 7

23-10 In the context of SNS, media literacy has been argued to be especially important "in order to make the users aware of their rights when using SNS tools, and also help them acquire or reinforce human rights values and develop the behaviour necessary to respect other people's rights and freedoms". 2018 수능

WORDS

facility 시설 due date 마감일 relentlessly 끊임없이 unified 통일된 all-encompassing 포괄하는
coherent 일관된 literacy 읽고 쓸 수 있는 능력 reinforce 강화하다

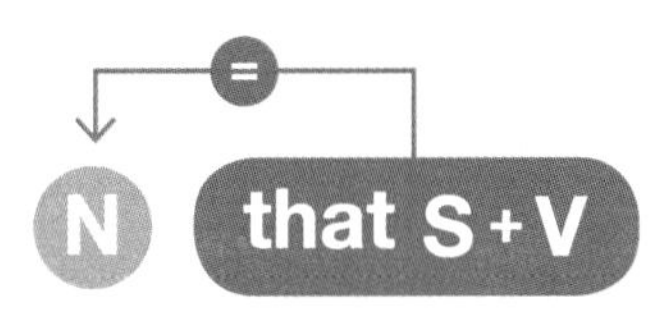

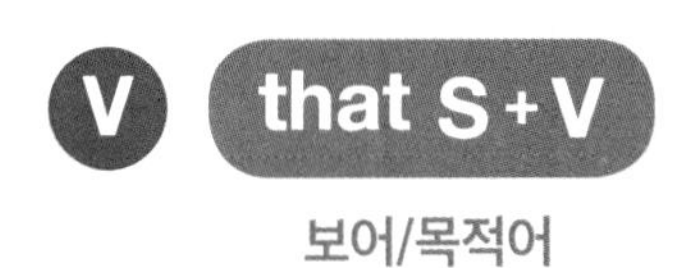

보어/목적어

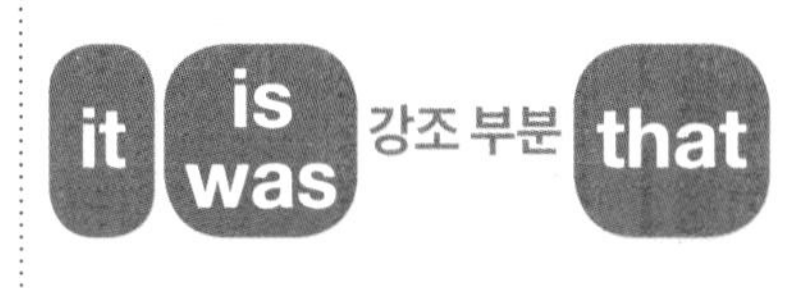

예제 1

This illustrates the tendency that most city dwellers get tired of urban lives and decide to settle in the countryside. 2020. 6

구문 분석 1

동격의 접속사 that

S V S V_1

This illustrates the tendency / that most city dwellers / get tired of urban lives /

이것은 경향을 설명한다 / 대부분의 도시 거주민들이 / 도시 생활에 지쳐있다 /

V_2

and decide to settle / in the countryside.

그리고 정착하기로 결정한다 / 시골에

구문 해석 1

이는 대부분의 도시 거주자들이 도시 생활에 지쳐서 시골에서 정착하기로 하는 경향을 보여준다.

예제 2

It would be far better to discover in the planning phase that a particular technology or material will not work than in the execution process. 2021. 6

구문 분석 2

가주어 V 진주어 목적어절을 이끄는 접속사 S

It would be far better / [to discover in the planning phase / that a particular technology or material /

훨씬 더 나을 것이다 / 계획 단계에서 발견하는 것이 / 그 특별한 기술이나 재료가 /

V

will not work / than in the execution process.]

작동하지 않을 것이다 / 실행 과정에서 보다

구문 해석 2

실행 과정보다는 계획 단계에서 특정 기술이나 재료가 작동되지 않으리라는 것을 발견하는 편이 훨씬 더 나을 것이다.

예제 3

The remarkable finding is that distances from an ordinary location to a landmark are judged shorter than distances from a landmark to an ordinary location.

구문 분석 3

S V 접속사(보어절) S

The remarkable finding is that / distances / from an ordinary location to a landmark /

놀라운 결과는 이것이다 / 거리가 / 평범한 장소에서 랜드마크까지의 /

V

are judged shorter / than distances / from a landmark to an ordinary location.

더 짧다고 판단된다 / 거리보다 / 랜드마크에서 평범한 장소까지의

구문 해석 3

주목할 만한 결과는 평범한 장소에서 랜드마크까지의 거리가 랜드마크에서 평범한 장소까지의 거리보다 더 짧다고 추정된다는 것이다.

예제 4

It was only in 1837, with the invention of the electric telegraph, that the traditional link between transport and the communication of messages was broken. 2017. 4

구문 분석 4

S V 강조 부분 it ~ that 강조 용법 S

It was only in 1837, / with the invention of the electric telegraph, / that the traditional link /

1837년이었다 / 전기 전신의 발명과 함께 / 전통적인 연결이 /

V

between transport and the communication of messages / was broken.

운송과 메시지 통신 사이의 / 깨졌다

구문 해석 4

운송과 메시지 연락 사이의 전통적인 관계가 깨진 것은 바로 1837년 전기 전신의 발명으로 인해서였다.

정답 p.075

다음 문장에서 앞에서 설명한 구문 포인트를 찾아 표기하고 직독직해하며 문장 구조를 명확히 파악하는 연습을 해 보세요.

24-1 The act of "seeing" appears so natural that it is difficult to appreciate the vastly sophisticated machinery underlying the process. 2020. 4

24-2 I realized that I had wanted a reward: If I do this nice thing for you, you (or someone else will do an equally nice thing for me. 2015. 3

24-3 Metacognition simply means "thinking about thinking," and it is one of the main distinctions between the human brain and that of other species. 2020. 7

24-4 While we believe we hold the power to raise our children, the reality is that our children hold the power to raise us into the parents they need us to become. 2021. 7

24-5 It may be because people in the dispersed city have invested so heavily in private comfort that they feel insulated from the problems of the rest of the world. 2021. 10

WORDS

appreciate 평가하다 sophisticated 복잡한 underly 기저를 이루다 distinction 차이, 독특함

24-6 Ideas are worked out as logical implications or consequences of other accepted ideas, and it is in this way that cultural innovations and discoveries are possible. 2021. 9

24-7 The borderless-world thesis has been vigorously criticized by many geographers on the grounds that it presents a simplistic and idealized vision of globalization. 2020. 7

24-8 A popular notion with regard to creativity is that constraints hinder our creativity and the most innovative results come from people who have "unlimited" resources. 2018. 7

24-9 Part of the problem may be that the majority of the people who are most likely to write novels, plays, and film scripts were educated in the humanities, not in the sciences. 2021. 6

24-10 The payoff of the scientific method is that the findings are replicable; that is, if you run the same study again following the same procedures, you will be very likely to get the same results. 2019. 수능

WORDS

implication 함축 consequence 결과 vigorously 격렬하게 geographer 지리학자 simplistic 단순한
constraint 제한 humanity 인문학 payoff 이점 replicable 반복 가능한

24-11 We may categorize 80% of all compliments in the data as adjectival in that they depend on an adjective for their positive semantic value. 2015. 7

24-12 The feeling of novelty or surprise often attests to the fact that our lived experience is preceded by a set of preconceptions derived, at least to some extent, from the words and images conveyed by the media. 2020. 10

24-13 The essential argument here is that the capitalist mode of production is affecting peasant production in the less developed world in such a way as to limit the production of staple foods, thus causing a food problem. 2018. 수능

24-14 This digital misdirection strategy relies on the fact that online users utilizing web browsers to visit websites have quickly learned that the most basic ubiquitous navigational action is to click on a link or button presented to them on a website. 2022. 7

24-15 Having made the decision that promptness was now of major importance, I found that answers came automatically to such questions as "Can I squeeze in one more errand before the dentist?" or "Do I have to leave for the airport now?" 2011. 6

WORDS

compliment 칭찬 adjectival 형용사의 novelty 참신함 preconception 선입견 precede 선행하다 convey 전달하다 peasant 소작농 ubiquitous 산재하는 navigational 탐색의 promptness 신속함 errand 잡무

24-16 A study of Stanford University alumni found that those "who have varied work and educational backgrounds are much more likely to start their own businesses than those who have focused on one role at work or concentrated in one subject at school." 2020. 9

24-17 On the other hand, the apparent universality of sleep, and the observation that mammals such as cetaceans have developed such highly complex mechanisms to preserve sleep on at least one side of the brain at a time, suggests that sleep additionally provides some vital service(s) for the organism. 2021. 6

24-18 In addition to protecting the rights of authors so as to encourage the publication of new creative works, copyright is also supposed to place reasonable time limits on those rights so that outdated works may be incorporated into new creative efforts. 2018. 수능

WORDS

apparent 명확한 universality 보편성 observation 관찰 preserve 보존하다 incorporate 포함하다

24-19 While there's plenty of research that shows that people who work with the muscles above their neck create all kinds of stresses for themselves, it's the people who focus on the why of their jobs (as opposed to the what and the how) who can manage the day-to-day problems more easily. 2013. 9

24-20 Which is all just to say that the arts may well have been vital for developing the flexibility of thought and fluency of intuition that our relatives needed to fashion the spear, to invent cooking, to harness the wheel, and, later, to write the Mass in B Minor and, later still, to crack our rigid perspective on space and time. 2022. 7

fluency 유창성 intuition 직관력 harness 이용하다 rigid 엄격한

UNIT 25 특수 비교 구문

no more than	고작
no less than	~만큼
not more than	최대한
not less than	최소한

the 비교급 ~, the 비교급 ~
~하면 할 수록 더 ~하다

as ~ as ...
...만큼 ~한

예제 1

What one often gets is no more than abstract summaries of lengthy articles. 2017. 9

구문 분석 1

S S V V 단지, 고작
What one often gets / is no more than / abstract summaries of lengthy articles.
사람이 흔히 얻는 것은 / 고작 ~에 불과하다 / 긴 기사의 추상적인 요약에

구문 해석 1

우리가 흔히 얻는 것은 너무 긴 기사의 추상적인 요약에 지나지 않는다.

예제 2

The more science that emerges from this investment, the greater the need for us to follow the gist of the science with sufficient understanding. 2011. 9

구문 분석 2

The more science / that emerges from this investment, /
과학이 더 많으면 많을수록 / 이러한 투자로부터 발생하는 /

the 비교급 ~ the 비교급
the greater / the need / for us / to follow the gist of the science /
더 커진다 / 필요성이 / 우리가 / 과학의 요점을 따라야 할 /

with sufficient understanding.
충분한 이해를 가지고

구문 해석 2

이러한 투자로부터 나오는 과학이 많을수록, 우리가 충분한 이해력으로 과학의 요점을 따라갈 필요성이 커진다.

예제 3

Csikszentmihalyi's point is that we should devote as much attention to the development of a domain as we do to the people working within it, as only this can properly explain how advances are made. 2018. 9

구문 분석 3

Csikszentmihalyi's point is that / we should devote / as much attention /
Csikszentmihalyi의 요점은 이러하다 / 우리는 쏟아야 한다는 / 많은 관심을 /

as ~ as … (…만큼 ~한)

to the development of a domain / as we do to the people / working within it, /
영역의 발전에 / 우리가 사람들에게 하는 것 만큼 / 그 안에서 일하는 /

as only this can properly explain / how advances are made.
오직 이것이 적절히 설명할 수 있기 때문에 / 어떻게 진보가 만들어지는지를

구문 해석 3

Csikszentmihalyi의 요점은 우리가 어떤 분야에서 일하는 사람들에게 주의를 기울이는 것처럼 그 분야의 발전에 많은 주의를 기울여야 한다는 것인데, 이는 단지 이것만이 진보가 어떻게 만들어지는지를 적절히 설명할 수 있기 때문이다.

정답 p.080

다음 문장에서 앞에서 설명한 구문 포인트를 찾아 표기하고 직독직해하며 문장 구조를 명확히 파악하는 연습을 해 보세요.

25-1 While some cities took advantage of these new opportunities, many remained little more than rural trading posts. 2018. 4

25-2 If, for example, the control group would normally catch twice as many colds as the experimental group, then the findings prove nothing. 2021. 9

25-3 The ego doesn't know that the more you include others, the more smoothly things flow and the more easily things come to you. 2021. 3

25-4 If one looks at the Oxford definition, one gets the sense that post-truth is not so much a claim that truth *does not exist* as that *facts are subordinate to our political point of view.* 2019. 9

25-5 Similarly, people who personally know an entrepreneur are more than twice as likely to be involved in starting a new firm as those with no entrepreneur acquaintances or role models . 2018.3 고2

WORDS

definition 정의　subordinate 종속되는　entrepreneur 기업가　acquaintance 지인

25-6 People in this group are more likely to think that what they are doing is scientific, the idea being that the more we can measure and pin cooking down, the more like science it will be. 2017. 7

25-7 Organic farmers grow crops that are no less plagued by pests than those of conventional farmers; insects generally do not discriminate between organic and conventional as well as we do. 2013. 6

25-8 Scientists have no special purchase on moral or ethical decisions; a climate scientist is no more qualified to comment on health care reform than a physicist is to judge the causes of bee colony collapse. 2022. 수능

25-9 The obese individual who has been successfully sold on going on a medically prescribed diet but is lured back to his candy jar and apple pie after one week, is as much of a failure as if he never had been sold on the need to lose and control his weight. 2021. 10

25-10 It is thus quite credible to estimate that in order to meet economic and social needs within the next three to five decades, the world should be producing more than twice as much grain and agricultural products as at present, but in ways that these are accessible to the food-insecure. 2019. 9

WORDS

plague 병에 걸리다 conventional 전통적인 discriminate 차별하다 physicist 물리학자 colony 집단
collapse 붕괴 obese 비만의 prescribe 처방하다 lure 유혹하다 food-insecure 식량이 부족한

도치 구문

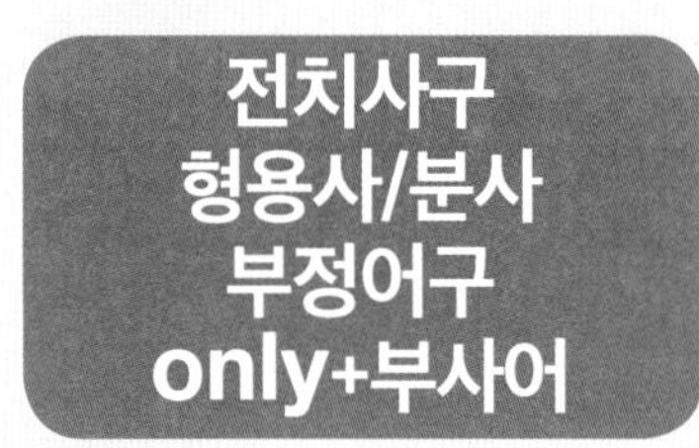

전치사구
형용사/분사
부정어구
only+부사어

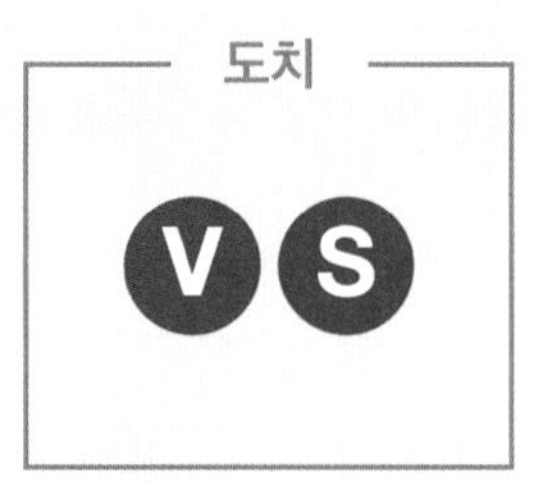

At the simplest level are the occasional trips made by individual !Kung and Dani to visit their individual trading partners in other bands or villages. 2021. 3

구문 분석 1

전치사구 V S ==> 도치

At the simplest level / **are the occasional trips** / made / by individual !Kung and Dani /

가장 단순한 수준에서 / 이따금씩 하는 여행은 / 만들어진다 / !Kung족과 Dani족에 의해서 /

to visit their individual trading partners / in other bands or villages.

그들의 각자의 거래 상대를 방문하기 위해서 / 다른 무리나 마을에서

구문 해석 1

가장 단순한 단계에서 !Kung족과 Dani족 일원이 다른 무리나 마을에 있는 그들 각자의 거래 상대를 방문하기 위해 이따금 하는 왕래가 있다.

예제 2

Notable is the near absence of obvious dark markings on the underside of the flight and tail feathers. 2016. 10

구문 분석 2

형용사 보어 V S ==> 도치

Notable / **is the near absence** / of obvious dark markings / on the underside /

두드러진 / 거의 없는 것이 / 명백한 어두운 점들이 / 아래 쪽에 /

of the flight and tail feathers.

날개깃털과 꼬리깃털의

구문 해석 2

두드러진 점은 날개깃과 꼬리깃 밑에는 분명하게 보이는 짙은 점이 거의 없다는 것이다.

정답 p.082

다음 문장에서 앞에서 설명한 구문 포인트를 찾아 표기하고 직독직해하며 문장 구조를 명확히 파악하는 연습을 해 보세요.

26-1 Distinct from the timing of interaction is the way in which time is compressed on television. 2020. 3

26-2 Never before and never since has the quality of monumentality been achieved as fully as it was in Egypt. 2019. 수능

26-3 Repeated measurements with the same apparatus neither reveal nor do they eliminate a systematic error. 2020. 3

26-4 Often overlooked, but just as important a stakeholder, is the consumer who plays a large role in the notion of the privacy paradox. 2022. 6

26-5 At the heart of this process is the tension between the professions' pursuit of autonomy and the public's demand for accountability. 2021. 9

26-6 Most people would regard as unfair a market equilibrium in which some individuals are super-rich while others are dying of extreme poverty. 2014. 9 고2

WORDS

distinct 구별되는 interaction 상호작용 compress 압축하다 monumentality 기념비성 apparatus 도구
eliminate 제거하다 stakeholder 이해관계자 autonomy 자율성 accountability 책임
equilibrium 균형상태 poverty 빈곤

26-7 Moving down to the level of time that occurs at 1/1000 of a second are biological constants with respect to the temporal resolution of our senses. 2020. 10

26-8 Only after a good deal of observation do the sparks in the bubble chamber become recognizable as the specific movements of identifiable particles. 2014. 수능

26-9 We don't know what ancient Greek music sounded like, because there are no examples of it in written or notated form, nor has it survived in oral tradition. 2022. 3

26-10 Not until the rise of ecology at the beginning of the twentieth century did people begin to think seriously of land as a natural system with interconnecting parts. 2016. 4

26-11 Not only was Eurasia by chance blessed with biological abundance, but the very orientation of the continent greatly promoted the spread of crops between distant regions. 2022. 4

26-12 Only in the last few decades, in the primarily industrially developed economies, has food become so plentiful and easy to obtain as to cause fat-related health problems. 2013. 10

WORDS

constant 상수, 지속적인 with respect to ~에 관한 temporal 시간의 resolution 해상도, 결심
chamber 방, 상자 identifiable 확인 가능한 abundance 풍요로움 orientation 방향, 기질
continent 대륙 promote 촉진하다

26-13 Only when the information is repeated can its possessor turn the fact that he knows something into something socially valuable like social recognition, prestige, and notoriety. 2019. 9

26-14 Only after some time and struggle does the student begin to develop the insights and intuitions that enable him to see the centrality and relevance of this mode of thinking. 2014. 수능

26-15 Suggestive of our open-air markets and flea markets were the occasional markets at which Sio villagers living on the coast of northeast New Guinea met New Guineans from inland villages. 2021. 3

26-16 Not only are you taking in sights and sounds that you could not experience firsthand, but you have stepped inside that person's mind and are temporarily sharing his or her attitudes and reactions. 2018. 3

26-17 Implicit in the characterization of collectivist and individualist groups is the assumption that deviance will be downgraded more in groups that prescribe collectivism than in groups that prescribe individualism. 2020. 10

WORDS

possessor 소유주 prestige 명성 notoriety 악명 intuition 직관력 centrality 중요성
relevance 관련성 suggestive of ~을 시사하는 firsthand 직접의 temporarily 일시적으로
implicit 내재하는 assumption 가정 deviance 일탈

26-18 Of particular importance in considering emotional changes in old age is the presence of a positivity bias: that is, a tendency to notice, attend to, and remember more positive compared to negative information. 2021. 6

26-19 With this form of agency comes the belief that individual successes depends primarily on one's own abilities and actions, and thus, whether by influencing the environment or trying to accept one's circumstances, the use of control ultimately centers on the individual. 2020. 6

26-20 So profound is the extent to which our sense of the world is shaped by media products today that, when we travel to distant parts of the world as a visitor or tourist, our lived experience is often preceded by a set of images and expectations acquired through extended exposure to media products. 2020. 10

WORDS

profound 심오한　　precede 선행하다

27 부정 관련 구문

부정 표현(~아니다)	긍정 표현
no, not, nor, neither	not until A, B A하고 나서야 비로소 B하다
none, nobody, nothing	not only A but also B A뿐만 아니라 B도
rarely, hardly, scarcely	nothing but A 단지(only)
barely, little, less, few	

A scientific truth has little standing until it becomes a collective product. 2018. 6

구문 분석 1

S V S V

A scientific truth has little standing / until it becomes a collective product.

과학적 진실은 설 자리가 거의 없다 / 그것이 집단 산물이 될 때까지는

구문 해석 1

과학적 진실은 집단의 산물이 아닌 한 설 자리가 거의 없다.

예제 2

Not until the rise of ecology at the beginning of the twentieth century did people begin to think seriously of land as a natural system with interconnecting parts. 2016. 4

구문 분석 2

Not until the rise of ecology / at the beginning of the twentieth century /

생태학의 부상 이후에야 비로소 / 20세기 초에 /

V S → 도치

did people begin / to think seriously of land / as a natural system /

사람들은 시작했다 / 땅에 대해서 진지하게 / 자연 시스템으로서 /

with interconnecting parts.

서로 연결된 부분을 가진

구문 해석 2

20세기 초에 생태학이 부상한 이후에야 사람들은 땅을 서로 연결된 부분을 가진 하나의 자연 체계로 진지하게 생각하기 시작했다.

정답 p.086

다음 문장에서 앞에서 설명한 구문 포인트를 찾아 표기하고 직독직해하며 문장 구조를 명확히 파악하는 연습을 해 보세요.

27-1 Neither Einstein's relativity nor Bach's fugues are such stuff as survival is made on. 2022. 7

27-2 Some are reluctant to label plant movements as behaviors, since they lack nerves and muscles. 2022. 3

27-3 In contrast, successful participants had little wish to be distracted from their self-related thoughts! 2021. 9

27-4 Far from being static, the environment is constantly changing and offering new challenges to evolving populations. 2019. 9

27-5 By now designers worked predominately within factories and no longer designed for individuals but for mass markets. 2022. 7

27-6 Because dogs dislike bitter tastes, various sprays and gels have been designed to keep them from chewing on furniture or other objects. 2018. 10

WORDS

reluctant 꺼리는 distract 주의를 돌리다 static 정적인 predominately 대개, 주로

27-7 We can see the world only as it appears to us, not "as it truly is," because there is no "as it truly is" without a perspective to give it form. 2022. 6

27-8 Large or even medium-sized groups — corporations, movements, whatever — aren't built to be flexible, nor are they willing to take large risks. 2018. 7

27-9 An introvert is far less likely to make a mistake in a social situation, such as inadvertently insulting another person whose opinion is not agreeable. 2018. 6

27-10 It should be noted, though, that no development in the Internet job age has reduced the importance of the most basic job search skill: self-knowledge. 2018. 6

27-11 In many cases, weed control can be very difficult or require much hand labor if chemicals cannot be used, and fewer people are willing to do this work as societies become wealthier. 2022. 수능

27-12 The fact that language is not always reliable for causing precise meanings to be generated in someone else's mind is a reflection of its powerful strength as a medium for creating new understanding. 2017. 수능

WORDS

perspective 관점 flexible 유연한 introvert 내성적인 inadvertently 무심코 precise 정확한
generate 발생시키다

27-13 When you stand on a bathroom scale, the scale measures just how much upward force it must exert on you in order to keep you from moving downward toward the earth's center. 2011. 6

27-14 The reality of success in the social web for businesses is that creating a social media program begins not with insight into the latest social media tools and channels but with a thorough understanding of the organization's own goals and objectives. 2022. 수능

***27-15** No sooner had the play begun than she started to doze off, falling forward. 2012. 10

***27-16** There is no doubt that fashion can be a source of interest and pleasure which links us to each other. 2022. 6

***27-17** It was not until relatively recent times that scientists came to understand the relationships between the structural elements of materials and their properties. 2019. 9

***27-18** Attributes and values are passed down from parents to child across the generations not only through strands of DNA, but also through shared cultural norms. 2013. 7

WORDS

reliable 믿을 만한 exert 행사하다 doze off 졸다

*27-19 And what's worse, they could do nothing but turn filmmakers and audiences away from the fantasmatic dimension of cinema, potentially transforming film into a mere delivery device for representations of reality. 2018. 6

*27-20 As a consequence, firms do not only need to consider their internal organization in order to ensure sustainable business performance; they also need to take into account the entire ecosystem of units surrounding them. 2022. 수능

WORDS

attribute 속성　strands of ~ 다발　representation 표현　sustainable 지속 가능한　take into account 고려하다

UNIT 28

5형식 구문

동사	O	OC
make, find leave, keep consider, think of	명사 대명사	명사 형용사/분사
make, have, let 시키다(하게하다)	명사 대명사	동사원형 -ed
hear, watch 듣다, 보다	명사 대명사	동사원형 -ing, -ed
ask, allow, want require, force encourage, cause	명사 대명사	to부정사
get 시키다(하게하다)	명사 대명사	to부정사 -ed

예제 1

The zebras live constantly in fear, smelling the lions in the nearby Great Cats exhibit every day and finding themselves unable to escape. 2011. 6

구문 분석 1

S V 동시상황 분사구문1

The zebras live constantly in fear, / smelling the lions / in the nearby Great Cats exhibit /

얼룩말은 지속적으로 공포 속에서 산다 / 사자의 냄새를 맡으며 / 근처 큰 고양이과 전시회에서 /

동시상황 분사구문2 find+O+OC

every day / and finding / themselves / unable to escape.

매일 / 그리고 발견한다 / 스스로가 / 도망갈 수 없다는 것을

구문 해석 1

얼룩말은 큰 고양이과 전시장 옆에 살고 있는 사자의 냄새를 매일 맡으면서 도망갈 수 없는 자신들의 처지를 발견하고, 항상 두려움 속에서 산다.

예제 2

Some of the early personal accounts of anthropologists in the field make fieldwork sound exciting, adventuresome, certainly exotic, sometimes easy. 2011. 9

S
Some of the early personal accounts / of anthropologists / in the field /
초기 개인적 설명 중 일부는 / 인류학자들의 / 그 분야에서 /

V make+O+OC
make / fieldwork / sound exciting, adventuresome, certainly exotic, sometimes easy.
만든다 / 현장 조사가 / 흥미진진하고, 모험적이고, 확실히 이국적이고, 때때로 쉽게 들리도록

구문 해석 2

이 분야에서 인류학자들의 초기 개인적인 진술 중 몇 가지는 현장 조사를 신나고, 모험적이며, 확실히 이국적이고, 때로는 쉬운 것처럼 들리게 한다.

예제 3

The act of searching the Internet and finding answers to one set of questions caused the participants to increase their sense that they knew the answers to all questions, including those whose answers they had not researched. 2021. 10

구문 분석 3

S
The act / of searching the Internet / and finding answers / to one set of questions /
행동은 / 인터넷을 검색하는 / 그리고 대답을 찾는 / 질문 세트에 대한 /

V cause+O+to R = 동격절 S V
caused / the participants / to increase their sense / that they knew the answers to all questions,
유발했다 / 참가자들이 / 그들의 감각을 높이도록 / 그들이 모든 질문에 대한 답변을 알고 있다는 /

S V
including those / whose answers / they had not researched.
질문을 포함해서 / 그 질문의 대답 / 그들이 조사하지 않았던

구문 해석 3

인터넷을 검색하여 일련의 질문에 대한 답을 찾는 행위는 자신이 답을 조사하지 않은 질문을 포함한 모든 질문에 대한 답을 참가자들이 알고 있다는 느낌을 높여 주었다.

정답 p.090

다음 문장에서 앞에서 설명한 구문 포인트를 찾아 표기하고 직독직해하며 문장 구조를 명확히 파악하는 연습을 해 보세요.

28-1 Negotiators may focus only on the largest, most salient issues, leaving more minor ones unresolved. 2020. 10

28-2 For one thing, the fear of being left out of the loop can keep them glued to their enterprise social media. 2021. 9

28-3 A way to get things done more efficiently and get better results is to do the right thing at the right time of day. 2011. 6

28-4 Thus, archaeologists claiming to follow hypothesis-testing procedures found themselves having to create a fiction. 2019. 6

28-5 Furthermore, we instantly regard the screwdriver we are holding as "our" screwdriver, and get possessive about it. 2020. 6

28-6 We tend to consider ourselves as rational decision makers, logically evaluating the costs and benefits of each alternative we encounter. 2011. 6

WORDS

salient 두드러진 archaeologist 고고학자 hypothesis 가설 procedure 절차 possessive 소유의, 소유욕이 강한
rational 합리적인 alternative 대안

28-7 But one may ask why audiences would find such movies enjoyable if all they do is give cultural directives and prescriptions for proper living. 2019. 11

28-8 If he would have only taken a few minutes to get the nail removed, he most likely would not have received a flat tire on that particular day. 2017. 4

28-9 Through these services and devices, digital nomads assemble a kind of movable office, which allows them to reach their materials from anywhere. 2020. 4

28-10 Some theorists consider Utopian political thinking to be a dangerous undertaking, since it has led in the past to justifications of totalitarian violence. 2019. 6

28-11 Paying kids to read books might get them to read more, but also teach them to regard reading as a chore rather than a source of intrinsic satisfaction. 2012. 10

28-12 Plato considered music in which the lyre and flute played alone and not as the accompaniment of dance or song to be 'exceedingly coarse and tasteless'. 2022. 3

WORDS

prescription 처방 nomad 유목민 justification 정당화 totalitarian 전체주의의 intrinsic 내적인
accompaniment 부수적인 것, 반찬 exceedingly 과도하게 coarse 조잡한

28-13 A reliance on schemata will inevitably make the world seem more "normal" than it really is and will make the past seem more "regular" than it actually was. 2019. 수능

28-14 Coming home from work the other day, I saw a woman trying to turn onto the main street and having very little luck because of the constant stream of traffic. 2015. 3

28-15 Alternatively, the leader's information might be only fragmentary, which might cause her to fill in the gaps with assumptions — sometimes without recognizing them as such. 2020. 6

28-16 Any scientist who announces a so-called discovery at a press conference without first permitting expert reviewers to examine his or her claims is automatically castigated as a publicity seeker. 2018. 6

*castigate 혹평하다

28-17 In our contemporary world, television and film are particularly influential media, and it is likely that the introduction of more scientist-heroes would help to make science more attractive. 2021. 6

WORDS

reliance 의존 schemata 개요, 도식 inevitably 필수적으로 constant 지속적인 alternatively 그렇지 않으면 fragmentary 단편적인 publicity 명성, 평판 contemporary 현대의, 동시대의

28-18 While user habits are a boon to companies fortunate enough to generate them, their existence inherently makes success less likely for new innovations and startups trying to disrupt the status quo. 2021. 3

28-19 Tory Higgins and his colleagues had university students read a personality description of someone and then summarize it for someone else who was believed either to like or to dislike this person. 2011. 6

28-20 You can use a third party to compliment a person you want to befriend and still get the "credit" for making the target of your compliment feel good about themselves and, by extension, feel good about you. 2017. 4

28-21 The energy from the Sun that reaches the Earth over the course of just three days is equal to the energy in the fossil fuels needed to keep the human race supplied with power for 100 years at the present rate of consumption. 2017. 10

28-22 Gift-wrapping, in Waits's acute term, became a 'decontaminating mechanism' that removed the presents from the 'normal flow of bought-and-sold goods' and made them, for a single ceremonial moment, emblems of intimacy rather than commerce. 2011. 6

WORDS

inherently 본질적으로 status quo 현재 상태 colleague 동료 summarize 요약하다
compliment 칭찬하다 credit 공적

28-23 We think of ourselves as seeing some things cause other things to happen, but in terms of our raw sense experience, we just see certain things happen before other things, and remember having seen such before-and-after sequences at earlier times. 2017. 4

28-24 This made the television advertising of mass consumer products relatively straightforward — not to say easy — whereas today it is necessary for advertisers to build up coverage of their target markets over time, by advertising on a host of channels with separate audiences. 2020. 수능

WORDS

acute 날카로운 decontaminate 정화하다 emblem 상징 intimacy 친밀함 sequence 연쇄
straightforward 단순한

5형식 수동태 구문

be left
be kept
be found
be considered
형용사
~하게 되다

be seen
be made
be heard
be watched
to부정사
~하게 되다

As a result, the availability of transportation infrastructure and services has been considered a fundamental precondition for tourism. 2018. 9

구문 분석 1

As a result, / **the availability** (S) / of transportation infrastructure and services /
결과적으로 / 이용 가능성은 / 교통 기반 시설과 서비스의 /

has been considered (V) / a fundamental precondition / for tourism.
be considered + A : A로 간주되다
간주되어 왔다 / 기본적인 전제 조건으로 / 관광을 위한

구문 해석 1

그 결과 교통 기반 시설과 서비스의 이용 가능성이 관광 산업의 기본적인 전제 조건으로 간주되어 왔다.

예제 2

Large numbers have been found to lack meaning and to be underestimated in decisions unless they convey affect (feeling). 2019. 수능

구문 분석 2

Large numbers (S) **have been found** (V) / to lack meaning / and to be underestimated /
be found + to R :to R로 밝혀지다
큰 수들은 밝혀졌다 / 의미가 부족하다고 / 그리고 과소평가 되어지고 있다고 /

in decisions / unless they convey affect (feeling).
결정할 때 / 만약 그들이 정서적 반응(감정)을 전달하지 않는다면

구문 해석 2

큰 수는 정서적 반응(감정)을 전달하지 않는다면 의미가 없으며 결정을 할 때 과소평가된다는 것이 밝혀졌다.

예제 3

Policymaking is seen to be more objective when experts play a large role in the creation and implementation of the policy, and when utilitarian rationality is the dominant value that guides policy. 2013. 수능

구문 분석 3

S V be seen + to R :to R로 보여지다
Policymaking is seen / to be more objective / when experts play a large role /
정책 수립은 보여진다 / 더 객관적으로 / 전문가들이 큰 역할을 할 때 /

in the creation and implementation of the policy, /
정책의 창조와 실행에서 /

S V
and when utilitarian rationality / is the dominant value / that guides policy.
그리고 공리적인 합리성이 / 지배적인 가치가 될 때 / 정책을 인도하는

구문 해석 3

전문가들이 정책을 만들고 시행하는데 큰 역할을 할 때, 그리고 공리적인 합리성이 정책을 유도하는 지배적인 가치일 때 정책 결정은 더욱 객관적인 것으로 간주될 수 있다.

정답 p.095

다음 문장에서 앞에서 설명한 구문 포인트를 찾아 표기하고 직독직해하며 문장 구조를 명확히 파악하는 연습을 해 보세요.

29-1 For optimum health, people should be encouraged to take control to a point and to try harder to conquer uncontrollable stressful situations. 2016. 9

29-2 Without a better understanding of the what, when, and why of data collection and use, the consumer is often left feeling vulnerable and conflicted. 2022. 6

29-3 Through recent decades academic archaeologists have been urged to conduct their research and excavations according to hypothesis-testing procedures. 2019. 6

29-4 Our brains did not have enough time to evolve for them, but I reason that they were made possible because we can mobilize our old areas in novel ways. 2019. 수능

29-5 Upon reaching more predictable profitability, the incubated business can then be expected to "graduate" and move on to a typical office or warehouse building. 2015. 7

WORDS

optimum 최적의 conquer 정복하다 vulnerable 취약한 conduct 행하다 excavation 발굴 hypothesis 가설 mobilize 동원하다 incubate 육성하다

29-6 This means that government goods and services are not made available to persons according to their willingness to pay and their use is not rationed by prices. 2017. 3

29-7 As important as the quality of the image may be, however, it must not be considered so important that the purpose of the film as an artistic, unified whole is ignored. 2020. 10

29-8 Engaging in acts that would be considered inconsequential in ordinary life also liberates us a bit, making it possible to explore our capabilities in a protected environment. 2018. 6

29-9 Seemingly innovative, architecture has actually become trapped in its own convention and commercialized environment, so efforts should be made to activate its power to change us. 2019. 9

29-10 The fallacy of false choice misleads when we're insufficiently attentive to an important hidden assumption, that the choices which have been made explicit exhaust the sensible alternatives. 2020. 수능

WORDS

ration 배급하다 unified 통일된 inconsequential 하찮은 liberate 자유롭게 하다 commercialize 상업화하다 insufficiently 불충분하게 be attentive to ~에 주의를 기울이다 explicit 명백한 exhaust 고갈시키다

29-11 As a couple start to form a relationship, they can be seen to develop a set of constructs about their own relationship and, in particular, how it is similar or different to their parents' relationship. 2018. 9

29-12 They combined individuality and innovation with emulation of the past, seeking to write music that would be considered original and worthy of performance alongside the masterworks of earlier times. 2018. 6

29-13 These predispositions, referred to as task and ego goal orientations, are believed to develop throughout childhood largely due to the types of people the athletes come in contact with and the situations they are placed in. 2020. 3

29-14 Private companies are permitted to sell their "right" to pollute to other companies, which can then pollute more, in the belief that the free hand of the market will find the most efficient opportunities for greenhouse gas reductions. 2016. 4

29-15 When therapies such as acupuncture or homeopathy are observed to result in a physiological or clinical response that cannot be explained by the biomedical model, many have tried to deny the results rather than modify the scientific model. 2021. 3

WORDS

emulation 모방　predisposition 성향　orientation 성향　therapy 치료법　acupuncture 침술
physiological 생리학적인　modify 수정하다

29-16 Likewise, if a library has not collected much in a subject, and then decides to start collecting heavily in that area it will take several years for the collection to be large enough and rich enough to be considered an important research tool. 2019. 9

29-17 The development of historical insight may indeed be regarded by the outsider as a process of creating ever more confusion, a continuous questioning of certainty and precision seemingly achieved already, rather than, as in the sciences, an ever greater approximation to the truth. 2022. 수능

29-18 Thus, individuals of many resident species, confronted with the fitness benefits of control over a productive breeding site, may be forced to balance costs in the form of lower nonbreeding survivorship by remaining in the specific habitat where highest breeding success occurs. 2020. 수능

WORDS

confusion 혼란 certainty 확실성 precision 정확성 approximation 근접 resident species 텃새
survivorship 생존 breed 번식하다

UNIT 30

특수 수동태 구문

be told :듣다
be given + 명사(절) :받다
be taught :배우다

'주다'동사의 수동태+명사

it is said / thought / suggested that S+V

(사람들이) that 절을 말하다

예제 1

If you ask for a recipe from such a person, you will be told airily, "Oh, I never look at a cookbook"; if they do consult recipes, they happily play fast and loose with quantities. 2017. 7

구문 분석 1

If you ask (S V) for a recipe / from such a person, / **you will be told** (S V, be told 듣다) airily, / "Oh, I (S) never look at (V) a cookbook";/
당신이 조리법을 요청한다면 / 그런 사람으로부터 / 당신은 경쾌하게 말하는 것을 듣게 될 것이다 / "오, 저는 절대 요리책을 보지 않아요" /

if they (S) do consult (V) recipes, / **they** (S) happily **play** (V) / fast and loose / with quantities.
만약 그들이 조리법을 참고한다면 / 그들을 기쁘게 놀 것이다 / 빠르고 느슨하게(되는대로) / 양을 가지고

구문 해석 1

만일 여러분이 그런 사람의 조리법을 요청한다면, 여러분은 "아, 저는 절대로 요리책을 보지 않아요."라고 경쾌하게 말하는 것을 듣게 될 것이다. 설령 그들이 조리법을 참고한다 하더라도, 그들은 즐겁게 되는대로 양을 조절한다.

예제 2

It has been suggested that "organic" methods, defined as those in which only natural products can be used as inputs, would be less damaging to the biosphere. 2022. 수능

구문 분석 2

It (S it 가주어) **has been suggested** (V) / that (that 이하 진주어) "organic" methods (S), / defined as those /
제안되어 왔다 / '유기농' 방식은 / 방식으로 정의되는 /

in which only natural products can be used / as inputs, / would be (V) less damaging / to the biosphere.
오직 천연 제품이 사용될 수 있는 / 투입물로서 / 덜 해를 끼칠 지도 모른다 / 생물권에게

구문 해석 2

천연 제품들만 투입물로 사용되는 방식으로 정의되는 '유기농' 방식은 생물권에 해를 덜 끼친다고 시사되어 왔다.

정답 p.099

다음 문장에서 앞에서 설명한 구문 포인트를 찾아 표기하고 직독직해하며 문장 구조를 명확히 파악하는 연습을 해 보세요.

30-1 It has been estimated that every $1.00 spent on locally produced foods returns (or circulates) $3.00 to $7.00 within the community. 2017. 3

30-2 Popular formats can be said to enhance understanding by engaging an audience unwilling to endure the longer verbal orientation of older news formats. 2022. 수능

30-3 Intense pain, exceptional sports performance, and high stock prices are likely to be followed by more subdued conditions eventually due to natural fluctuation. 2021. 7

30-4 The hazards of migration range from storms to starvation, but they are outweighed by the advantages to be found in the temporary superabundance of food in the summer home. 2011. 6

30-5 In a recent article, psychology professor Patricia Greenfield of UCLA discussed some of the problems caused when a test designed for one culture is used to test members of a different culture. 2015. 4

WORDS

circulate 순환하다 verbal 언어의 orientation 경향 subdued 약화된 fluctuation 변동 starvation 굶주림
outweigh 능가하다 temporary 일시적인 superabundance 풍부함

30-6 It was generally assumed that Virginia, the region of the North American continent to which England laid claim, would have the same climate as the Mediterranean region of Europe, since it lay at similar latitudes. 2013. 6

30-7 It has long been recognized that the expertise and privileged position of professionals confer authority and power that could readily be used to advance their own interests at the expense of those they serve. 2021. 9

30-8 It is assumed that individuals are rational actors, i.e., that they make migration decisions based on their assessment of the costs as well as benefits of remaining in a given area versus the costs and benefits of leaving. 2021. 9

30-9 For example, in a recent study of the Mlabri, a modern hunter-gatherer group from northern Thailand, it was found that these people had previously been farmers, but had abandoned agriculture about 500 years ago. 2020. 7

30-10 The federal government released a report in 2009 stating that the nation's air traffic control system is vulnerable to a cyber attack that could interrupt communication with pilots and alter the flight information used to separate aircraft as they approach an airport. 2021. 3

WORDS

expertise 전문 지식　authority 권한, 권위　at the expense of ~을 희생하여　rational 합리적인　migration 이주
abandon 버리다, 포기하다　vulnerable 취약한　interrupt 방해하다

UNIT 31

가정법 구문

if S+과거~, S+would+R	if S+had p.p~, S+would have p.p.
만약 ~라면, ~일텐데	만약 ~였었더라면, ~였을 텐데

If의 생략 구문 (도치)

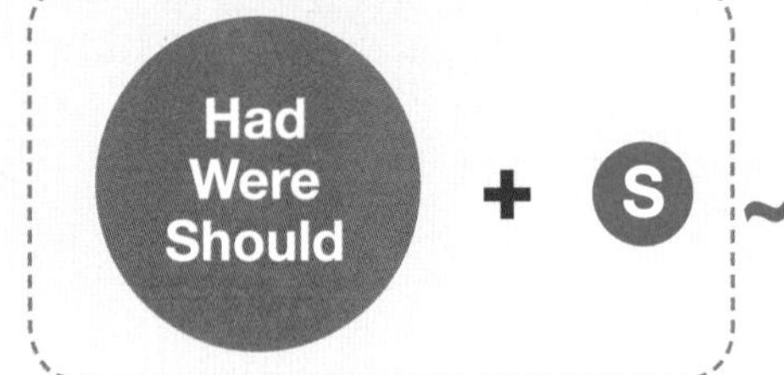

~

could
would

예제 1

For instance, if the great Renaissance artists like Ghiberti or Michelangelo had been born only 50 years before they were, the culture of artistic patronage would not have been in place to fund or shape their great achievements. 2018. 9

구문 분석 1

if S had p.p. 가정법 과거완료 S

For instance, / if the great Renaissance artists / like Ghiberti or Michelangelo /

예를 들어 / 만약 위대한 르네상스 예술가들이 / Ghiberti 혹은 Michelangelo와 같은 /

V

had been born / only 50 years before they were, /

태어났었더라면 / 그들이 태어나기 겨우 50년 전에만 /

S V

the culture of artistic patronage / **would not have been** in place /

예술 후원 문화는 / 자리 잡지 못했을 지도 모른다 /

to fund or shape their great achievements.

그들의 위대한 성취에 자금을 대거나 형성하기 위해

구문 해석 1

예를 들어, Ghiberti나 Michelangelo와 같은 르네상스 시대의 위대한 예술가들이 그들이 태어난 시기보다 단지 50년 전에 태어났다면, 그들의 위대한 업적에 자금을 제공하거나 구체화해 줄 예술 후원의 문화는 자리를 잡지 않았을 것이다.

예제 2

This approach will cause you to be more successful than you would have been had you employed the common practice of pretending to know more than you do. 2017. 6 고2

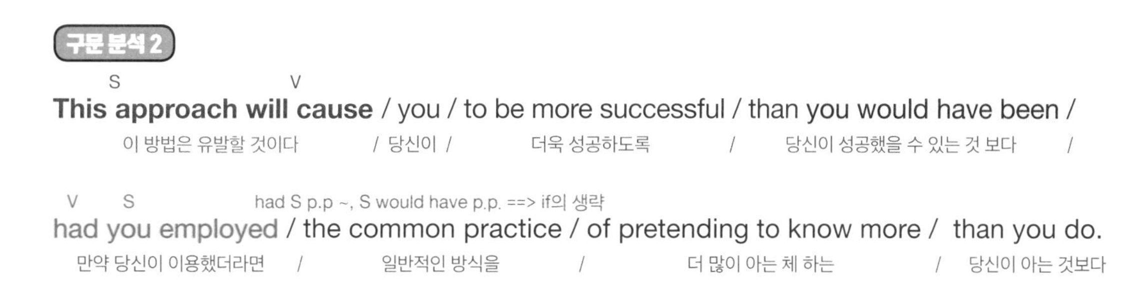

구문 분석 2

S V
This approach will cause / you / to be more successful / than you would have been /
이 방법은 유발할 것이다 / 당신이 / 더욱 성공하도록 / 당신이 성공했을 수 있는 것 보다 /

V S had S p.p ~, S would have p.p. ==> if의 생략
had you employed / the common practice / of pretending to know more / than you do.
만약 당신이 이용했더라면 / 일반적인 방식을 / 더 많이 아는 체 하는 / 당신이 아는 것보다

구문 해석 2

이 방식은 당신이 아는 것보다 더 아는 체 하는 일반적인 방식을 이용했었더라면 성공할 수 있었던 것보다 더욱 성공하도록 할 것이다.

정답 p.102

다음 문장에서 앞에서 설명한 구문 포인트를 찾아 표기하고 직독직해하며 문장 구조를 명확히 파악하는 연습을 해 보세요.

31-1 Had the woman lawyer insisted on participating, she would have spoiled the deal and destroyed her credibility. 2016. 3

31-2 The vast store of scientific knowledge which is today available could never have been built up if scientists did not pool their contributions. 2018. 4

31-3 If it weren'for the commercial enterprises that produced those records, we would know far, far less about the cultures that they came from. 2020. 7

31-4 If our early African ancestors hadn't been good at fixing all their attention on the just-ripened fruit or the approaching predators, we wouldn't be here. 2015. 3

31-5 The ego's unconscious core feeling of "not enough"causes it to react to someone else's success as if that success had taken something away from "me." 2021. 3

31-6 If persisted in, however, such careful behavior could interfere with feeding and other necessary activities to the extent that the benefit of caution would be lost. 2021. 9

WORDS

spoil 망치다 contribution 기여 unconscious 무의식적인

31-7 The designer may look like a savant for having "anticipated" the popular color, but if he had picked white or lavender instead, the same process might have unfolded. 2018. 7

31-8 If the solar surface, not the center, were as hot as this, the radiation emitted into space would be so great that the whole Earth would be vaporized within a few minutes. 2014. 6

31-9 Writing lyrics means shaping the meaning of something which, if left as instrumental music, would remain undefined; there is a change of the level of expression. 2021. 10

31-10 There was a 39 percent probability that girls would be in professional or managerial posts at 33 if they had read books at 16, but only a 25 percent chance if they had not. 2012. 10

31-11 If you hadn't learned to speak, the whole world would seem like the unorganized supermarket; you would be in the position of an infant, for whom every object is new and unfamiliar. 2022. 수능

WORDS

persist in 지속하다　interfere 방해하다　anticipate 예측하다　unfold 펼치다, 전개하다　radiation 방사선
vaporize 증발하다　undefined 정의되지 않은　probability 가능성　unorganized 정돈되지 않은

31-12 Think of Charles Darwin, who might not have come up with his theory of evolution if it had not been for the thousands of sketches he made of his trip to the Galápagos Islands. 2012. 10

31-13 If our ancestors hadn't agonized over losses and instead had taken too many chances in going after the big gains, they'd have been more likely to lose out and never become anyone's ancestor. 2017. 6

31-14 So if adaptation to physical and social environments were all that cultures were designed to facilitate, perhaps cultures would always strive toward an accurate understanding of the world. 2020. 7

31-15 The determinist, then, assumes that everything that occurs is a function of a finite number of causes and that, if these causes were known, an event could be predicted with complete accuracy. 2019. 9

31-16 It turns out that this 'land sparing' has been much better for biodiversity than land sharing would have been — by which is meant growing crops at low yields in the hope that abundant wildlife lives in fields alongside crops. 2021. 7

WORDS

come up with 생각해내다 agonize 고심하다 adaptation 적응 facilitate 촉진하다
accurate 정확한 determinist 결정론자 finite 유한한 accuracy 정확성 abundant 풍부한

31-17 For example, if most of my fellow citizens did not pay their parking tickets, there would be (unfortunately) strong pressure for an amnesty for such offenders, which would decrease my incentive to pay my parking tickets too. 2021. 10

31-18 After all, if the bacterium swam in a straight line simply because the concentration of a desirable chemical was high, it might travel away from chemical nirvana, not toward it, depending on the direction it's pointing. 2020. 4

31-19 Because the warmest air is near the surface, the light takes less time to get to your eye if it travels down near the ground and then returns up to your eye than it would if it came directly in a straight line to your eye. 2018. 4

31-20 By giving Apocalypse Now a setting that was contemporary at the time of its release, audiences were able to experience and identify with its themes more easily than they would have if the film had been a literal adaptation of the novel. 2018. 수능

WORDS

concentration 농도, 집중 nirvana 극락 contemporary 동시대의, 현대의 adaptation 각색

• 종합 문제 •

다음 문장에서 앞에서 설명한 구문 포인트를 찾아 표기하고 직독직해하며 문장 구조를 명확히 파악하는 연습을 해 보세요.

01 Even today, you might find it surprising to learn about people who see an object without seeing where it is, or see it without seeing whether it is moving. 2023. 수능

02 Conflicts between the goals of science and the need to protect the rights and welfare of human research participants result in the central ethical tension of clinical research. 2022. 3

03 The visual novelty drive became, indeed, one of the most powerful tools in psychologists' toolkit, unlocking a host of deeper insights into the capacities of the infant mind. 2022. 7

04 A compelling argument can be made that what fans love is less the object of their fandom than the attachments to (and differentiations from) one another that those affections afford. 2022. 9

05 Since the ancestors of rye were very similar to wheat and barley, to eliminate them, the ancient populations of the Fertile Crescent would have had to carefully search their seeds for invaders. 2020. 4

WORDS

novelty 참신함　insight 통찰력　compelling 설득력 있는　attachment 애착　affection 애정
eliminate 제거하다　fertile 풍족한　crescent 초승달

정답 p.106

06 A person can be an individual fan, feeling an "idealized connection with a star, strong feelings of memory and nostalgia," and engaging in activities like "collecting to develop a sense of self." 2022. 9

07 The ruminations of the elite class of 'celebrity' sports journalists are much sought after by the major newspapers, their lucrative contracts being the envy of colleagues in other 'disciplines' of journalism. 2023. 수능

08 Beginning in the late nineteenth century, with the hugely successful rise of the artistic male couturier, it was the designer who became celebrated, and the client elevated by his inspired attention. 2022. 9

09 There are times when being able to project your voice loudly will be very useful when working in school, and knowing that you can cut through a noisy classroom, dinner hall or playground is a great skill to have. 2023. 수능

10 A good idea — a real breakthrough — will often go unnoticed at the time and may only later be understood as having provided the basis for a substantial advance in AI, perhaps when someone reinvents it at a more convenient time. 2020. 10

WORDS

idealized 이상화된　nostalgia 향수　rumination 심사숙고　seek after 추구하다　lucrative 수익성이 좋은
inspired 영감을 받은　breakthrough 획기적 발전　substantial 상당한

11 The longer we continue to believe that computers will take us to a magical new world, the longer we will delay their natural fusion with our lives, the hallmark of every major movement that aspires to be called a socioeconomic revolution. 2023. 수능

12 Just as we don't always see the intricate brushwork that goes into the creation of a painting, we may not always notice how Beethoven keeps finding fresh uses for his motto or how he develops his material into a large, cohesive statement. 2022. 6

13 Using bicycles as cargo vehicles is particularly encouraged when combined with policies that restrict motor vehicle access to specific areas of a city, such as downtown or commercial districts, or with the extension of dedicated bike lanes. 2023. 수능

14 If, as the noted linguist Leonard Bloomfield argued, the way a person talks is a "composite result of what he has heard before," then language innovation would happen where the most people heard and talked to the most other people. 2023. 수능

15 We understand that the segregation of our consciousness into present, past, and future is both a fiction and an oddly self-referential framework; your present was part of your mother's future, and your children's past will be in part your present. 2023. 수능

WORDS

aspire 열망하다　intricate 복잡한　motto 반복악구, 좌우명　cohesive 응집력 있는　dedicated 전념하는, 전용의
composite 합성의　segregation 분리, 구분　consciousness 의식　self-referential 자기지시적인

16 As it is the latitude on the Earth that largely determines the climate and length of the growing season, crops domesticated in one part of Eurasia can be transplanted across the continent with only minimal need for adaptation to the new locale. 2022. 4

17 This can be particularly frustrating for scientists, who spend their lives learning how to understand the intricacies of the world around them, only to have their work summarily challenged by people whose experience with the topic can be measured in minutes. 2022. 9

18 For example, as Kenneth Hodge observed, a collection of people who happen to go for a swim after work on the same day each week does not, strictly speaking, constitute a group because these swimmers do not interact with each other in a structured manner. 2022. 9

19 Instead of examining historical periods, author biographies, or literary styles, for example, he or she will approach a text with the assumption that it is a self-contained entity and that he or she is looking for the governing principles that allow the text to reveal itself. 2022. 6

WORDS

latitude 위도　domesticated 길러진　transplant 이식하다　continent 대륙　adaption 적응　locale 현장
intricacy 복잡성　summarily 간략하게　observe 말하다, 관찰하다　constitute 구성하다　self-contained 자족적인
entity 존재

20 For example, a company may devise a family emergency leave plan that allows employees the opportunity to be away from the company for a period of no longer than three hours, and no more than once a month, for illness in the employee's immediate family. 2023. 수능

21 Skills-based approaches to teaching critical thinking now have a long history and literature, but what has become clear through more than 25 years of work on critical thinking theory and pedagogy is that teaching students a set of thinking skills does not seem to be enough. 2022. 3

22 A squad of young competitive swimmers who train every morning before going to school *is* a group because they not only share a common objective (training for competition) but also interact with each other in formal ways (e.g., by warming up together beforehand). 2022. 9

23 As for, say, color vision, they just say that, despite the same internal processing architecture, how we interpret, categorize, and name emotions varies according to culture and that we learn in a particular culture the social context in which it is appropriate to express emotions. 2022. 6

WORDS

emergency 긴급　immediate family 직계 가족　literature 문헌, 문학　pedagogy 교수법
internal 내부의　interpret 이해하다

24 Even without the imperative of climate change, the physical constraints of densely inhabited cities and the corresponding demands of accessibility, mobility, safety, air pollution, and urban livability all limit the option of expanding road networks purely to accommodate this rising demand. 2022. 6

25 After the United Nations environmental conference in Rio de Janeiro in 1992 made the term "sustainability" widely known around the world, the word became a popular buzzword by those who wanted to be seen as pro-environmental but who did not really intend to change their behavior. 2019. 6

26 Coming of age in the 18th and 19th centuries, the personal diary became a centerpiece in the construction of a modern subjectivity, at the heart of which is the application of reason and critique to the understanding of world and self, which allowed the creation of a new kind of knowledge. 2023. 수능

27 The link between scientific aptitude and solving real-world challenges may be more apparent, but minds that reason with analogy and metaphor, minds that represent with color and texture, minds that imagine with melody and rhythm are minds that cultivate a more flourishing cognitive landscape. 2022. 7

WORDS

imperative 긴급성, 긴급한　constraint 제한　densely 밀집되어　inhabit 거주하다　corresponding 상응하는　accessibility 접근성　livability 거주성　accommodate 수용하다　sustainability 지속가능성　buzzword 유행어　come of age 발달상태가 되다, 성인이 되다　subjectivity 주체성　aptitude 재능, 적합성　analogy 유추　metaphor 비유　cultivate 배양하다, 경작하다　cognitive 인지적인

28 Yet sports journalists do not have a standing in their profession that corresponds to the size of their readerships or of their pay packets, with the old saying (now reaching the status of cliché) that sport is the 'toy department of the news media' still readily to hand as a dismissal of the worth of what sports journalists do. 2023. 수능

29 For example, the correspondences between the characters in James Joyce's short story "Araby" and the people he knew personally may be interesting, but for the formalist they are less relevant to understanding how the story creates meaning than are other kinds of information that the story contains within itself. 2022. 6

30 Considerable work by cultural psychologists and anthropologists has shown that there are indeed large and sometimes surprising differences in the words and concepts that different cultures have for describing emotions, as well as in the social circumstances that draw out the expression of particular emotions. 2022. 6

WORDS

correspond to ~에 상응하다 dismissal 묵살 correspondence 관련성 considerable 상당한
anthropologist 인류학자

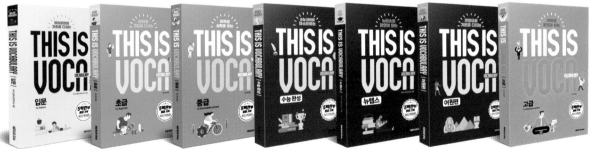

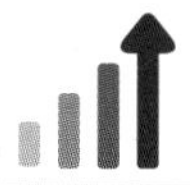

NEXUS Edu

LEVEL CHART

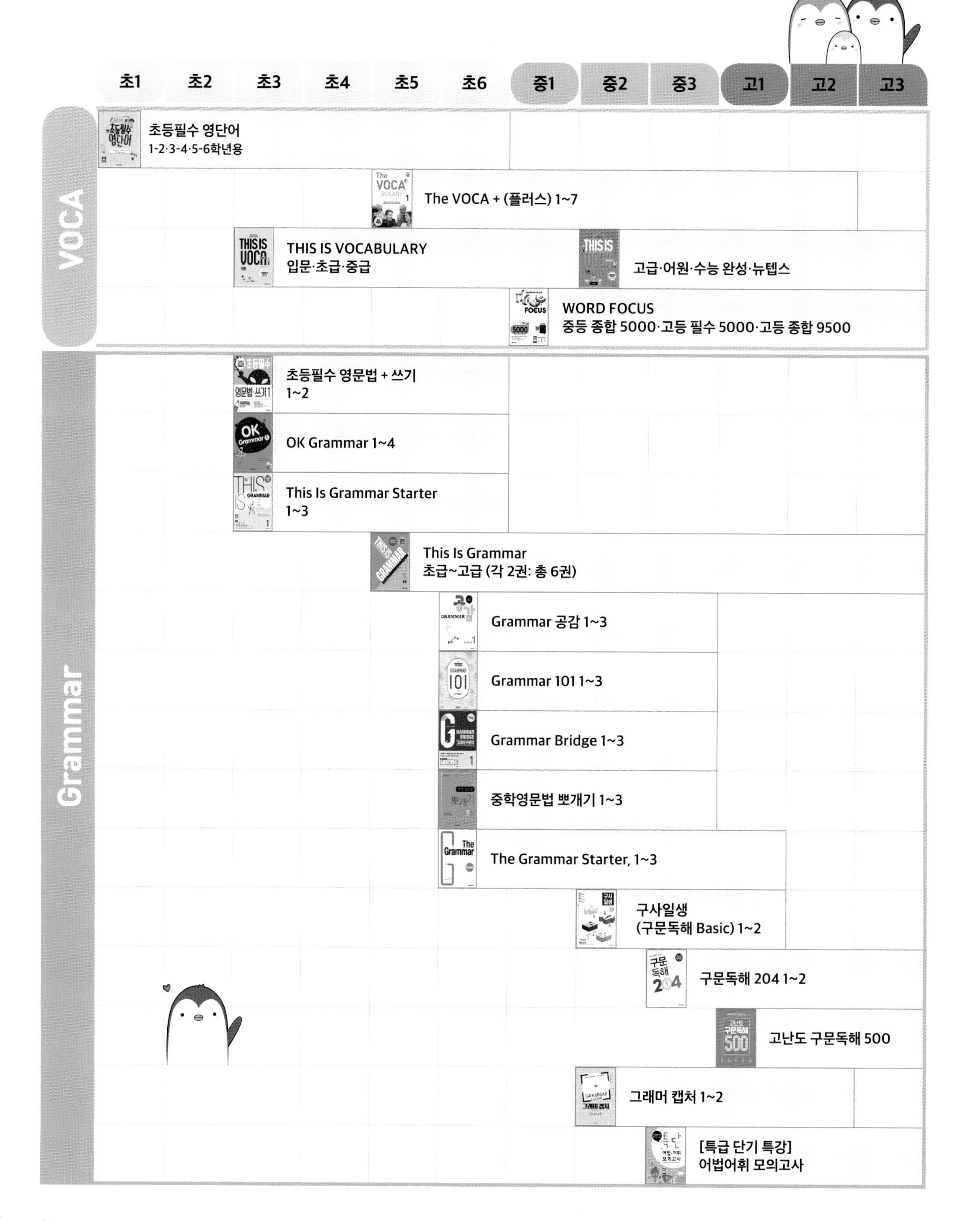

초1
초2
초3
초4
초5
초6
중1
중2
중3
고1
고2
고3
VOCA
초등필수 영단어
1-2·3-4·5-6학년용
The VOCA + (플러스) 1~7
THIS IS VOCABULARY
입문·초급·중급
고급·어원·수능 완성·뉴텝스
WORD FOCUS
중등 종합 5000·고등 필수 5000·고등 종합 9500
Grammar
초등필수 영문법 + 쓰기
1~2
OK Grammar 1~4
This Is Grammar Starter
1~3
This Is Grammar
초급~고급 (각 2권: 총 6권)
Grammar 공감 1~3
Grammar 101 1~3
Grammar Bridge 1~3
중학영문법 뽀개기 1~3
The Grammar Starter, 1~3
구사일생
(구문독해 Basic) 1~2
구문독해 204 1~2
고난도 구문독해 500
그래머 캡처 1~2
[특급 단기 특강]
어법어휘 모의고사

500 문장으로 마스터하는 구문독해의 모든 것!

고난도 구문독해 500

김상근 지음

해석 및 해설

NEXUS Edu

500 문장으로 마스터하는 구문독해의 모든 것!

고난도 구문독해 500

김상근 지음

해석 및 해설

NEXUS Edu

UNIT 01 전치사구 수식 주어 구문

pg. 013~016

1-1 The use (S) / of portable technologies and personal cloud services (전치사구 수식) / facilitates (V) the work of digital nomads / across different places.

사용은 / 휴대용 기술과 개인 클라우드 서비스의 / 디지털 유목민의 작업을 용이하게 한다 / 여러 장소에 걸쳐

해석 휴대용 기술과 개인 클라우드 서비스의 사용은 여러 장소에 걸쳐 디지털 유목민의 작업을 용이하게 한다.

1-2 The unlocking (S) / of human ingenuity (전치사구 수식) / to work on technology, trade, and urban culture / has created (V) ever-expanding opportunities / in cities.

발휘는 / 인간 창의력의 / 기술, 무역, 도시 문화를 발달시키기 위한 / 끊임없이 팽창하는 기회를 만들어 왔다 / 도시들에서

해석 기술, 무역 그리고 도시 문화를 발달시키기 위한 인간의 창의력 발휘가 도시들에서 끊임없이 팽창하는 기회를 만들어 왔다.

1-3 Landscapes (S) / with a strong place identity (전치사구 수식) / have (V) an advantage / in marketing to tourists, / as it is relatively easy / to compartmentalize and market their narratives.

경관들은 / 강한 지역적 특성을 가진 / 장점을 가진다 / 관광객들에게 홍보하는 데 / 상대적으로 쉽기 때문에 / 그것들의 이야기를 구획하고 홍보하는 것이

해석 강한 지역적 특성을 가진 경관들은 관광객들에게 홍보하는 데 장점이 있는데 그 장소들의 이야기를 구획하고 홍보하는 것이 상대적으로 쉽기 때문이다.

1-4 Some studies (S) suggest (V) that / variations (S) / in residents' feelings (전치사구 수식) / about tourism's relationship / to environmental damage / are related (V) to the type of tourism.

일부 연구는 보여 준다 / 차이는 / 주민들의 감정에서의 / 관광산업의 관계에 대한 / 환경 훼손에 대한 / 관광산업의 유형과 연관이 있다고

해석 일부 연구는 환경 훼손과 관광산업의 관계에 대해 주민들이 가지는 생각의 차이가 관광산업의 유형과 연관이 있음을 보여 준다.

1-5 The taking (S) / of roles in a narratively structured game of pirates (전치사구 수식) / is (V) not very different / than the taking / of roles (전치사구 수식) in identifying with characters / as one watches a movie.

맡는 것은 / 이야기식 구조의 해적 게임에서 역할을 / 매우 다르지 않다 / 맡는 것과 / 등장인물들과 동일시하는 데 있어서의 역할을 / 영화를 보면서

해석 이야기식 구조의 해적 게임에서 역할을 맡는 것은 영화를 감상하면서 등장인물과 동일시하며 역할을 맡는 것과 크게 다르지 않다.

1-6 The well-established U-shaped function (S) / of aerodynamic power requirement / (전치사구 수식)
잘 정립된 U자형 함수는 / 공기 역학적 필요 동력의 /

as a function of flight speed / has (V) wide applicability.
비행 속도의 함수로서 / 광범위한 적용 가능성을 가진다

해석 비행 속도의 함수로서 공기 역학적 필요 동력에 대한 잘 정립된 U자형의 함수는 광범위하게 적용 가능하다.

1-7 A strong element (S) of the appeal / of such sports songs / (전치사구 수식) is (V) / that they feature /
매력의 강한 요소는 / 그런 스포츠 노래들의 / 이다 / 그것들이 특징으로 하는 것 /

'memorable and easily sung choruses / in which fans can participate'. (전치사+ 관계대명사 수식)
기억할 수 있고 쉽게 부를 수 있는 합창을 / 팬들이 참여할 수 있는

해석 그런 스포츠 노래들의 강력한 매력 요소는 그것들이 '팬들이 참여할 수 있는 외우기 쉽고 부르기 쉬운 합창'을 특징으로 한다는 것이다.

1-8 The basic aim (S) of a nation / (전치사구 수식) at war / in establishing an image of the enemy /
국가의 기본적인 목표는 / 전쟁에서 / 적의 이미지를 확립하는 데 있어서 /

is (V) to distinguish / as sharply as possible / the act of killing / from the act of murder.
구별하는 것이다 / 가능한 한 뚜렷이 / 죽이는 행위를 / 살인의 행위로부터

해석 적의 이미지를 확립하는 데 있어서 전쟁을 하고 있는 국가의 기본적인 목표는 죽이는 행위와 살인의 행위를 가능한 한 뚜렷이 구별하는 것이다.

1-9 The difficulties (S) / of gathering and coding visual data / (전치사구 수식) and of attributing impact /
어려운 점은 / 시각 자료를 수집하고 부호화하는 것의 / 영향을 돌리는 것의 /

to specific parts of images / have (V) no doubt caused / veritable scholars / to shy away.
특정한 이미지의 부분으로 / 의심할 여지없이 유발해 왔다 / 진정한 학자들이 / 피하게 하는 것을

해석 시각 자료를 수집하고 부호화하는 것과 영향력을 이미지 중 특정한 몇몇 탓으로 돌리는 것에 어려움이 있어 진정한 학자들이 피하게 되었음이 틀림없다.

1-10 The goal (S) / of the planning process / (전치사구 수식) for the contractor / is (V) to produce a workable scheme /
목표는 / 계획 과정의 / 도급업자에게 있어 / 실행 가능한 계획을 만드는 것이다 /

that uses the resources efficiently / within the allowable time and given budget. (관계사 수식)
자원을 효율적으로 사용하는 / 허용된 시간과 주어진 예산 안에서

해석 도급업자에게 계획 과정의 목표는 허용되는 시간과 주어진 예산 내에서 자원을 효율적으로 사용하는 실행 가능한 계획을 만들어 내는 것이다.

1-11 The precedence / of approximations and ratios / over exact numbers, / Pica suggests, / is due to the fact / that ratios are much more important / for survival / in the wild / than the ability to count.

S 전치사구 수식 / V 동격절

선행은 / 근사치와 비율의 / 정확한 수보다 / Pica가 주장하길 / 사실 때문이다 / 비율은 훨씬 더 중요하다는 / 생존에서 / 야생에서 / 수를 세는 능력보다

해석 Pica는 정확한 수보다 근사치와 비율의 선행은 비율이 수를 세는 능력보다 야생에서의 생존에 훨씬 더 중요하다는 사실 때문이라고 주장한다.

1-12 The lack / of real, direct experience / in and with nature / has caused / many children / to regard the natural world / as mere abstraction, / that fantastic, beautifully filmed place / filled with endangered rainforests and polar bears in peril.

S 전치사구 수식 / V / = / 명사 수식 분사

부족은 / 실제적이고 직접적인 경험의 / 자연 속에서 그리고 함께하는 / 유발해 왔다 / 많은 아이들이 / 자연 세계를 간주하도록 / 단순한 추상으로서 / 그렇게나 환상적인, 아름답게 영화화된 장소로 / 멸종 위기의 열대 우림과 위험에 처한 북극곰으로 가득한

해석 자연 속에서 그리고 자연과 함께하는 실제적이고 직접적인 경험의 부족은 많은 아이들이 자연적인 세계를 단지 추상적인 개념, 즉 멸종 위기의 열대 우림과 위험에 처한 북극곰으로 가득한 그렇게 환상적인, 아름답게 영화화된 장소로 여기게 해 왔다.

1-13 When children of Latino immigrant parents / go to school, / their emphasis on understanding / rather than speaking, / on respecting the teacher's authority / rather than expressing one's own opinions / leads to negative academic assessment.

S / V / S 전치사구 수식 / V

라틴계 이민자 부모의 아이들이 / 학교에 다닐 때 / 그들의 이해에 대한 강조는 / 말하는 것보다 / 교사의 권위를 존중하는 것에 대한 / 그들 자신의 의견을 표현하는 것보다 / 부정적인 학업 평가를 초래한다

해석 라틴계 이민자 부모의 아이들이 학교에 다닐 때 말하기보다는 이해하기, 자신의 의견을 표현하기보다는 교사의 권위를 존중하기에 대한 그들의 강조가 부정적인 학업 평가를 초래한다.

1-14 As the sociologist Diana C. Mutz discovered / in her book *Hearing the Other Side*, / those / with the highest levels of education / have the lowest exposure to people / with conflicting points of view / while those / who have not graduated from high school / can claim the most diverse discussion mates.

S 전치사구 수식 / V / S 관계사 수식 / V

사회학자 Diana C. Mutz가 발견했다시피 / 그녀의 저서 『Hearing the Other Side』에서 / 사람들은 / 가장 높은 교육 수준을 가진 / 사람에 대한 낮은 노출을 가진다 / 상반된 의견을 가진 / 반면에 사람들은 / 고등학교를 졸업하지 못한 / 가장 다양한 토론 상대자를 확보할 수 있다

해석 자신의 책 『Hearing the Other Side』에서 사회학자인 Diana C. Mutz가 발견한 바와 같이, 고등학교를 졸업하지 않은 사람들은 가장 다양한 토론 상대자를 확보할 수 있는 반면, 가장 높은 수준의 교육을 받은 사람들은 상반된 견해를 가진 사람들과 가장 적게 접한다.

1-15 The growth / of academic disciplines and sub-disciplines, / such as art history or palaeontology, / and of particular figures / such as the art critic, / helped produce principles and practices / for selecting and organizing / what was worthy of keeping, / though it remained a struggle.

S: The growth (전치사구 수식) / V: helped

성장은 / 학과와 하위 학과의 / 미술사학이나 고생물학과 같은 / 특정 인물의 / 미술평론가와 같은 / 원리와 관행을 만들도록 도왔다 / 선택하고 구성하는 데 있어 / 지킬 가치가 있는 것을 / 비록 그것이 힘든 일로 남게 되었지만

해석 학과의 성장과 미술사학이나 고생물학과 같은 하위 학과의 성장, 그리고 미술평론가와 같은 특정 인물의 성장은 비록 힘든 일로 남게 되었지만, 지킬 가치가 있는 것을 선택하고 정리하기 위한 원칙과 관행의 도출에 도움이 되었다.

1-16 The relief / from no longer feeling "fear or hatred" / toward the blamer / spontaneously triggers a tremendous rush of gratitude / and — miraculously — / the person's quiet rage / turns into forgiveness / and, beyond that, / a willingness to work toward solutions.

S: The relief (전치사구 수식) / V: triggers / S: the person's quiet rage / V: turns

안도감은 / 더 이상 공포나 증오를 느끼지 않게 됨으로부터의 / 비난자에 대해 / 엄청난 고마움을 자연스럽게 유발한다 / 그리고 기적적으로 / 그 사람의 조용한 분노는 / 용서로 변한다 / 그리고 그것을 넘어서 / 해결을 향해 기꺼이 일하고자 하는 의지로

해석 비난자에 대해 더는 '두려움이나 증오'를 느끼지 않게 됨으로써 오는 안도감으로 인해 엄청난 고마움이 물밀듯이 자연스럽게 밀려오고, 기적적으로 그 사람의 조용한 분노는 용서로 그리고 그것을 넘어 해결을 향해 기꺼이 일하고자 하는 의지로 바뀐다.

1-17 As long as energy costs remain high, / the relation / between work / that we can afford to do / and work / that we expect / nature / to do / will control the lower limit of natural concentrations / that we can exploit, / and this puts very real limits / on our global mineral resources.

S: the relation (전치사구 수식) / V: will control / 관계사 수식

에너지 비용이 높게 유지되는 한 / 관계는 / 일과 / 우리가 할 수 있는 / 일 사이의 / 우리가 기대하는 / 자연이 / 한다고 / 자연 농집의 더 낮은 제한을 통제할 것이다 / 우리가 활용할 수 있는 / 그리고 이것은 매우 현실적인 제한을 둔다 / 우리 지구 광물 자원에

해석 에너지 비용이 높게 유지되는 한, 우리가 할 수 있는 일과 우리가 자연이 할 것으로 기대하는 일 사이의 관계는 우리가 이용할 수 있는 자연 농집의 하한선을 조절할 것이며, 이는 우리 지구의 광물 자원에 매우 현실적인 제한을 둔다.

1-18 The recovery / of appetite or the motivation to eat / is apparent to anyone / who has consumed a large meal / and is quite full, / and does not require additional energy or nutrients / to meet their daily needs, / but decides to consume additional calories / after seeing the dessert cart.

S: The recovery (전치사구 수식) / V: is / 관계사 수식

회복 / 식욕 혹은 먹을 동기 / 누구나에게 명확하다 / 많은 음식을 먹고 / 아주 배가 부른 / 그리고 추가적인 에너지나 영양소가 필요하지 않는 / 그들의 매일의 욕구를 충족할 / 하지만 추가적인 칼로리를 섭취하고자 결정한 / 디저트 카트를 보고난 후

해석 식욕, 즉 먹고자 하는 욕구가 회복된다는 것은, 많은 양의 식사를 하고 나서 배가 아주 불러서, 매일의 요구를 충족시킬 추가적인 에너지나 영양소가 필요하지는 않지만, 디저트 카트를 보고 나서 추가적인 칼로리를 더 섭취하기로 결심하는 사람이면 누구에게나 분명하다.

1-19 Some social critics would argue / that the move / toward an increasingly isolated individualism / had been underway for some time / — at least since the middle of the twentieth century, / when psychoanalysis had infused / the ideal of individual self-making / with a new psychological component.

(S: Some social critics / V: would argue / S: the move, 전치사구 수식 / V: had been / 관계부사: when)

일부 사회 비평가들은 주장하곤 했다 / 움직임은 / 점차 고립된 개인주의로의 / 한동안 진행되어 왔다 / 최소한 20세기 중반 이후로 / 정신분석학이 주입하였던 / 개인의 자기 형성의 이상을 / 새로운 심리학적인 요소를 가지고

해석 갈수록 고립이 심화되는 개인주의로의 움직임이 한동안 진행되어왔는데, 이러한 현상은 적어도 정신분석학이 개인의 자기 형성이라는 이상에 새로운 심리학적인 요소를 주입하였던 20세기 중반 이래로 진행되어 왔다고 일부 사회 비평가들이 주장하곤 했다.

1-20 The immense improvement / in the yield of farming / during the twentieth century, / as a result of innovations / in mechanization, fertilizer, new varieties, pesticides and genetic engineering, / has banished famine / from the face of the planet / almost entirely, / and drastically reduced malnutrition, / even while the human population has continued to expand.

(S: The immense improvement, 전치사구 수식 / V_1: has banished / V_2: reduced)

엄청난 향상은 / 농업 생산량에서의 / 20세기 동안 / 혁신의 결과로서 / 기계화, 비료, 신품종, 살충제, 유전공학에서의 / 기아를 없애 왔다 / 지구상에서 / 거의 완전하게 / 그리고 영양실조를 대폭 줄였다 / 인구가 계속 팽창하는 동안에도

해석 기계화, 비료, 신품종, 살충제, 유전공학에서의 혁신의 결과인 20세기 농업 생산량의 엄청난 향상은, 심지어 인구가 계속 팽창하는 동안에도, 지구상에서 기근을 거의 완전히 몰아냈고, 영양실조를 대폭 줄였다.

UNIT 02 분사 수식 주어 구문

pg. 018 ~ 020

2-1 Archaeologists / claiming to follow hypothesis-testing procedures / found / themselves / having to create a fiction.

(S: Archaeologists, 분사 수식 / V: found)

고고학자들은 / 가설 검증 절차를 따르기를 주장하는 / 알게 되었다 / 그들 스스로가 / 가공의 이야기를 써야 한다는 것을

해석 가설 검증 절차를 따를 것을 주장하는 고고학자들은 자신도 모르게 가공의 이야기를 써야 했다.

2-2 But the incredible amount of time / required to copy a scroll or book / by hand / limited the speed / with which information could spread this way.

(S: the incredible amount of time, 분사 수식 / V: limited / 전치사 + 관계대명사 수식)

하지만 믿을 수 없는 시간의 양은 / 두루마리나 책을 복사하는 데 필요한 / 손으로 / 속도를 제한했다 / 정보가 이런 식으로 퍼져 나갈 수 있는

해석 그러나 손으로 두루마리나 책을 복사하는 데 요구된 엄청난 양의 시간은 이 방식으로 정보가 퍼져 나갈 수 있는 속도를 제한했다.

2-3 A good deal of the information / stored in working memory / is encoded / in an auditory form, / especially when the information is language based.

(S: A good deal of the information / 분사 수식: stored in working memory / V: is encoded)

엄청난 양의 정보는 / 작동 기억 안에 저장된 / 암호화된다 / 청각의 형태로 / 특히 정보가 언어 기반일 때

해석 작동 기억 내에 저장된 많은 정보는, 특히 그 정보가 언어를 기반으로 할 때, 청각 형태로 암호화된다.

2-4 Given such downsides, / companies / serving mainstream consumers / with successful mainstream products / face / what seems / like an obvious investment decision.

(S: companies / 분사 수식: serving mainstream consumers / V: face)

그런 부정적인 면을 고려하면 / 회사들은 / 주류 소비자를 대하는 / 성공적인 주류 상품을 가지고 / 직면한다 / 보이는 것에 / 명백한 투자 결정처럼

해석 이런 부정적인 면을 고려하면, 성공적인 주류 제품으로 주류 소비자의 요구를 충족하는 기업들은 마치 뻔한 투자 결정처럼 보이는 것에 직면한다.

2-5 Water / derived from the capture of flash floods / is not subject to Islamic law / as this constitutes an uncertain source, / and is therefore free for those / able to collect and use it.

(S: Water / 분사 수식: derived from the capture of flash floods / V_1: is / V_2: is / 형용사구 수식: able to collect and use it)

물은 / 갑작스럽게 불어난 물을 억류해서 얻어진 / 이슬람 율법의 대상이 아니다 / 이것은 불확실한 수원을 구성하기 때문에 / 그래서 사람들에게 무료이다 / 그것을 모으고 사용하는

해석 갑작스럽게 불어난 물을 억류해서 얻어진 물은 불확실한 수원(水源)이 되는 것으로 여겨지기 때문에 이슬람 율법의 영향을 받지 않고, 따라서 그 물을 모아서 사용할 수 있는 사람들에게는 무료이다.

2-6 Time / spent on on-line interaction / with members of one's own, preselected community / leaves less time available / for actual encounters / with a wide variety of people.

(S: Time / 분사 수식: spent on on-line interaction / V: leaves)

시간은 / 온라인 상호작용에 사용된 / 사람의 미리 정해진 공동체의 구성원들과 / 시간을 줄어들게 한다 / 실제 만남을 위한 / 폭넓은 다양한 사람들과의

해석 자신의 미리 정해진 공동체의 구성원들과 온라인 상호작용을 하는 데 소비되는 시간으로 인해 폭넓은 다양한 사람들과의 실제적인 만남을 위해 쓸 수 있는 시간이 더 줄어들게 된다.

2-7 The pleasure / associated with experiencing immeasurable objects / — indefinable or formless objects — / can be defined / as enjoying one's own emotional and mental activity.

(S: The pleasure / 분사 수식: associated with experiencing immeasurable objects / V: can be defined)

즐거움은 / 헤아릴 수 없는 대상을 경험하는 것과 연관된 / 규정할 수 없거나 형태가 없는 대상 / 정의될 수 있다 / 사람 자신의 감정적이고 정신적인 활동을 즐기는 것으로서

해석 헤아릴 수 없는 대상, 즉 규정할 수 없거나 형태가 없는 대상을 경험하는 것과 연관된 즐거움은 사람 자신의 감정적이고 정신적인 활동을 즐기는 것으로 정의될 수 있다.

2-8 Strawberry ice cream / tinted with red food coloring / seems to have a stronger strawberry flavor / than one / that has no added food coloring, / even when there is no real difference.

S: Strawberry ice cream / 분사 수식: tinted with red food coloring / V: seems / 관계사 수식: that has no added food coloring

딸기 아이스크림은 / 빨간 식용 색소가 첨가된 / 더 강한 딸기 맛을 가지고 있는 것 같다 / 아이스크림보다 / 식용 색소가 첨가되지 않은 / 심지어 진짜 차이가 없을 때 조차도

해석 빨간 식용 색소가 가미된 딸기 아이스크림은 심지어 실제적인 차이가 없을 때도 첨가된 식용 색소가 없는 아이스크림보다 더 진한 딸기 맛을 가지고 있는 것처럼 보인다.

2-9 Evolutionary biologist Robert Trivers / gives an extraordinary example of a case / where an animal / having conscious access / to its own actions / may be damaging / to its evolutionary fitness.

S: Evolutionary biologist Robert Trivers / V: gives / S: an animal / 분사 수식: having conscious access / V: may be damaging

진화생물학자 Robert Trivers는 / 특별한 경우의 예시를 제공한다 / 동물이 / 의식적인 접근을 하는 / 자신의 행동에 / 해를 줄 수도 있다는 / 그것의 진화적 적합성에

해석 진화생물학자 Robert Trivers는 자기 자신의 행동에 의식적인 접근을 하는 동물이 그 진화적 적합성에 해를 줄 수 있다는 탁월한 사례를 제시한다.

2-10 Experimental results / derived from a single subject / are, therefore, of limited value; / there is no way to know / whether the subject's responses are typical or atypical / of the response of humans / as a group.

S: Experimental results / 분사 수식: derived from a single subject / V: are

실험 결과는 / 하나의 피실험자로부터 얻어진 / 그래서 가치 제한적이다 / 알 방법이 없다 / 피실험자의 반응이 전형적인 것인지 이례적인 것인지 / 인간들 반응의 / 집단으로서

해석 따라서, 단 한 명의 피험자로부터 얻어진 실험 결과는 가치가 제한적이며 피험자의 반응이 집단으로서의 인간 반응의 전형적인 것인지 이례적인 것인지 알 방법이 없다.

2-11 In the less developed world, / the percentage of the population / involved in agriculture / is declining, / but at the same time, / those / remaining in agriculture / are not benefiting / from technological advances.

S: the percentage of the population / 분사 수식: involved in agriculture / V: is declining / S: those / 분사 수식: remaining in agriculture / V: are not benefiting

저개발 세계에서 / 인구 비율은 / 농업에 종사하는 / 줄고 있다 / 하지만, 동시에 / 사람들은 / 농업에 계속 남아 있는 / 혜택을 받지 못하고 있다 / 기술 발전으로부터

해석 저개발 세계에서, 농업에 종사하는 인구 비율은 감소하고 있지만, 동시에 계속 농업에 종사하는 사람들은 기술 발전의 혜택을 받지 못하고 있다.

2-12 Rather incredibly, / one archaeologist / employed by a treasure hunting firm / said / that as long as archaeologists are given six months / to study shipwrecked artifacts / before they are sold, / no historical knowledge is lost!

S: one archaeologist / 분사 수식: employed by a treasure hunting firm / V: said

상당히 믿기 어렵지만 / 한 고고학자는 / 보물 탐사 기업에 고용된 / 말했다 / 고고학자들이 6개월을 받는 한 / 난파선의 유물을 연구할 / 그것들이 팔리기 전에 / 어떠한 역사적 지식도 사라지지 않는다고

해석 상당히 믿기 어렵지만, 보물 탐사 기업에 의해 고용된 한 고고학자는 난파선의 유물이 판매되기 전에 그것들을 연구할 수 있도록 고고학자에게 6개월이 주어지기만 하면, 어떠한 역사적 지식도 사라지지 않는다고 말했다!

S / 분사 수식 / V

2-13 Consumers / facing such decisions / consider / not only the product's immediate consumption
소비자들은 / 그런 결정에 직면한 / 고려한다 / 제품의 즉각적인 소비 결과뿐만 아니라
outcomes / but also the product's general effect / on society, / including /
/ 그 제품의 일반적인 영향까지도 / 사회에 미치는 / 포함하여 /
how the manufacturer behaves / (e.g., toward the environment).
어떻게 제조업체가 행동하는지를 / 예를 들어 환경에 대해서

해석 그러한 결정에 직면한 소비자는 그 제품의 직접적인 소비 결과뿐만 아니라, 그 제조업체가 (예를 들면 환경에 대하여) 어떻게 행동하는지를 포함하여 그 제품이 사회에 미치는 전반적인 영향도 또한 고려한다.

S / 분사 수식

2-14 Physicians / working in the field / of the interactions of biologic rhythms /
의사들은 / 분야에서 일하는 / 생물학적 리듬의 상호작용의 /

V

with medications / are calling for medical training / to include education /
약물 치료와의 / 의학적 수련 과정을 요구하고 있다 / 교육을 포함한 것을 /
on the daily rhythms of illness / and research into time-specific treatments.
질병의 일간 리듬에 대한 / 그리고 시간대별 치료에 대한 연구를

해석 생물학적 리듬과 약물 치료의 상호작용 분야에서 연구하는 의사들은, 의학 수련 과정이 질병의 일간 리듬에 관한 교육과 시간대별 치료에 관한 연구를 포함할 것을 요구하고 있다.

가주어
S V / 진주어 / S / 분사 수식 / V_1

2-15 It's also important / to remember / that the data / recorded at a weather station / give an indication
또한 중요하다 / 기억하는 것이 / 데이터가 / 기상 관측소에서 기록된 / 상황의 지표를 준다

분사 수식 / V_2

of conditions / prevailing in an area / but will not be exactly the same as the conditions /
/ 한 지역에 우세한 / 하지만 정확하게 환경과 같지는 않을 것이다 /
at a landscape / some distance from the weather station.
지형에서의 / 기상 관측소로부터 어느 정도 떨어진

해석 기상 관측소에서 기록되는 데이터는 한 지역에서의 우세한 상태를 나타내지만 기상 관측소로부터 어느 정도 떨어진 지형의 상태와 정확하게 같지는 않을 것임을 기억하는 것도 중요하다.

UNIT 03 삽입구(절)이 있는 주어 구문

pg. 022~024

S / 삽입구(수식 분사) / V

3-1 Nutritional scientists / — pursuing the hot paradigm of isolating nutrients / — failed to see /
영양학자들은 / 영양소를 분리하는 최신 방법론을 추구하는 / 보는 걸 실패했다 /

관계사 수식

a multitude of links in the complex chain / that leads to good health.
복잡한 사슬 내의 다양한 연결을 / 좋은 건강을 이끄는

해석 영양소를 분리하는 최신의 방법론을 추구하는 영양학자들은 좋은 건강을 가져오는 복잡한 사슬 내의 다수의 연결고리를 보지 못했다.

3-2 King Jayavarman VII, / the warrior king / who united Cambodia in the 12th century, / made his army train / in bokator, / turning it into a fearsome fighting force.

(S: King Jayavarman VII / 삽입구: the warrior king / 관계사 수식: who united Cambodia in the 12th century / V: made / 동시상황 분사구문: turning it into a fearsome fighting force)

Jayavarman 7세 왕은 / 전사 왕인 / 12세기 캄보디아를 통일했던 / 그의 군대를 훈련시켰다 / bokator로 / 이는 군대를 무시무시한 군대로 바꿔놓았다

해석 12세기에 캄보디아를 통일했던 전사 출신 Jayavarman 7세 왕은 그의 군사들을 bokator로 훈련하도록 시켜 무시무시한 군대로 바꾸어 놓았다.

3-3 Corn, / the primary source of ethanol / in the United States / (which is the world's second-largest ethanol producer), / yields only 2 gallons of ethanol / per gallon of fossil fuel.

(S: Corn / 삽입구: the primary source of ethanol / V: yields)

옥수수는 / 에탄올의 주요 원천인 / 미국에서의 / 세계에서 두 번째로 큰 에탄올 생산자인 / 겨우 2갤론의 에탄올을 산출한다 / 화석 연료 1갤런 당

해석 (세계에서 두 번째로 큰 에탄올 생산자인) 미국의 에탄올 주공급원인 옥수수는 화석 연료 1갤런 당 겨우 2갤런의 에탄올을 생산할 뿐이다.

3-4 Many signals, / as they are passed / from generation to generation / by whatever means, / go through changes / that make them / either more elaborate or simply different.

(S: Many signals / 삽입절: as they are passed / V: go through / 관계사 수식: that make them)

많은 신호들 / 그들이 전달될 때 / 세대를 거쳐서 / 어떤 수단에 의해서건 / 변화를 경험한다 / 그들을 만드는 / 더욱 정교하게 혹은 단순히 다르게

해석 많은 신호가 어떤 방법에 의해서든 대대로 전달될 때 그것을 더욱 정교하게 또는 단순히 다르게 만드는 변화를 겪는다.

3-5 The two sets of memories / — the person / talking about his or her family / and the partner's edited version of this story / — go into the 'cooking-pot' / of the couple's new construct system.

(S: The two sets of memories / 삽입구: the person / 분사 수식: talking about his or her family / V: go)

두 세트의 기억은 / 사람 / 그나 그녀의 가족에 대해서 이야기하는 / 그리고 이 이야기에 대한 상대방의 편집된 버전이라는 / '요리용 냄비'로 들어간다 / 그 커플의 새로운 구성 시스템의

해석 자신의 가족에 관해 이야기하는 사람과 이 이야기를 파트너가 편집한 버전이라는 두 세트의 기억이 그 커플의 새로운 구성 개념 시스템이라는 '요리용 냄비'로 들어간다.

3-6 J. K. Rowling, / the author of the famous *Harry Potter series*, / has personally corresponded with / several dying children / who were fans of her books / and with the parents of children / who have died.

(S: J. K. Rowling / 삽입구(동격): the author of the famous Harry Potter series / V: has personally corresponded / 관계사 수식: who were fans of her books / 관계사 수식: who have died)

J. K. Rowling은 / 유명한 『해리 포터』 시리즈의 작가인 / 개인적으로 편지를 주고받았다 / 몇몇 죽음을 앞둔 아이들과 / 그녀의 책의 팬이었던 / 아이들의 부모들과 / 죽었던

해석 유명한 『Harry Potter』 시리즈의 작가인 J. K. Rowling은 자신이 쓴 책들의 팬이었던, 죽음을 앞두고 있는 몇몇 아이들과 사망한 아이들의 부모들과 개인적으로 서신을 주고받았다.

3-7 Decades of war and geopolitical turmoil, / combined with sweeping changes / to the scale and social organization / of governments, / put a new premium / on training / large groups of elite civil and military engineers.

S: Decades of war and geopolitical turmoil / 삽입구(수식 분사): combined with sweeping changes / V: put

수십 년의 전쟁과 지정학적 혼란은 / 광범위한 변화와 결합된 / 범위와 사회적 구성에 대한 / 정부의 / 새로운 중요성을 부여했다 / 훈련하는 데 / 대규모의 엘리트 민간 공학자와 군사 공학자를

해석 수십 년에 걸친 전쟁과 지정학적 혼란은 정부의 규모와 사회적 구성에서의 광범위한 변화와 결합하면서 대규모 집단의 엘리트 민간 공학자 및 군사 공학자를 육성하는 일에 새로운 중요성을 부여했다.

3-8 Many species of tree / are now endangered, / including mahogany and teak, / and deforestation, / particularly in tropical rainforests, / has had a severe impact / both on local communities / and on native plants and wildlife.

S_1: Many species of tree / V_1: are / S_2: deforestation / 삽입구: particularly in tropical rainforests / V_2: has had

많은 종류의 나무들은 / 지금 멸종 위험에 처해 있다 / 마호가니와 티크를 포함한 / 그리고 산림 벌채는 / 특히 열대 우림에서의 / 심각한 영향을 주고 있다 / 지역 공동체와 / 토착 식물과 야생동물에게도

해석 마호가니와 티크를 포함하여 많은 종의 나무들이 이제 멸종 위기에 놓여 있고, 특히, 열대 우림에서 삼림 벌채는 지역 사회뿐만 아니라 토착 식물과 야생 동물에도 심각한 영향을 미쳤다.

3-9 Then he and his team, / with video cameras in hand, / measured the length of their strides, / the amount of eye contact / they made with their "students," / the percentage of time / they spent talking, / and the volume of their speech.

S: he and his team / 삽입구: with video cameras in hand / V: measured / 관계사 생략 문장 수식: they made with their "students," / 관계사 생략 문장 수식: they spent talking

그 다음에 그와 그의 팀은 / 손에 비디오 카메라를 든 / 그들의 보폭의 길이를 측정했다 / 눈 마주침의 양과 / 그들의 학생들과 했던 / 시간의 비율 / 그들이 말하는 데 사용한 / 그리고 그들의 성량을

해석 그 다음에, 그와 그의 팀은 손에 비디오 카메라를 들고 그들의 보폭, 그들이 '학생들'과 시선을 마주치는 양, 이야기하는 데 사용하는 시간의 비율, 그리고 그들의 성량을 측정했다.

3-10 The existence of Stonehenge, / built by people / without writing, / bears silent testimony / both to the regularity of nature / and to the ability of the human mind / to see behind immediate appearances / and discover deeper meanings in events.

S: The existence of Stonehenge / 삽입구(수식분사): built by people without writing / V: bears

스톤헨지의 존재는 / 사람들이 지은 / 글이 없이 / 침묵의 증언을 하고 있다 / 자연의 규칙성뿐만 아니라 / 인간 정신의 능력에게도 / 눈 앞에 보이는 모습 뒤를 보는 / 그리고 사건 속의 더 깊은 의미를 발견하는

해석 글이 없던 시절 사람들이 세운 스톤헨지의 존재는 자연의 규칙성뿐만 아니라 눈앞에 보이는 모습의 이면을 보고 사건에서 더 깊은 의미를 발견할 수 있는 인간의 정신적 능력을 말없이 증언해 준다.

3-11 As you observe / your passing thoughts, emotions, and sensations, / naming them (동명사 주어 S) /
여러분이 관찰할 때 / 여러분의 지나는 생각, 감정, 감각을 / 그것들의 이름을 붙이는 것은 /

— Oh, that is my old friend Fear; / there goes the Inner Critic (삽입구) / — neutralizes (V_1) their effect on you
오, 그것은 내 오랜 친구 두려움이야 / 내부의 비판이 가네 / 당신에 대한 그들의 영향을 중화시킨다 /

/ and helps (V_2) / you / to maintain your state of balance and calm.
그리고 돕는다 / 당신이 / 당신의 균형감과 안정 상태를 유지하도록

해석 여러분이 자신의 지나가는 생각, 감정 그리고 기분을 알아차릴 때, '오, 저것은 나의 오랜 친구 Fear야, 저기 Inner Critic이 가네.'와 같이 그것들에 이름을 붙이는 것은 그것들이 여러분에게 미치는 영향을 중화시키고 여러분이 자신의 균형과 침착 상태를 유지하도록 돕는다.

3-12 The view (S) of AI breakthroughs / that the public gets from the media (관계사 수식) /
AI의 놀라운 발전에 대한 견해 / 대중이 언론으로부터 얻는 /

— stunning victories over humans, / robots / becoming citizens of Saudi Arabia, (분사 수식) / and so on — (삽입구) /
놀라운 인간에 대한 승리 / 로봇 / 사우디아라비아의 시민이 된 / 기타 등등 /

bears (V) very little relation / to what really happens / in the world's research labs.
거의 관련이 없다 / 실제로 벌어지는 것과 / 세계의 연구실에서

해석 대중이 미디어를 통해 보게 되는 인공 지능(AI)의 획기적 발전, 예를 들어 인간을 상대로 거둔 멋진 승리나 로봇이 사우디아라비아의 시민이 된 로봇 등의 광경은 세계의 연구실에서, 실제로 일어나는 일들과는 별로 관련이 없다.

3-13 Behavioral economists (S) / — the economists (삽입구(동격)) / who actually study (관계사 수식) / what people do / as opposed
행동경제학자들은 / 경제학자들인 / 실제로 연구하는 / 사람들이 하는 것을 / 사람들과는 반대되는

to the kind / who simply assume (관계사 수식) / the human mind works like a calculator — / have shown (V)
/ 단순히 추정하는 / 인간의 마음이 계산기처럼 작동한다고 /

again and again / that people reject unfair offers / even if it costs them money / to do so.
반복해서 보여 주었다 / 사람들은 불공정한 제안을 거부한다고 / 심지어 그것이 그들에게 비용이 든다고 해도 / 그것을 하기 위해서

해석 인간의 마음이 계산기처럼 작동한다고 단순히 가정하는 부류의 사람들과는 대조적으로 사람들이 하는 행동을 실제로 연구하는 경제학자들인 행동경제학자들은, 사람들은 불공정한 제안을 거부하는 것이 자신에게 돈이 든다고 해도 그렇게 한다는 것을 반복해서 보여 주었다.

3-14 The utility (S) of "negative sentiments"/ (emotions like grief, guilt, resentment, and anger, (삽입구) /
부정적 감정의 유용성은 / 슬픔, 죄책감, 분노, 화와 같은 감정들 /

which there is seemingly a reason / to believe / we might be better off without) / lies in (V) /
그리고 겉으로 보기에 이유가 있는 / 믿기에 / 없다면 더 나을 것이라는 / 놓여 있다 /

their providing a kind of guarantee of authenticity / for such dispositional sentiments /
그들의 일종의 진실성의 보장을 제공하는 것에 / 그런 성향적인 감정에 대한 /

as love and respect.
사람과 존경과 같은

해석 '부정적인 감정'(없으면 우리가 더 행복할 것이라고 믿을 이유가 있어 보이는 감정들인 슬픔, 죄책감, 분개함, 분노와 같은 감정들)의 유용성이 그것들이 사랑과 존경심과 같은 그런 성향적인 감정에 대한 일종의 진실성을 보장해 준다는 점에서 찾을 수 있다.

UNIT 04 관계사 수식 주어 구문

pg. 026~030

4-1 Toys / that appear to be alive / are curiosities / because they challenge /
S (관계사 수식) V
장난감들은 / 살아 있는 것처럼 보이는 / 진기한 물것들이다 / 왜냐하면 그들은 도전하니까 /

how we think / inanimate objects and living things should behave.
우리가 생각하는지에 / 살아 있지 않은 물건과 살아 있는 것이 어떻게 행동해야 하는지를

해석 살아 있는 듯 보이는 장난감은 우리가 생각하는 무생물과 생물의 행동 방식을 거스르기 때문에 진기한 물건이다.

4-2 Most of the various forms / of signaling / that are used by different species of animals /
S (관계사 수식)
대부분의 다양한 형태들은 / 신호 보내기의 / 다른 종의 동물들이 사용하는 /

have not arisen afresh / in each separate species.
V
새로 생겨나지 않았다 / 각각의 개별 종에서

해석 여러 종의 동물들에 의해 사용되는 다양한 신호 보내기 형식의 대부분은 각 개별 종에서 새로 생겨나지 않았다.

4-3 Toddlers / whose parents don't overreact / become children / who pick themselves up from a fall, /
S (관계사 수식) V (관계사 수식)
아기들은 / 부모가 과민반응하지 않는 / 어린이들이 된다 / 넘어지면 스스로 일어서는 /

brush themselves off, / and go on their merry way.
스스로 털고 / 그리고 즐겁게 그들의 길을 가는

해석 부모가 과민반응하지 않는 아기들은 넘어지면 스스로 털고 일어나서 즐겁게 갈 길을 가는 어린이가 된다.

4-4 The only risk / that you will face / as an introvert / is that / people / who do not know you /
S (관계사 수식) V S (관계사 수식)
유일한 위험은 / 당신이 직면하게 될 / 내성적인 사람으로서 / 이것이다 / 사람들이 / 당신을 알지 못하는 /

may think / that you are aloof / or that you think / you are better than them.
V
생각할지도 모른다 / 당신이 쌀쌀하다거나 / 아니면 당신이 생각한다고 / 당신이 그들보다 낫다고

해석 내성적인 사람으로서 여러분이 직면할 유일한 위험은, 여러분을 모르는 사람들은 여러분이 쌀쌀하다거나 여러분이 자신을 그들보다 더 낫다고 생각한다고 여길 수 있다는 것이다.

4-5 Things / that in real life are imperfectly realized, / merely hinted at, / and entangled with other things /
S (관계사 수식)
것들은 / 현실에서 불완전하게 인식되어지고 / 단순히 암시되어지고 / 다른 것들과 뒤엉킨 /

appear in a work of art / complete, entire, and free from irrelevant matters.
V (appear의 보어)
예술 작품 속에서 보인다 / 불완전하고, 온전하며, 관계없는 것들로부터 자유로운

해석 현실에서는 불완전하게 인식되고, 그저 암시되기만 하며, 다른 것들과 뒤엉킨 것들이 예술 작품에서는 완전하고, 온전하며 무관한 문제들로부터 자유로운 것처럼 보인다.

S 관계사 수식 V

4-6 One infrastructure / that allows efficient exchange / is transportation, / which makes it possible /
하나의 기반기설은 / 효율적인 교환을 허용하는 / 운송이다 / 이는 가능하게 만든다 /
for producers / to trade their surpluses / even when they are separated by distance.
생산자가 / 그들의 잉여물을 교환하도록 / 심지어 그들이 거리상 떨어져있을 때에도

해석 효율적인 교환을 가능하게 하는 한 가지 기반은 운송이며, 이는 생산자들이 거리상 떨어져 있을 때에도 자신들의 잉여물을 교환하는 것을 가능하게 한다.

S 관계사 수식 V

4-7 One reason / that people can play a card game / such as bridge / over and over / is that /
한 가지 이유는 / 사람들이 카드 게임을 할 수 있는 / 브리지와 같은 / 반복해서 / 이다 /
no matter how many times / you have played the game, / it will be different in some way.
아무리 여러 번 / 당신이 게임을 했더라도 / 그것은 어떤 식으로든 다를 것이니까

해석 사람들이 브리지와 같은 카드 게임을 반복해서 할 수 있는 이유는, 그 게임을 아무리 여러 번 했을지라도, 그것이 어떤 면에서 다를 것이기 때문이다.

S 관계사 수식

4-8 Anyone / who has tried to complete a jigsaw puzzle / as the clock ticked on / toward a deadline /
누구나 / 조각 그림 퍼즐을 끝내려고 노력해 온 / 시계가 째깍거릴 때 / 마감 시간을 향해서 /
V the 비교급~, the 비교급~
knows / that the more they struggle to / find the missing pieces, / the harder it is to find them.
알고 있다 / 그들이 더 많이 애를 쓸수록 / 잃어버린 조각을 찾으려고 / 그들을 찾기는 더욱 어려워진다는 것을

해석 시계가 계속 째깍거리며 마감 시간을 향해 가는 동안 조각 그림 맞추기를 완성하려고 노력해 본 사람이면 누구나 빠진 조각을 찾기 위해 애쓰면 애쓸수록, 그 조각들을 찾는 것이 더 어렵다는 것을 안다.

S 관계사 수식

4-9 A shopkeeper / who realizes / he is losing exchange opportunities / because of his dishonest behavior /
가게 주인은 / 깨달은 / 그가 교환 기회를 잃어버리고 있다는 것을 / 그의 정직하지 못한 행동 때문에 /
V
may begin to act / as if he were a kind and honest man / in order to garner more business.
행동하기 시작할지도 모른다 / 마치 그가 친절하고 정직한 사람처럼 / 더 많은 사업 실적을 얻기 위해서

해석 자신의 부정직한 행동 때문에 거래의 기회를 잃고 있다는 것을 깨달은 가게 주인이 더 많은 사업 실적을 얻기 위해 친절하고 정직한 사람인 것처럼 행동하기 시작할 수 있다.

S 관계사 수식 관계사 생략 문장 수식

4-10 Moreover, people / who searched the Internet for facts / they didn't know /
게다가 사람들은 / 사실을 위해서 인터넷을 검색하는 / 그들이 모르는 /
and were later asked / where they found the information /
그리고 나중에 질문 받는 / 그들이 정보를 어디서 찾았는지를 /
V_1 V_2
often misremembered and reported / that they had known it all along.
종종 잘못 기억하고 말했다 / 그들이 그것을 내내 알고 있었다고

해석 또한 자신이 몰랐던 사실을 인터넷에서 검색한 다음 나중에 어디에서 그 정보를 찾았는지에 대해 질문받은 사람들은 자주 자신이 그 정보를 (검색 이전부터) 내내 알고 있었다고 잘못 기억하면서 말했다.

S 관계사 수식

4-11 The "Iceman" / whose 5,200 year-old corpse was discovered / on a glacier /

아이스맨은 / 5,200년 된 그의 시체가 발견된 / 빙하에서 /

V

on the Italian-Austrian border / had stuffed grasses into his shoes /

이탈리아와 오스트리아 국경에 있는 / 신발에 풀을 채워 넣었다 /

to keep his feet warm / and was carrying a sloe berry.

그의 발을 따뜻하기 위해서 / 그리고 야생 자두를 지니고 있었다

해석 "아이스맨"은 5,200년 된 그의 시체가 이탈리아와 오스트리아의 국경에 있는 빙하에서 발견되었는데, 발을 따뜻하게 유지하기 위해서 풀을 신발에 채워 넣었고 야생 자두를 지니고 있었다.

S 관계사 수식

4-12 For example, / subjects / who were presented / with different shapes of pasta /

예를 들어 / 피실험자들은 / 제공받았던 / 다른 형태의 파스타를 /

V

showed / increased hedonic ratings / and increased energy consumption /

보여 주었다 / 증가된 쾌락 평점과 / 증가된 에너지 섭취를 /

분사 수식

relative to subjects / eating only a single shape of pasta.

피실험자들과 비교해서 / 오직 한 형태의 파스타만 먹은

해석 예컨대 서로 다른 모양의 파스타가 제공된 피실험자들은, 단 한 가지 형태의 파스타만을 먹는 피실험자들과 비교하여, 증가된 쾌락 평점과 증가된 에너지 섭취를 보였다.

S 관계사 수식 V

4-13 The Securities and Exchange Commission / that monitors American stock markets / forces firms

증권거래위원회는 / 미국 주식 시장을 감시하는 /

to meet certain reporting requirements / before their stock can be listed on exchanges /

회사로 하여금 어떤 보고의무들을 맞추라 강제한다 / 그들의 주식이 거래소에 상장되기 전에 /

such as the New York Stock Exchange.

뉴욕증권거래서와 같은

해석 미국 주식 시장을 감시하는 증권거래위원회는 기업들이 뉴욕증권거래소와 같은 거래소에 상장될 수 있기 전에 어떤 보고 의무들을 반드시 충족하도록 시킨다.

S 관계사 수식

4-14 Furthermore, / the restrictive ingredient lists and design criteria / that are typical of such products /

게다가 / 제한 성분 목록과 디자인 기준은 / 그런 제품들에게 일반적인 /

may make green products / inferior to mainstream products / on core performance dimensions /

친환경 제품을 만들 수도 있다 / 주류 상품들에 비해 더 열등하게 / 핵심 성능 차원에서 /

(e.g., less effective cleansers).

(예를 들어 덜 효과적인 세척제처럼)

해석 게다가 그런 제품에서 일반적인 제한 성분 목록과 디자인 기준이 친환경 제품을 주류 제품보다 핵심 성능 측면(예를 들어, 덜 효과적인 세척제)에서 더 열등하게 만들 수 있다.

S 관계사 수식

4-15 Activities / which develop many of the coordination skills, aural sensitivity, / responses to visual
활동들은 / 많은 조정 능력과 청각적 감수성을 발전시키는 /

cues and symbols, / and the musical understanding / necessary to play an instrument /
시각적 신호와 기호에 대한 반응 / 그리고 음악적 이해 / 악기를 연주하는 데 필요한 /

V
can all be established / without instruments.
모두 확립될 수 있다 / 악기 없이도

해석 조정 능력, 청각적 감수성, 시각적 신호와 기호에 대한 반응, 그리고 악기 연주에 필요한 음악적 이해의 많은 부분을 발달시키는 활동은 모두 악기 없이 자리 잡을 수 있다.

S 관계사 수식

4-16 An employee / who realizes / she isn't being trusted / by her co-workers / with shared
직원은 / 깨달은 / 그녀가 신뢰받고 있지 못하다는 것을 / 그녀의 동료들에게 / 공유된 책임감을 가지고

V 관계사 수식
responsibilities / at work / might, upon reflection, identify areas / where she has consistently
/ 직장에서 / 성찰을 통해서 분야를 식별할지 모른다 / 그녀가 지속적으로 다른 사람을 실망시켰던

let others down / or failed to follow through / on previous commitments.
/ 아니면 이행하지 못했던 / 이전의 약속을

해석 직장에서 자신의 동료들이 공유된 책무를 자신에게 (믿고) 맡기지 않고 있다는 사실을 깨달은 직원은 성찰을 통해 자신이 지속적으로 다른 사람들을 실망하게 했거나 이전의 약속들을 이행하지 못했던 분야를 찾아낼 수 있다.

S 관계사 수식 관계사 수식

4-17 One misconception / that often appears / in the writings of physical scientists / who are looking
한 가지 오해는 / 종종 나타나는 / 물리 과학자들의 글에서 / 생물학을 바라보는

V
at biology / from the outside / is / that the environment appears to them / to be a static entity, /
/ 바깥에서 / 이다 / 환경이 그들에게 보인다 / 정적인 존재로 /

which cannot contribute new bits of information / as evolution progresses.
이는 새로운 정보를 제공할 수 없는 / 진화가 진행됨에 따라

해석 외부로부터 생물학을 보고 있는 물리 과학자들의 글에서 자주 나타나는 한 가지 오해는 환경이 진화가 진행됨에 따라 새로운 정보를 제공할 수 없는 정적인 독립체로 그들에게는 보인다는 것이다.

S 관계사 수식 V

4-18 The 'unstable' qualities of childhood / that Hollindale cites / require / a writer or translator /
어린 시절의 불안정한 특징들은 / Hollindale이 언급하는 / 요구한다 / 작가나 번역가가 /

to have an understanding / of the freshness of language / to the child's eye and ear, /
이해해야 한다는 것을 / 언어의 신선함을 / 아이들의 눈과 귀에 대한 /

the child's affective concerns / and the linguistic and dramatic play of early childhood.
아이의 정서적인 관심 사항 / 그리고 초기 어린 시절의 언어적 극적인 놀이를

해석 Hollindale이 언급하는 어린 시절의 '불안정한' 특성은 작가나 번역가에게, 아이의 눈과 귀에 대한 언어의 신선함, 아이의 정서상의 관심 사항, 그리고 초기 어린 시절의 말놀이와 연극놀이에 대한 이해력을 가질 것을 요구한다.

4-19 The person / who is sold on / and goes through disease screening procedures / but does not follow through / with medical treatment / for a diagnosed condition, / is as much of a failure as / a person / who did not avail himself of the screening program / to begin with.

S: The person / 관계사 수식: who is sold on … / V: is

사람은 / 받아들이고 / 질병 검진 절차를 행하는 / 하지만, 따르지 않는 / 의학적 치료를 / 진단된 병에 대한 / 마찬가지로 실패한다 / 사람만큼이나 / 그 자신을 검진 프로그램의 효과를 보게 하지 않는 / 처음부터

해석 질병 검진 절차를 받아들여서 그 절차를 거치지만 진단받은 질환에 대한 의학적 치료를 끝까지 하지 않는 사람은 애초에 검진 프로그램을 이용하지 않은 사람 못지않은 실패자이다.

4-20 It is no coincidence / that countries / where sleep time has declined most dramatically / over the past century, / such as the US, the UK, Japan, and South Korea, and several in Western Europe, / are also those / suffering the greatest increase / in rates of physical diseases and mental disorders.

S: countries / 관계사 수식: where sleep time has declined … / V: are / 분사 구문 수식: suffering …

우연의 일치가 아니다 / 나라들은 / 수면 시간이 가장 급격하게 줄어든 / 지난 세기 동안 / 미국, 영국, 일본, 한국, 그리고 서유럽의 몇몇 국가처럼 / 마찬가지로 나라들이다 / 엄청난 증가로 고통받는 / 신체 질환과 정신 질환의 비율에서

해석 미국, 영국, 일본, 한국, 그리고 몇몇 서유럽 국가들과 같은, 지난 세기에 걸쳐 수면 시간이 가장 급격하게 감소한 국가들이 또한 신체 질환과 정신 질환 비율에서 가장 많은 증가를 겪고 있는 국가들이라는 것은 우연의 일치가 아니다.

UNIT 05 관계사 생략 수식 주어 구문

pg. 032~033

5-1 One middle-aged woman / we talked with / still finds / herself / extremely vulnerable / to being seen as foolish.

S: One middle-aged woman / 관계사 생략 문장 수식: we talked with / V: still finds

한 중년 여성은 / 우리와 대화를 나눈 / 여전히 알고 있다 / 그녀 자신이 / 매우 취약하다는 것을 / 바보처럼 보이는 것에

해석 우리와 이야기를 나눈 한 중년 여성은 여전히 자신이 멍청해 보이는 것에 매우 취약하다는 것을 알고 있다.

5-2 Sometimes all the outcomes / customers are trying to achieve / in one area / have a negative effect / on other outcomes.

S: all the outcomes / 관계사 생략 문장 수식: customers are trying to achieve / V: have

때때로 모든 결과는 / 고객들이 얻고자 노력하는 / 한 분야에서 / 부정적 영향을 끼친다 / 다른 결과에

해석 때때로 고객들이 한 부분에서 성취하려고 노력하는 모든 결과는 다른 결과들에 부정적인 영향을 끼친다.

5-3 The amount of electrical energy / a 10W light bulb uses / depends on / how long it is lit / : in one hour, / it will use 10Wh of energy.

S: The amount of electrical energy / 관계사 생략 문장 수식: a 10W light bulb uses / V: depends on

전기 에너지의 양은 / 10와트짜리 전구가 사용하는 / 달려 있다 / 얼마나 그것이 빛나는 가에 / 한 시간 안에 / 그것은 10와트시의 에너지를 사용할 것이다

해석 10와트짜리 전구가 사용하는 전기 에너지의 양은 얼마나 오래 그것이 빛나는가에 의해 결정된다. 한 시간 동안에 그것은 10와트시(Wh)의 에너지를 사용할 것이다.

5-4 The words / you speak to someone / may have the potential / to make or break that person, / so it is important / to choose words carefully.

(S: The words / 관계사 생략 문장 수식: you speak to someone / V: may have)

단어들은 / 당신이 누군가에게 말하는 / 잠재력을 가질지도 모른다 / 그 사람을 만들거나 부수게 할 / 그래서 중요하다 / 신중하게 단어를 선택하는 것이

해석 여러분이 누군가에게 하는 말이 그 사람을 성공하게 하거나 실패하게 할 가능성이 있을 수도 있어서 말을 신중하게 선택하는 것이 중요하다.

5-5 The single most important change / you can make in your working habits / is to switch / to creative work first, / reactive work second.

(S: change / 관계사 생략 문장 수식: you can make in your working habits / V: is)

가장 중요한 한 가지 변화는 / 당신이 일하는 습관에서 만들 수 있는 / 바꾸는 것이다 / 우선 창조적인 일에 / 두 번째로 반응적인 일에

해석 여러분이 일하는 습관에서 이뤄낼 수 있는 가장 중요한 단 한 가지 변화는 창조적인 일을 먼저 하고 대응적인 일은 그 다음에 하는 쪽으로 전환하는 것이다.

5-6 You may find / that a problem / you had thought / you could solve / in a reasonable amount of time / is taking much longer / than you had anticipated.

(S: a problem / 관계사 생략 문장 수식: you had thought / V: is taking)

당신을 깨달을 수도 있다 / 문제가 / 당신이 생각했던 / 당신이 해결할 수 있다고 / 적당한 시간 안에 / 더 시간이 걸린다 / 당신이 예상했던 것보다

해석 여러분은 적당한 양의 시간에 풀 수 있을 거라고 생각했던 문제가 당신이 예상했던 것보다 훨씬 더 오랜 시간이 걸리고 있다는 것을 알게 될 수 있습니다.

5-7 What this demonstrates / is / that it's equally important / to the success of the exercise / that the person / you're throwing to / catches the ball / as that you are able to catch the ball.

(what절 주어: What this demonstrates / S: the person / 관계사 생략 문장 수식: you're throwing to / V: catches)

이것이 설명하는 것은 / 이다 / 똑같이 중요하다 / 운동의 성공에 / 사람이 / 당신이 던지는 / 그 공을 받는 것이다 / 당신이 그 공을 받을 수 있는 것처럼

해석 이것이 보여 주는 것은, 여러분이 공을 던져 주는 대상인 사람이 공을 잡는 것이, 여러분이 공을 잡을 수 있는 것만큼 그 훈련에 똑같이 중요하다는 것이다.

5-8 The reason / even solid physical goods / — like a soda can — / can deliver more benefits / while inhabiting less material / is because their heavy atoms are substituted / by weightless bits.

(S: The reason / 관계사 생략 문장 수식: even solid physical goods ...)

이유는 / 심지어 고체의 물리적 상품조차도 / 탄산음료의 캔처럼 / 더 많은 이익을 전달할 수 있더라도 / 더 적은 양의 물질을 가지고 있는 반면 / 그들의 무거운 원자가 대체되기 때문이다 / 무게가 없는 비트로

해석 탄산음료 캔과 같은, 고체의 물리적 상품조차도 더 적은 양의 물질을 가지고 있으면서도 더 많은 이익을 내놓을 수 있는 이유는 그것들의 무거운 원자가 무게가 없는 비트로 대체되기 때문이다.

5-9 Suddenly, a phrase / I once read / came floating into my mind: /
갑자기 한 문구가 / 전에 읽었던 / 마음 속에 떠올랐다 /
'You must do him or her a kindness / for inner reasons, /
너는 사람에게 친절해야 한다 / 내적 이유로 /
not because someone is keeping score / or because you will be punished / if you don't.'
누군가가 점수를 매기고 있기 때문이 아니라 / 당신이 처벌받을 수 있기 때문이 아니라 / 하지 않으면

(S: a phrase, 관계사 생략 문장 수식: I once read, V: came)

해석 불현듯 언젠가 읽었던 문구 하나가 마음속에 떠올랐다. '누군가 점수를 매기고 있거나, 하지 않으면 처벌을 받기 때문이 아니라 내적 동기로 사람들에게 친절을 베풀어야 한다.'

5-10 Without wanting to be combative / in any way whatsoever, / I respond /
공격적이기 원하지 않으면서 / 어떤 식으로든지 / 나는 대응한다 /
by informing them / that perhaps the reason / they still have so much to do /
그들에게 알려줌으로써 / 아마도 그 이유는 / 그들이 여전히 할 일을 많이 가지는 /
at the end of the day / is precisely because / they do not get enough sleep at night.
하루의 끝에서 / 정확하게 때문이다 / 그들이 밤에 충분히 자지 않기

(S: I, V: respond; S: the reason, 관계사 생략 문장 수식: they still have so much to do, V: is)

해석 전혀 조금도 공격적으로 보이기를 바라지는 않으면서, 나는 사람들에게 아마도 하루가 끝나갈 때 그들이 여전히 할 일이 너무 많은 이유는 바로 밤에 충분한 수면을 취하지 않기 때문이라고 알려주는 것으로 대응한다.

UNIT 06 동격절 수식 주어 구문

pg. 035~036

6-1 The fact / that the conventions are established and repeated / intensifies another kind of pleasure.
사실은 / 관례가 확립되고 반복된다는 / 또 다른 종류의 즐거움을 강화한다

(S: The fact, = 동격절 주어: that the conventions are established and repeated (S: the conventions, V_1: are established, V_2: repeated), V: intensifies)

해석 관례가 확립되어 반복된다는 사실은 또 다른 종류의 즐거움을 강화한다.

6-2 The assumption / that what is being studied / can be understood /
가정은 / 연구되고 있는 것이 / 이해될 수 있다는 /
in terms of causal laws / is called determinism.
인과 법칙의 관점에서 / 결정론으로 불리운다

(S: The assumption, = 동격절 주어: that what is being studied can be understood (S: what is being studied, V: can be understood), V: is called)

해석 연구되고 있는 것이 인과 법칙의 관점에서 이해될 수 있다는 가정을 결정론이라고 한다.

6-3 His basic idea / that politics is a unique collective activity / that is directed /
그의 기본적인 생각은 / 정치가 독특한 집단 활동이라는 / 향하는 /
at certain common goals and ends / still resonates today.
어떤 공동의 목표와 목적으로 / 오늘날 여전히 울려 퍼진다

(S: His basic idea, = 동격절 주어: that politics is a unique collective activity (S: politics, V: is), 관계사 수식: that is directed, V: resonates)

해석 정치는 어떤 공동의 목표와 목적을 향한 독특한 집단 활동이라는 그의 기본적인 생각은 오늘날에도 여전히 울려 퍼지고 있다.

동격절 주어
S = S V

6-4 The fact / that we have not found such a case / in countless examinations /
사실은 / 우리가 그런 경우를 발견하지 못했다는 / 수많은 조사에서 /

V
of the fossil record / strengthens the case / for evolutionary theory.
화석 기록의 / 그 논거를 강화한다 / 진화론을 위한

해석 화석 기록에 대한 수많은 조사에서 그러한 경우를 발견하지 못했다는 사실은 진화론을 위한 논거를 강화한다.

S = 동격절 주어 S V V

6-5 Belief / that the wine is more expensive / turns on the neurons /
믿음은 / 그 와인이 더 비싸다는 / 신경 세포를 작동시킨다 /

분사 수식
in the medial orbitofrontal cortex, / an area of the brain / associated with pleasure feelings.
내측 안와 전두 피질의 / 두뇌의 한 부분인 / 쾌락 감각과 연관된

해석 그 와인이 더 비싸다는 믿음은 쾌락 감각과 관련된 뇌의 영역인 내측 안와 전두 피질의 신경 세포를 작동시킨다.

S = 동격절 주어 S V

6-6 In many countries, / the fact / that some environmental hazards are difficult / to avoid at the
많은 나라에서 / 사실은 / 일부 환경적 위험이 어렵다 / 개인적 차원에서 피하기가

V 관계사 수식
individual level / is felt / to be more morally egregious / than those hazards / that can be avoided.
/ 느껴진다 / 보다 더 도덕적으로 나쁜 것으로 / 그런 위험보다 / 피할 수 있는

해석 많은 국가에서, 일부 환경적 위험 요인이 개인 수준에서 피하기 어렵다는 사실은 피할 수 있는 그 위험 요인보다 도덕적으로 더 매우 나쁜 것으로 느껴진다.

관계사 수식

6-7 In larger-scale projects, / however, / even where a strong personality exercises powerful influence, /
더 큰 규모의 프로젝트에서 / 하지만 / 심지어 강한 개성이 강력한 영향을 행사하는 /

S = 동격절 주어 S V
the fact / that substantial numbers of designers / are employed / in implementing a concept /
사실은 / 상당한 수의 디자이너들이 / 고용된다 / 계획을 실행하는 데 /

V
can easily be overlooked.
쉽게 간과될 수 있다

해석 그러나, 더 큰 규모의 프로젝트에서, 심지어 강한 개성이 강력한 힘을 발휘하는 곳에서도, 상당한 수의 디자이너가 계획을 실행하는 데 참여한다는 사실이 쉽게 간과될 수 있다.

동격절 주어
S = S V

6-8 The idea / that people selectively expose themselves / to news content /
생각은 / 사람들이 선택적으로 스스로를 노출시킨다라는 / 뉴스 콘텐츠에 /

V
has been around for a long time, / but it is even more important today /
오랜 기간 있어 왔다 / 하지만 그것은 오늘날 더욱 중요하다 /

with the fragmentation of audiences / and the proliferation of choices.
구독자의 분열과 / 선택의 급증으로

해석 사람들이 선택적으로 뉴스 콘텐츠에 자신을 노출시킨다는 생각이 오랫동안 있어 왔지만, 구독자의 분열과 선택의 급증으로 그것은 오늘날 훨씬 더 중요하다.

6-9 Sometimes the fact / that a line could have been drawn elsewhere / is taken / as evidence / that we should not draw a line at all, / or that the line / that has been drawn / has no force; / in most contexts / this view is wrong.

(S: Sometimes the fact / 동격절 주어: that a line could have been drawn elsewhere / V: is taken / 동격절: that we should not draw a line at all / S: the line / 관계사 수식: that has been drawn / V: has)

때때로 사실은 / 선이 어떤 다른 곳에 그어질 수 있었다는 / 여겨진다 / 증거로서 / 우리가 전혀 선을 그어서는 안 된다는 / 아니면 선은 / 그어졌던 / 힘이 없다는 / 대부분의 경우에 / 이러한 관점은 틀리다

해석 때때로 선이 어떤 다른 곳에 그어질 수 있었다는 사실은 우리가 선을 그을 필요가 전혀 없거나 혹은 이미 그어진 선이 아무런 효력이 없다는 증거로 여겨질 수 있지만, 대부분의 경우에 이러한 관점은 잘못된 것이다.

6-10 The fact / that there might be someone somewhere / in the same building or district / who may be more successful / at teaching this or that subject or lesson / is lost on teachers / who close the door / and work their way / through the school calendar virtually alone.

(S: The fact / 동격절 주어 / V: might be / 관계사 수식: who may be more successful / V: is lost / 관계사 수식: who close the door)

사실은 / 다른 곳에 누군가가 존재할 지도 모른다 / 같은 건물이나 지역에 / 더 성공적일 수 있는 / 이런 저런 주제나 수업을 가르치는 데 / 교사는 이해하지 못한다 / 문을 닫고 / 자신만의 방식으로 일하는 / 학교 연간 행사 계획표를 통해서

해석 이런저런 과목이나 혹은 수업을 가르치는 데 있어서 더 성공적일 수 있는 누군가가 '같은 건물 혹은 같은 지역'어딘가에 있을 수 있다는 사실을, 문을 닫고 거의 혼자서 학교의 연간 행사 계획표를 실천해 나가는 교사는 이해하지 못한다.

UNIT 07 기타 수식 주어 구문

pg. 038~040

7-1 Even an invention / as elementary as finger-counting / changes our cognitive abilities dramatically.

(S: an invention / 형용사구 수식: as elementary as finger-counting / V: changes)

발명조차도 / 손가락으로 세기처럼 기본적인 / 당신의 인지적 능력을 비약적으로 변화시킨다

해석 손가락으로 헤아리기와 같은 기본적인 발명조차도 우리의 인지 능력을 극적으로 변화시킨다.

7-2 In other words, / those / most likely to live in / the tightest echo chambers / are those / with the highest level of education.

(S: those / 형용사구 수식: most likely to live in / V: are / 전치사구 수식: with the highest level of education)

다시 말하자면 / 사람들은 / 가장 살 가능성이 높은 / 가장 빈틈없는 반향실에서 / 사람들이다 / 가장 높은 수준의 교육을 받은

해석 다시 말하면, 가장 빈틈없는 반향실(에코 효과를 내는 방)에서 살 가능성이 가장 큰 사람들은 교육 수준이 가장 높은 사람들이다.

7-3 The tendency / for the market / to reward caring for others / may just be an incentive / to act, or pretend, / as if one cares for others.

(S: The tendency / to reward 의미상 주어: for the market / to부정사구 수식: to reward caring for others / V: may just be)

경향은 / 시장이 / 다른 사람에게 신경쓰는 것에 보상을 주는 / 단순히 인센티브일 수 있다 / 행동하거나 인척하려는 / 마치 다른 사람에게 신경 쓰는 것처럼

해석 시장이 다른 사람에게 신경 쓰는 것에 보상을 주는 경향은 그저 다른 사람에게 신경 쓰는 것처럼 행동하거나, (그런) 척하도록 하는 유인책일 수 있다.

S 형용사구 수식

7-4 Applicants / desirous of applying for an opportunity / to audition for this position /
지원자들은 / 기회에 대한 지원을 원하는 / 이 자리를 위한 오디션에 대한

V

should send résumé / to watsonorchestra@wco.org.
이력서를 보내야 한다 / watsonorchestra@wco.org로

해석 이 직책을 위한 오디션을 볼 기회에 지원을 원하는 지원자는 watsonorchestra@wco.org로 이력서를 보내야 합니다.

S

7-5 Distrust of one / who is sincere in her efforts / to be a trustworthy and dependable person /
사람에 대한 불신은 / 노력을 성실하게 하는 / 신뢰할 만하고 믿을 만한 사람이 되려고 하는 /

V_1 V_2

can be disorienting / and might cause / her to doubt her own perceptions / and to distrust herself.
혼란스럽게 할 수 있고 / 유발할 수도 있다 / 그녀가 자신의 인식을 의심하게끔 / 그리고 그녀 자신을 불신하게끔

해석 신뢰할 만하고 믿을 만한 사람이 되려는 노력을 성실하게 하는 사람에 대한 불신은 혼란스럽게 할 수 있고, 그녀로 하여금 자신의 인식을 의심하고 자신을 불신하게 할 수 있다.

S 형용사구 수식 V

7-6 An Egyptian sculpture / no bigger than a person's hand / is more monumental /
이집트의 조각은 / 사람의 손보다 크지 않은 / 더 기념비적이다 /

관계사 수식

than that gigantic pile of stones / that constitutes the war memorial in Leipzig, / for instance.
거대한 돌무더기보다 / Leipzig의 전쟁 기념비를 구성하는 / 예를 들어

해석 예를 들어, 겨우 사람 손 크기의 이집트의 조각이 Leipzig의 전쟁 기념비를 구성하는 그 거대한 돌무더기보다 더 기념비적이다.

S 전치사구 수식 관계사 수식

7-7 A strong sensitivity / to the odd detail / that doesn't quite correspond with /
강한 민감도는 / 특이한 세부 사항에 대한 / 그다지 일치하지 않는 /

관계사 생략 문장 수식 V

the way / things usually are or ought to be / is a major asset / for a soldier in a war zone.
방식과 / 사물이 보통 그러한, 혹은 그래야하는 / 주된 자산이다 / 전쟁 지역의 군인들에게는

해석 사물이 보통 그러한 혹은 온당히 그래야 하는 방식과 그다지 일치하지 않는 특이한 세부 사항에 대한 강한 민감도는 교전 지역에 있는 군인에게는 중요한 자산이다.

S to부정사구 수식

7-8 Your ability / to make complex use of touch, / such as buttoning your shirt / or unlocking your
당신의 능력은 / 복잡한 촉각적 사용을 하는 / 예를 들어 셔츠의 단추를 잠그거나 /

V

front door in the dark, / depends on / continuous time-varying patterns / of touch sensation.
어둠 속에서 현관문을 여는 것 같은 / 의존한다 / 지속적인 시간에 따라 달라지는 패턴을 / 촉각의

해석 어둠 속에서 셔츠 단추를 잠그거나 현관문을 여는 것과 같이 촉각을 복잡하게 사용하는 능력은 촉각이라는 감각의, 지속적인, 시간에 따라 달라지는 패턴에 의존한다.

7-9 Manuals of "good manners" / addressed to the aristocracy / always have a negative reference / to the peasant / who behaves badly, / who "doesn't know" / what the rules are, / and for this reason / is excluded from the lordly table.

(S: Manuals of "good manners" / 분사 수식: addressed to the aristocracy / V: have / 관계사 수식: who behaves badly)

'좋은 예절'의 교범은 / 귀족에게 맞춰진 / 항상 부정적인 언급을 하고 있다 / 소작농에게 / 나쁘게 행동하는 / 알지 못하는 / 규칙이 무엇인지를 / 그리고 이런 이유로 / 귀족의 식탁에서 배제된다

해석 귀족 계층에 초점이 맞추어진 '좋은 예절'의 교범이 예의범절이 좋지 않은 소작농을 항상 부정적으로 언급했던 것은 이런 이유에서인데, 그런 소작농은 규칙이 무엇인지를 '알지 못하며', 이런 이유로 귀족의 식탁에서 배제되는 것이다.

7-10 Minorities / that are active and organised, / who support and defend their position consistently, / can create social conflict, doubt and uncertainty / among members of the majority, / and ultimately this may lead to social change.

(S: Minorities / 관계사 수식: that are active and organised, who support and defend their position consistently / V: can create)

소수 집단은 / 활동적이고 조직적인 / 그들의 입장을 일관되게 옹호하고 방어하는 / 사회적 갈등, 의심, 불확실성을 만들 수 있다 / 다수 구성원들 사이에 / 그리고 궁극적으로 이것은 사회적 변화를 유발할 지도 모른다

해석 자신들의 입장을 '일관되게' 옹호하고 방어하는 활동적이고 조직적인 소수 집단이 다수 집단의 구성원 사이에 사회적 갈등, 의심, 그리고 불확신을 만들어 낼 수 있고, 궁극적으로 이것이 사회 변화를 가져올 수도 있다.

7-11 Indeed, / someone / listening to a funny story / who tries to correct the teller / — 'No, he didn't spill the spaghetti / on the keyboard and the monitor, / just on the keyboard'/ — will probably be told / by the other listeners / to stop interrupting.

(S: someone / 관계사 수식: listening to a funny story, who tries to correct the teller / V: will probably be told)

실제로 / 누군가는 / 재미난 이야기를 듣고 있는 / 말하는 사람을 바로잡으려고 하면 / 아니야, 그는 스파게티를 쏟은 게 아니야 / 키보드와 모니터에 / 단지 키보드에만 / 아마도 들을 지도 모른다 / 다른 청자에게 / 방해하지 말라고

해석 실제로, 재미있는 이야기를 듣고 있는 누군가가 '아니야, 그는 스파게티를 키보드와 모니터에 쏟은 것이 아니라 키보드에만 쏟았어.' 라며 말하는 사람을 바로잡으려고 하면 그는 아마 듣고 있는 다른 사람들에게서 방해하지 말라는 말을 들을 것이다.

7-12 One wonders / whether our children's inherent capacity / to recognize, classify, and order information / about their environment / — abilities / once essential to our very survival / — is slowly devolving / to facilitate life / in their increasingly virtualized world.

(S: One / V: wonders / S: our children's inherent capacity / to부정사구 수식: to recognize, classify, and order information / 형용사구 수식: once essential to our very survival / V: is slowly devolving)

사람은 궁금해한다 / 우리 아이들의 내적인 능력이 / 인지하고, 구별하고 그리고 정보를 배열하는 / 그들의 환경에 대한 / 능력들이다 / 한때 우리 생존에 필수적이었던 / 천천히 퇴화되고 있다 / 삶을 용이하기 위해서 / 그들의 점차 가상화되는 세계에서

해석 사람들은 우리 아이들이 자신들의 환경에 대한 정보를 인식하고, 분류하며, 체계화 할 내재적 능력, 즉, 한때 바로 우리의 생존에 필수적이었던 능력이 서서히 퇴화하여 점점 더 가상화된 세계에서의 삶을 용이하게 하고 있는지 궁금해한다.

7-13 People / who were asked to / make tricky choices and trade-offs /
(관계사 수식)
사람들은 / 요구받았던 / 까다로운 선택과 거래를 하라고 /

- such as setting up a wedding registry / or ordering a new computer - /
(삽입구)
예를 들어 결혼식 등록부를 작성하거나 / 새로운 컴퓨터를 주문하는 /

were worse / at focusing and solving problems / than others / who had not made the tough choices.
(관계사 수식)
더 못했다 / 문제에 초점을 맞추고 해결하는 일을 / 다른 사람들보다 / 힘든 선택을 하지 않았던

해석 결혼식 등록부를 작성하거나 새로운 컴퓨터를 주문하는 일과 같은 까다로운 선택과 거래를 하도록 요청받은 사람들은 힘든 선택을 하지 않았던 사람들보다 문제에 초점을 맞추고 해결하는 것을 더 못했다.

7-14 One wise friend of ours / who was a parent educator / for twenty years / advises giving calendars /
(S, 관계사 수식, V)
현명한 친구 중의 한 명이 / 부모 교육자 였었던 / 20년 동안 / 달력은 주라는 조언을 한다 /

to preschool-age children / and writing down / all the important events in their life, / in part because
취학 전 아이들에게 / 그리고 적어 두라는 / 모든 중요한 인생에서의 사건 모두를 / 부분적으로 그것은 도와주니

it helps / children / understand the passage of time better, / and how their days will unfold.
/ 아이들이 / 시간의 흐름을 더 잘 이해하도록 / 그리고 어떻게 그들의 날들이 펼쳐질 지를

해석 20년간 부모 교육자로 일했던 우리의 현명한 친구 한 명은 취학 전 연령의 아이들에게 달력을 주고 아이들 생활에서 중요한 모든 일들을 적어 보라고 조언하는데, 이는 부분적으로 아이들이 시간의 흐름을 더 잘 이해하도록, 그리고 자신들의 하루하루가 어떻게 펼쳐질지 이해하도록 도움을 주기 때문이다.

7-15 Those / with wandering minds, / who might once have been able to focus / by isolating
(S, 전치사구 수식, 관계사 수식)
사람들은 / 산만한 정신이 있는 / 한때 집중할 수 있었던 /

themselves with their work, / now often find / they must do their work with the Internet, /
(V)
그들 스스로를 그들의 일과 함께 분리시킴으로써 / 지금 흔히 알고 있다 / 그들이 그들의 일을 인터넷으로 해야만 한다는 것을 /

which simultaneously furnishes a wide range of unrelated information /
(앞문장 전체 받음)
이는 동시에 다양한 범위의 관련없는 정보를 제공한다 /

about their friends'doings, celebrity news, / and millions of other sources of distraction.
그들 친구의 일, 유명인의 뉴스 / 그리고 수백만 개의 다른 산만한 것들의 공급원에 관해서

해석 한때 일과 더불어 자신을 주변으로부터 분리시킴으로써 집중할 수 있었던 산만한 정신을 가진 사람들이 이제는 흔히 인터넷으로 일을 해야만 한다는 것을 알게 되는데, 인터넷은 친구들의 근황, 유명인의 소식, 그리고 산만하게 만드는 수백만 개의 다른 공급원에 관해 관련이 없는 광범위한 정보를 동시에 제공한다.

UNIT 08 문장 주어 구문

8-1
S 관계사 How절 주어 S V V
How the bandwagon effect occurs / is demonstrated /
어떻게 편승 효과(밴드 왜건 효과)가 발생하는지는 / 입증된다 /
by the history of measurements / of the speed of light.
측정의 역사에 의해서 / 빛의 속도의

해석 편승 효과가 어떻게 발생하는지는 빛의 속도 측정의 역사로 입증된다.

8-2
S S V 관계사 why절 주어
Why Neanderthals became extinct / about 40,000 years ago / to be replaced /
왜 네안데르탈인이 멸종되었는지는 / 약 4만 년 전에 / 대체되었는가 /
V
by modern humans / is debated.
현생 인류에 의해서 / 논쟁 중이다

해석 왜 네안데르탈인이 약 4만 년 전에 멸종되게 되어 현생 인류로 대체되었는가가 논의된다.

8-3
S S V 관계사 that절 주어 V
That the result of expressing toothpaste / is a long, thin, cylinder / does not entail /
치약을 표현하는 결과가 / 길고 얇고 원통형이라는 것은 / 의미하지는 않는다 /
that toothpaste itself / is long, thin, or cylindrical.
치약 자체가 / 길고, 얇고, 혹은 원통형이라는 것을

해석 치약을 표현한 결과가 길고 가는 원통형의 물건이라는 것이 치약 그 자체가 길거나, 가늘거나, 아니면 원통형이라는 것을 의미하지는 않는다.

8-4
S S V 관계사 what절 주어 V
Much of what we do each day / is automatic and guided / by habit, /
우리가 매일 하는 것의 많은 부분은 / 자동적이고 이끌어진다 / 습관에 의해서 /
분사구문
requiring little conscious awareness, / and that's not a bad thing.
이는 거의 의식적인 인식을 필요로하지 않는다 / 그리고 그것은 나쁜 것이 아니다

해석 우리가 매일 하는 일의 많은 부분은 자동적이고 습관에 의해 좌우되며, 의식적인 인식을 거의 필요로 하지 않는데, 그것은 나쁜 것이 아니다.

8-5
S V 관계사 what절 주어 V 동격절
What makes a story a myth / is the fact / that it is received / by a given society /
이야기를 신화로 만드는 것은 / 사실이다 / 그것이 받아들여진다는 / 특정한 사회에 의해서 /
and that a given society participates / in its transmission.
그리고 특정한 사회가 참여한다는 / 그 전파에

해석 이야기를 신화로 만드는 것은 그것이 특정한 사회에서 받아들여지고 특정한 사회가 그것을 전파하는 일에 참여한다는 사실이다.

8-6
S S V 관계사 whether절 주어 S V
Whether such women are American or Iranian / or whether they are Catholic or Protestant /
그런 여성이 미국인인지, 이란인인지 / 아니면 그들이 가톨릭 신자인지 개신교도인지 /
V 동격절
matters less / than the fact / that they are women.
덜 중요하다 / 사실보다 / 그들이 여성이라는

해석 그런 여성들이 미국인인지 이란인인지, 혹은 그들이 가톨릭 신자인지 개신교도인지의 여부는 그들이 여성이라는 사실보다 덜 중요하다.

S V 관계사 수식

8-7 Robots are mechanical creatures / that we make in the laboratory, /

로봇은 기계적 창조물이다 / 우리가 연구실에서 만드는 /

S 관계사 whether절 주어 V

so whether we have killer robots / or friendly robots / depends on the direction of AI research.

그래서 우리가 살상용 로봇을 가질지 / 아니면 이로운 로봇을 / AI 연구의 방향에 달려있다

해석 로봇은 우리가 실험실에서 만드는 기계적 창조물이어서, 우리가 살상용 로봇을 가질지, 이로운 로봇을 가질지는 인공 지능 연구의 방향에 달려 있다.

S V S V

8-8 It has been said / that eye movements are windows / into the mind, /

사람들은 말해 왔다 / 눈의 움직임은 창이라고 / 마음으로의 /

S 관계사 where절 주어 V

because where people look / reveals / what environmental information / they are attending to.

왜냐하면 사람들이 어디를 보느냐는 / 드러낸다 / 어떤 환경적 정보를 / 그들이 주목하고 있는지

해석 사람들이 어디를 보는지는 어떤 환경적 정보에 그들이 주목하고 있는지를 드러내기 때문에, 눈의 움직임이 마음을 들여다보는 창이라고 말해져 왔다.

S 관계사 수식 V

8-9 Those / who give small amounts / to many charities / are not so interested in /

사람들은 / 적은 돈을 주는 / 많은 자선단체에게 / 그렇게 관심을 두지 않는다 /

S 관계사 what절 주어 V

whether what they are doing / helps others / — psychologists call them / warm glow givers.

그들이 하고 있는 것이 / 다른 사람을 돕는지를 / 심리학자들은 그들을 부른다 / 따뜻한 불빛 기부자라고

해석 많은 자선단체에 적은 액수를 내는 사람들은 그들이 하고 있는 일이 다른 사람들을 돕는지에는 그렇게 많은 관심을 갖지 않는다. 심리학자들은 그들을 따뜻한 불빛 기부자라고 부른다.

S S V 관계사 whether절 주어 V

8-10 Whether or not / we can catch up on sleep / — on the weekend, say —/ is a hotly debated topic /

인지 아닌지 / 우리가 잠을 보충할 수 있는지 / 말하자면 주말에 / 뜨겁게 논쟁 중인 주제이다 /

among sleep researchers; / the latest evidence suggests / that while it isn't ideal, / it might help.

수면 연구원들 사이에서 / 최근의 증거는 시사한다 / 그것이 이상적은 아니지만 / 도움이 될 수 있다고

해석 우리가 밀린 잠을 이를테면 주말에 보충할 수 있는지 없는지 여부는 수면 연구원들 사이에 뜨겁게 논쟁되는 주제로, 가장 최근의 증거는 그것이 이상적이지는 않지만, 도움이 될 수도 있음을 시사한다.

8-11 In an astonishing example / of how nurturing can influence nature, /

놀라운 사례에서 / 어떻게 양육이 천성에 영향을 미칠 수 있는 지에 대한 /

S V S 관계사 how절 주어

there is considerable evidence / confirming / that how parents emotionally respond /

상당한 증거가 있다 / 확인해 주는 / 어떻게 부모가 정서저으로 반응하는지가 /

V

to their children / can encourage or suppress genetic tendencies.

그들의 아이들에게 / 유전적인 경향을 촉진하거나 억누를 수 있는지를

해석 양육이 기질에 어떻게 영향을 끼칠 수 있는지에 대한 놀라운 사례 속에는, 부모가 자신의 아이들에게 정서적으로 반응하는 방식이 유전적 성향을 활성화시키거나 억누를 수 있다는 것을 확증해 주는 상당한 증거가 있다.

UNIT 09 기타 긴 주어 구문

pg. 045~046

9-1
S V / S V
When we eat chewier, less processed foods, / it takes us more energy /
우리가 더 질기고 덜 가공된 음식을 먹을 때 / 우리는 더 많은 에너지가 필요하다 /
the number of + 복수 명사 S / 관계사 생략 문장 수식 V
to digest them, / so the number of calories / our body receives / is less.
그것들을 소화할 / 그래서 열량의 수는 / 우리 신체가 받는 / 더 적다

해석 우리가 더 질기고 덜 가공된 음식을 먹을 때, 그것을 소화시키는 데 더 많은 에너지를 필요로 하고, 따라서 우리 몸이 받아들이는 칼로리 수치가 더 낮다.

9-2
S one of the + 복수 명사
One of the most productive strategies / to build customer relationships /
가장 생산적인 전략 중 하나는 / 고객 관계를 구축하기 위한 /
V
is to increase the firm's share of customer / rather than its market share.
회사의 고객 점유율을 높이는 것이다 / 시장 점유율을 높이는 것보다

해석 고객 관계를 구축하기 위한 가장 생산적인 전략들 중 하나는 회사의 시장 점유율보다 그것의 고객 점유율을 높이는 것이다.

9-3
S the number of + 복수 명사 V
The number of complaints / has dramatically decreased this year /
불평의 수는 / 올해 극적으로 감소했다 /
and we are very pleased, / it seems / our customer service initiatives are working.
그리고 우리는 매우 기쁘다 / ~인 것 같다 / 우리 고객 서비스 계획이 효과가 있다

해석 올해 불만 사항의 숫자가 대폭 줄었고 우리의 고객 서비스 계획이 효과가 있어 보여 우리는 매우 만족스럽다.

9-4
S the number of + 복수 명사 V
The total number / of international students / in 2016~2017 / was over three times larger /
전체 수는 / 유학생의 / 2016~2017년 사이에 / 3배 이상이었다 /
than the total number / of international students / in 1979~1980.
전체 수보다 / 유학생의 / 1979~1980년 사이의

해석 2016~2017학년도의 유학생 총수는 1979~1980학년도 유학생 총수보다 3배 넘게 많았다.

9-5
S one of the + 복수 명사
One of the most satisfactory aspects / of using essential oils / medicinally and cosmetically /
가장 만족스런 특징 중 하나는 / 정유를 사용하는 / 의학적으로 그리고 미용적으로 /
V 분사구문
is / that they enter and leave the body / with great efficiency, / leaving no toxins behind.
이다 / 그들은 신체를 들어가고 나온다 / 엄청난 효율성과 함께 / 그리고 뒤에 어떠한 독성도 남기지 않는다

해석 정유(식물에서 추출하여 정제한 방향유)를 의료와 미용을 위해 사용하는 가장 만족스러운 측면 중 하나는 그것이 독소를 남기지 않고 매우 효율적으로 신체로 들어오고 배출된다는 점이다.

9-6 One of Bob's first papers / as a psychology student / was written / to show / that individual differences / in children's intelligence / could not be explained / by genetic factors alone.

(S: One of Bob's first papers — one of the + 복수 명사 / V: was written / S: individual differences / V: could not be explained)

Bob의 첫 번째 논문 중 하나는 / 심리학과 학생으로서 / 쓰여졌다 / 보여 주려고 / 개개의 차이점들이 / 아이들의 지능에서 / 설명될 수 없었다 / 유전적 요인들만으로 인해

해석 심리학도 Bob이 처음 쓴 논문들 중 한 편은 아동 지능의 개인차가 유전적 요인들만으로 설명될 수 없다는 것을 보여 주기 위해서 작성되었다.

9-7 One of the great risks of writing / is / that even the simplest of choices / regarding wording or punctuation / can sometimes prejudice your audience / against you / in ways / that may seem unfair.

(S: One of the great risks of writing — one of the + 복수 명사 / V: is / S: the simplest of choices / V: can prejudice / that may seem unfair — 관계사 수식)

글쓰기의 가장 큰 위험 중 하나는 / 이다 / 심지어 가장 단순한 선택들도 / 단어 선택이나 구두점에 대한 / 때때로 당신의 관객이 선입견을 가지게 할 수 있다 / 당신에 대해서 / 방식으로 / 불공정하게 보이는

해석 글쓰기의 가장 큰 위험 중 하나는 단어 선택이나 구두점과 관련한 가장 사소한 선택조차 부당해 보일 수 있는 방식으로 때때로 청중이 여러분에 대해 편견을 갖게 할 수 있다는 것이다.

9-8 One of the reasons / I have been able to accomplish much / and keep growing personally / is / that I have not only set aside time / to reflect, / but I have separated myself / from distractions / for short blocks of time.

(S: One of the reasons — one of the + 복수 명사 / 관계사 생략 문장 수식 / V: is / S: I / V: have separated)

이유 중 하나는 / 내가 많은 것을 성취할 수 있는 / 그리고 개인적으로 계속 성장하는 / 이다 / 내가 시간을 따로 떼어놓을 뿐만 아니라 / 성찰하기 위해 / 나는 내 스스로를 떨어뜨려 놓았다 / 산만한 것들로부터 / 잠시의 시간 동안

해석 내가 많은 것을 성취하고 개인적으로 계속 성장할 수 있어왔던 이유들 중의 하나는 내가 심사숙고할 시간을 따로 할애할 뿐만 아니라, 잠시의 시간 동안에 내 자신을 주의 산만한 일들과 분리했다는 것이다.

9-9 One of the most common mistakes / made by organizations / when they first consider / experimenting with social media / is / that they focus too much / on social media tools and platforms / and not enough / on their business objectives.

(S: One of the most common mistakes — one of the + 복수 명사 / made by organizations — 분사구문 / V: is)

가장 일반적인 실수 중 하나는 / 조직에 의해 만들어지는 / 그들이 처음 고려할 때 / 소셜 미디어로 실험하는 것을 / 이다 / 그들은 너무 많이 집중한다 / 소셜 미디어 툴과 플랫폼에 / 그리고 충분치 않다 / 그들의 사업 목표에는

해석 조직이 소셜 미디어로 실험하는 것을 처음 고려할 때 범하는 가장 일반적인 실수 중 하나는 너무 지나치게 소셜 미디어 도구와 플랫폼에 중점을 두고 조직 자체의 사업 목표에는 충분히 중점을 두지 않는 것이다.

S　one of the + 복수 명사

9-10 One of the most demanding, / and at the same time inspiring, /
가장 까다로운 것 중 하나 / 그리고 동시에 고무적인 /

V　관계사 수식
aspects of translating for children / is the potential / for such creativity / that arises from /
아동을 위한 번역의 특징 / 가능성이다 / 그런 창의성의 / 발생하는 /

what Peter Hollindale has called / the 'childness'of children's texts: /
Peter Hollindale이 불러 왔던 것 / 아동용 텍스트의 아이다움이라고 /

'the quality of being a child / — dynamic, imaginative, experimental, interactive and unstable'.
아이 상태의 특징 / 동적이고 상상력이 풍부하고 실험적이고 상호작용적이며 불안정한

해석 아동을 위한 번역에 있어서 가장 힘들면서 동시에 가장 고무적인 양상 중 하나는 Peter Hollindale이 아동용 텍스트의 '아이다움'이라고 부른 것, 즉 '동적(動的)이며, 상상력이 풍부하며, 실험적이며, 상호작용적이며, 불안정한, 아이 상태의 특성'에서 생기는 그런 창의성의 가능성이다.

UNIT 10 to부정사 시작 구문

pg. 048-049

S　to부정사 주어(~하는 것은)

10-1 To define "stress" / as "the physiological and psychological responses / to stressful situations" /
"스트레스"를 정의하는 것 / "생리학적 그리고 심리학적인 반응으로서 / 스트레스를 주는 환경"에 대한 /

V
would be to give / a circular definition.
주는 것이다 / 순환적 정의를

해석 "스트레스"를 "스트레스가 많은 상황에 대한 생리적 그리고 심리적 반응"이라고 정의하는 것이 순환적 정의를 내린 것이 될 것이다.

~하기 위해서　S　V

10-2 To avoid aggression / and to reduce stress, / an act of communication is needed /
공격을 피하고 / 스트레스를 줄이기 위해서 / 의사소통의 행위는 필요하다 /

가목적어　진목적어
to make it clear / to the other monkey / that no harm is intended.
분명하게 할 / 다른 원숭이들에게 / 어떠한 해도 입힐 의도가 없음을

해석 공격을 피하고 스트레스를 줄이기 위해, 어떤 해도 입힐 의도가 없다는 것을 다른 원숭이에게 명확하게 해주는 의사소통의 행위가 필요하다.

~하기 위해서　S　V　S

10-3 To play 'time machine' / all you have to do / is to imagine / that whatever circumstance /
'타임머신'을 작동하기 위해서 / 여러분이 해야 할 모든 것은 / 상상하는 것이다 / 어떤 환경에서도 /

V
you are dealing with / is not happening right now / but a year from now.
여러분이 다루고 있는 / 지금 당장 벌어지지는 않지만 / 지금부터 1년 후에는 (벌어진다)

해석 '타임머신'을 작동시키기 위해서 당신이 해야 하는 것의 전부는 당신이 다루고 있는 어떠한 상황도 당장이 아니라 앞으로 1년 후에 발생한다고 상상하는 것이다.

10-4 To understand / how human societies operate, / it is therefore not sufficient /
(~하기 위해서; S V: it is)
이해하기 위해서 / 어떻게 인간 사회가 작동하는지 / 그래서 충분하지 않다 /

to only look at their DNA, / their molecular mechanisms / and the influences / from the outside world.
오직 그들의 DNA만 보는 것이 / 그들의 분자 메커니즘 / 그리고 영향을 / 외부 세계로부터의

해석 따라서 인간 사회가 어떻게 작동하는지를 이해하려면, 인간의 DNA와 분자 메커니즘, 그리고 외부 세계로부터의 영향을 보는 것만으로는 충분하지 않다.

10-5 To stop being late, / all one has to do / is change the motivation / by deciding / that in all
(~하기 위해서; S; V; to 생략)
늦지 않기 위해서 / 해야 할 모든 것은 / 동기를 변화하는 것이다 / 결정함으로써 /

circumstances / being on time / is going to have first priority / over any other consideration.
(S; V)
모든 환경에서 / 시간을 지키는 것은 / 최우선을 가지는 것이다 / 어떤 다른 고려사항보다도

해석 지각 습관을 없애기 위해서 해야 할 것은 모든 상황에서 시간을 지키는 것이 어떤 다른 것보다도 최우선이라고 생각함으로써 동기를 바꾸는 것이다.

10-6 To be disappointed / that our progress in understanding / has not remedied / the social ills of
(S; to부정사 주어(~하는 것은); S; V)
실망한다는 것은 / 이해에서의 우리의 발전이 / 치료하지는 않았다고 / 세상의 사회적 질병을

the world / is a legitimate view, / but to confuse this / with the progress of knowledge / is absurd.
(V; S; V)
/ 타당한 견해이다 / 하지만 이것을 혼동하는 것은 / 지식의 발전과 / 터무니없다

해석 이해에 있어서의 진보가 세계의 사회적인 불행을 치유하지 못해왔다는 것에 실망하는 것은 타당한 견해이지만, 이것을 지식의 진보와 혼동하는 것은 터무니없다.

10-7 But to ask for any change / in human behaviour / — whether it be to cut down / on consumption, /
(S; to부정사 주어(~하는 것은))
하지만 어떤 변화를 요구하는 것은 / 인간 행동에서의 / 그것이 줄이는 것이든 / 소비에서 /

alter lifestyles / or decrease population growth / — is seen / as a violation of human rights.
(V)
생활 방식을 바꾸는 것이든 / 아니면 인구 성장을 줄이는 것이든 / 보여진다 / 인권의 침해로

해석 그러나 소비를 줄이는 것이든, 생활 방식을 바꾸는 것이든, 인구 증가를 줄이는 것이든, 인간의 행동에 어떤 변화든 요구하는 것은 인권 침해로 여겨진다.

10-8 To help societies / prevent or reduce damage from catastrophes,/
(~하기 위해서)
사회들을 돕기 위해서 / 재난으로부터의 피해를 막거나 줄이도록 /

a huge amount of effort / and technological sophistication / are often employed /
(S; V)
거대한 양의 노력과 / 기술적인 정교함은 / 종종 이용된다 /

to assess and communicate / the size and scope of potential or actual losses.
평가하고 전달하기 위해서 / 잠재적 혹은 실제적 손실의 크기와 범위를

해석 사회가 큰 재해로부터 오는 손실을 방지하거나 줄이는 데 도움을 주기 위해서, 잠재적 혹은 실제적 손실의 규모와 범위를 산정하고 전달하기 위한 대단히 큰 노력과 기술적인 정교한 지식이 자주 사용된다.

~하기 위해서 / S / V

10-9 To test / whether distraction affected / their ability to memorize, / the researchers asked
테스트하기 위해서 / 산만함이 영향을 주는 지 여부를 / 기억하는 그들의 능력에 / 연구원들은 학생들에게 요구했다

the students / to perform a simultaneous task / — placing a series of letters / in order /
/ 동시에 일어나는 과업을 수행하라고 / 일련의 문자를 입력하는 / 순서대로 /

based on their color / by pressing the keys / on a computer keyboard.
색에 따라서 / 키를 눌러서 / 컴퓨터 키보드에 있는

해석 주의를 흐트러뜨리는 것이 그들의 암기 능력에 영향을 주었는지를 실험하기 위해 연구자들은 그 학생들에게 동시에 일어나는 과업, 즉 컴퓨터 키보드의 키들을 눌러 색에 따라 순서대로 일련의 글자들을 입력하는 과업을 수행할 것을 요청했다.

~하기 위해서 / 관계사 수식

10-10 To overcome death / as the obstacle / that was hindering / the evolution of human intelligence, /
죽음을 극복하기 위해서 / 장애물로서의 / 방해하고 있는 / 인간 지능의 진화를 /

S / V / 관계사 수식

our ancestors developed the killer app / that propelled our species forward, / ahead of all others: /
우리 조상들은 살상 앱을 개발했다 / 우리 종을 앞으로 나아가게 했던 / 다른 모든 것을 앞서 /

namely, / spoken and written language / in words and maths.
말하자면 / 구어와 문어 / 단어들과 수학에서의

해석 인간 지능의 진화를 방해했었던 장애물로서의 죽음을 극복하기 위해, 우리 조상들은 우리 종족을 다른 모든 것들을 능가하여 앞으로 나아가게 했던 살상 앱을 개발했는데, 즉, 말과 수학에서의 언문이다.

UNIT 11 가주어/가목적어 구문

pg. 051~053

가주어 S V / 형용사 / 의미상의 주어 / 진주어

11-1 It is impossible / for a child / to successfully release himself /
불가능하다 / 아이가 / 성공적으로 자기 자신을 해방시키는 것이 /

unless he knows exactly / where his parents stand, / both literally and figuratively.
만약 그가 정확하게 알지 못한다면 / 그의 부모가 어디에 서 있는지 / 말 그대로 그리고 비유적으로

해석 아이가 말 그대로 또 비유적으로 부모가 정확하게 어디에 '있는지' 알지 못한다면 그 아이가 성공리에 스스로를 해방시키는 것은 불가능하다.

가주어 S V / 명사 / 의미상의 주어 / 진주어

11-2 If students do a science project, / It is a good idea / for them / to present it /
만약 학생들이 과학 프로젝트를 한다면 / 좋은 생각이다 / 그들이 / 그것을 발표하고 /

and demonstrate / why it makes an important contribution.
그리고 설명하는 것은 / 왜 그것이 중요한 기여를 하는지를

해석 만일 학생들이 과학 연구 과제를 한다면 그들이 그것을 발표하고 왜 그것이 중요한 기여를 하는 것인지 설명하는 것이 좋은 생각이다.

S / V / 가목적어 / 형용사 / 진목적어

11-3 We might find it harder / to engage in self-exploration / if every false step and foolish act /
우리는 더 어렵다고 알게 될 지도 모르지만 / 자기 탐색에 관여하는 것이 / 만약 모든 잘못된 절차와 어리석은 행동이 /

is preserved forever / in a permanent record.
영원히 보존된다면 / 영구적인 기록으로

해석 만약 모든 실수와 어리석은 행동이 영구적인 기록으로 영원히 보존된다면, 우리는 자기를 탐색하기가 더 어렵다는 것을 알게 될지도 모른다.

11-4 If you have a complaint / about somebody in your personal life, /
만약 당신이 불평이 있다면 / 여러분 사적인 생활에서의 누군가에게 /

가주어 S V 진주어
It would never occur to you / to wait for a formally scheduled meeting / to tell them.
당신에게 벌어지지 않을 것이다 / 공식적으로 일정이 잡힌 회의를 기다리는 것이 / 그들에게 말하기 위해서

해석 만일 여러분이 사적인 생활에서 누군가에 대해 불만이 있다면 그들에게 말하기 위해 공식적으로 일정이 잡힌 회의까지 기다리겠다는 생각은 절대 하지 않을 것이다.

S V 가목적어 형용사 진목적어
11-5 Allport considers it normal / to be pulled forward / by a vision of the future /
Allport는 정상이라고 생각한다 / 앞으로 나아가게 되는 것을 / 미래에 대한 통찰력에 의해서 /
관계사 수식

that awakened within persons / their drive / to alter the course of their lives.
사람들 안에서 일깨운 / 그들의 욕구를 / 삶의 행로를 바꾸려는

해석 Allport는 인간의 내면에서 자기 삶의 행로를 바꾸려는 욕구를 일깨운 미래에 대한 통찰력에 의해 앞으로 나아가게 되는 것이 정상이라고 여긴다.

S V 가목적어 형용사
11-6 As with links, / the ease and ready availability / of searching / makes it much simpler /
링크에서와 마찬가지로 / 용이함과 즉각적인 이용 가능성은 / 검색의 / 훨씬 더 간단하게 만든다 /

진목적어
to jump between digital documents / than it ever was / to jump between printed ones.
디지털 문서 사이를 오가는 것을 / 그랬던 것보다 / 인쇄된 문서 사이를 오가는 것이

해석 링크에서와 마찬가지로, 검색의 용이함과 즉각적인 이용 가능성이 인쇄된 문서 사이를 오가는 것이 그랬던 것보다 디지털 문서 사이를 오가는 것을 훨씬 더 쉽게 해준다.

S V 가목적어
11-7 These countries had suffered / from negative public and media image / which made it challenging /
이러한 국가들은 어려움을 겪었다 / 대중과 미디어의 부정적인 이미지로부터 / 어렵게 만들었던 /

진목적어
for them / to compete over tourists / with countries / with strong and familiar brands.
그들이 / 관광객을 두고 경쟁하는 것을 / 나라들과 함께 / 강하고 친숙한 브랜드를 갖춘

해석 이러한 나라들은 강력하고 친숙한 브랜드를 가진 나라들과 관광객을 놓고 경쟁하는 것을 어렵게 만드는 대중과 미디어의 부정적 이미지 때문에 어려움을 겪었다.

가주어 S V 형용사 의미상의 주어 진주어
11-8 It is extremely difficult / for you / to perceive people objectively, / particularly if you have
극심하게 어렵다 / 당신이 / 사람들을 객관적으로 인식하는 것이 / 특히 당신이 기대를 가지고 있다면

expectations / — based on your past experiences — / about how those people are likely to be.
/ 당신의 과거 경험을 바탕으로 / 그 사람들이 어떠할지에 대해서

해석 특히, 사람들이 어떠할지에 대해 과거 경험을 토대로 한 기대를 갖고 있다면, 그들을 객관적으로 인식하는 것은 극히 어렵다.

가주어 S V / 의미상의 주어 / 진주어

11-9 It is not at all rare / for investigators / to adhere to their broken hypotheses, /

전혀 드물지 않다 / 연구원들이 / 그들의 무너진 가설에 집착하는 것은 /

분사구문 / 의미상의 주어

turning a blind eye / to contrary evidence, / and not altogether unknown / for them /

눈을 감으면서 / 반대 증거에 / 그리고 전혀 알려지지 않은 것은 아니다 / 그들이 /

진주어

to deliberately suppress contrary results.

고의적으로 반대되는 결과를 억누르는 것은

해석 연구자들이 반대되는 증거에 눈을 감으면서 자신들의 무너진 가설에 집착하는 것은 전혀 드문 일이 아니며, 그들이 반대되는 결과를 의도적으로 감추는 것이 전혀 알려지지 않은 것은 아니다.

S_1 / V_1 가목적어 형용사 / 진목적어

11-10 Lack of fossil evidence / makes it impossible / to run the movie backward /

화석 증거의 부족은 / 불가능하게 만든다 / 영화를 되감는 것을 /

S_2 / V_2

and watch / the first steps of the dance / unfold, / but modern studies suggest /

그리고 보는 것을 / 춤의 처음 스텝들이 / 전개되는 걸 / 하지만 현대의 연구는 시사한다 /

분사구문

that plants are often the ones / taking the lead.

식물들은 종종 존재들이라는 것을 / 주도를 하는

해석 화석 증거의 부족이 이 영화를 되감아 그 춤의 최초 스텝들이 전개되는 것을 살펴보기를 불가능하게 만들지만, 현대 연구들은 식물들이 종종 주도하는 존재들이라는 것을 보여 준다.

관계사 생략 문장 수식 S V

11-11 When delighted by the way / one's beautiful idea / offers promise / of further advances, /

방식에 의해 즐거울 때 / 사람의 아름다운 아이디어가 / 약속을 제공하는 / 더 나은 발전에 대한 /

가주어 S V 형용사 / 진주어 / 관계사 수식 / 분사 수식

It is tempting / to overlook an observation / that does not fit into the pattern woven, /

매력적이다 / 관찰을 간과하는 게 / 짜여진 패턴으로 들어맞지 않는

or to try to explain it away.

아니면 그것을 그것을 해명하려고 하는 게

해석 훌륭한 아이디어가 더 나아간 발전에 대한 가능성을 제공하는 방식에 의해 즐거울 때, 그 짜인 패턴에 들어맞지 않는 관찰을 간과하거나, 그것을 변명하며 넘어가려는 것은 솔깃한 일이다.

가주어 S V / 형용사 / 진주어

11-12 It seems almost unrealistic / to expect / any target audience / to visit a destination /

거의 비현실적인 것 같다 / 기대하는 게 / 어떤 광고 대상자가 / 여행지를 방문하는 걸 /

and "put aside" / these long-lasting negative images and stereotypes, /

그리고 '무시하는' 걸 / 이렇게 길게 유지되는 부정적인 이미지와 고정관념을 /

just because of an advertising campaign or other promotional effort.

단지 광고 홍보나 다른 홍보 노력 때문에

해석 어떤 광고 대상자가 단지 광고 홍보 혹은 다른 홍보 노력 때문에 여행지를 방문하고 이러한 오래 지속된 부정적 이미지와 고정관념을 '무시할' 것으로 기대하는 것은 거의 비현실적인 것 같다.

가주어 S V 명사 진주어 관계사 수식

11-13 Thus, / it becomes the leader's job / to create conditions / that are good for the whole /

그래서 / 지도자의 일이 된다 / 조건을 만드는 것이 / 전체에게 좋은 /

by enforcing intermittent interaction / even when people wouldn't choose it /

간헐적인 상호작용을 시행함으로써 / 심지어 사람들이 그것을 선택하지 않을 지라도 /

for themselves, / without making it seem like a punishment.

스스로 / 그것을 처벌처럼 보이게 하지 않으면서

해석 따라서, 사람들이 그것을 스스로 선택하지 않는 때에도, 처벌처럼 보이게 하지 않으면서 간간이 일어나는 상호작용을 시행함으로써, 전체에게 유익한 여건을 조성하는 것이 지도자의 임무가 된다.

S 전치사 수식 V 가목적어 형용사

11-14 Human activities / like farming, irrigation, forestry and mining / have made it easier /

인간의 활동은 / 농업, 관개, 임업, 광업과 같은 / 더 쉽게 만들어왔다 /

진목적어

for these nonnative species / to become established / by removing native vegetation, /

이러한 외래종들이 / 정착하게 되는 것을 / 토종 식물을 제거하고 /

disturbing the soil / and altering the availability of water and nutrients.

토양을 불안정하게 하고 / 물과 영양분의 이용 가능성을 변화시킴으로써

해석 농업, 관개, 임업, 광업과 같은 인간의 활동은 토종 식물을 제거하고, 토양을 불안정하게 하고, 물과 영양분의 이용 가능성을 변화시킴으로써 이러한 외래종이 정착하는 것을 더 쉽게 만들었다.

11-15 However, / when we move away / from the property-based notion of a right /

하지만 / 우리가 이동할 때 / 권리에 대한 자산 기반의 개념으로부터 /

(where the right to privacy / would protect, / for example, / images and personality), /

사생활에 대한 권리가 / 보호할지도 모른다는 / 예를 들어 / 이미지와 인격을 /

S V 가목적어 형용사 진목적어

to modern notions / of private and family life, / we find it harder / to establish the limits of the right.

현대 개념으로 / 사생활과 가족 생활이라는 / 우리는 더 어렵다는 걸 알게 된다 / 그 권리의 한계를 설정하는 것이

해석 하지만 우리가 속성에 기반을 둔 권리 개념(예를 들어, 사생활에 대한 권리가 이미지와 인격을 보호할 개념)에서 사생활과 가족의 생활이라는 현대적 개념으로 옮겨갈 때, 우리는 그 권리의 한계를 설정하기가 더 어렵다는 것을 알게 된다.

UNIT 12 to부정사 특수 구문

pg. 055~056

S 전치사구 수식 V too ~ to R 구문: 너무 ~해서 … 할 수 없다

12-1 The added expense / of cleaning the paper / makes it too expensive / to use for some purposes.

추가된 비용은 / 그 종이를 깨끗하게 하는 / 그것을 너무 비싸게 만들어서 / 일부 목적에는 사용할 수 없게

해석 그 종이를 깨끗하게 하는 추가 비용이 어떤 목적을 위해 사용하기에는 그것(재활용 종이)을 지나치게 비싸게 만든다.

S V too ~ not to R: 너무 ~해서 … 할 수 없는 건 아니다

12-2 She reminded me / that life is too short / not to lend a helping hand / when the opportunity arises.

그녀는 나에게 상기시켰다 / 인생은 너무 짧아서 / 도움의 손길을 줄 수 없는 건 아니라고 / 기회가 생길 때

해석 그녀는 기회가 생길 때 도움의 손길을 주지 않기에는 인생은 너무 짧다는 것을 나에게 상기시켰다.

it takes 시간/에너지 to R : ~하는 데 시간/에너지가 필요하다

12-3 It takes / **two to six times more grain** / to produce food value / through animals /

필요하다 / 2~6배 이상의 곡물이 / 영양가를 생산하는 데 / 동물을 통해서 /

than to get the equivalent value / directly from plants.

동등한 영양가를 얻는 것보다 / 식물로부터 직접적으로

해석 동물을 통해 영양가를 생산하려면 식물에서 직접 그와 동등한 영양가를 얻는 것보다 2배에서 6배 더 많은 곡물이 필요하다.

12-4 Although polar bears are powerful marine mammals, / able to swim a hundred miles

비록 북극곰들이 강력한 해양 포유류임에도 불구하고 / 100마일이나 그 이상을 쉬지 않고 수영할 수 있는

S V too ~ to R 구문: 너무 ~해서 … 할 수 없다

or more nonstop, / they're **too slow** / **to catch a seal** / in open water.

/ 그들은 너무 느려서 / 바다표범을 잡을 수 없다 / 넓은 바다에서

해석 비록 북극곰이 강력한 해양 포유류이고 100마일 이상을 쉬지 않고 헤엄칠 수 있지만 곰들은 너무 느려서 넓은 바다에서 바다표범을 잡을 수 없다.

S_1 V_1 관계사 생략 문장 수식

12-5 Most people keep away from people / they consider too blunt /

대부분의 사람들은 사람들을 멀리한다 / 그들이 너무 퉁명스럽다고 생각하는 /

S_2 V_2 형용사 enough to R 구문: ~할 만큼 충분히 …하다

and some will be even **brave enough** / **to leave your company** / if you are insensitive.

그리고 일부는 심지어 충분히 용감할 것이다 / 당신을 떠날 정도로 / 만약 당신이 둔감하다면

해석 대부분의 사람들은 자신들이 생각하기에 너무 퉁명스러운 사람들을 멀리하고, 여러분이 둔감하면 몇몇 사람들은 심지어 용감하게 여러분을 두고 떠날 것이다.

S_1 V_1 형용사 enough to R 구문: ~할 만큼 충분히 …하다 S_2 V_2

12-6 Our brains did not have **enough time** / **to evolve for them**, / but I reason /

우리 두뇌는 충분한 시간이 없었다 / 그것들을 위해 진화할 / 하지만 난 추론한다 /

that they were made possible / because we can mobilize our old areas / in novel ways.

그것들은 가능하게 되었다라고 / 왜냐하면 우리는 우리의 오래된 영역들을 동원할 수 있기에 / 새로운 방식으로

해석 우리의 뇌가 그것들을 위해 진화할 충분한 시간이 없었으나, 나는 우리가 우리의 오래된 영역들을 새로운 방식으로 동원할 수 있기 때문에 그것들이 가능하게 되었으리라고 추론한다.

S V = is to drive

12-7 All we have to do nowadays / is drive / to the supermarket or the fast food restaurant, /

오늘날 우리가 해야만 하는 모든 것은 / 운전하는 것이다 / 슈퍼마켓이나 패스트푸드 식당으로 /

where for very low cost / we can obtain / nearly all of our daily calories.

그곳에서 굉장히 낮은 가격으로 / 우리는 얻을 수 있다 / 거의 모든 하루 열량을

해석 요즘 우리는 슈퍼마켓이나 패스트푸드 식당으로 운전하여 가기만 하면 되고, 거기서 아주 적은 비용으로 하루 열량의 거의 전부를 얻을 수 있다.

12-8 If we the ordinary people / are to keep pace with science, / we need more science writers, /
(be to R: ~해야 한다 / S V)
만약 우리 일반적인 사람들이 / 과학과 보조를 맞춰야 한다면 / 우리는 더 많은 과학 저술가가 필요하다 /

and more science writing / that is clear, wise and eloquent, / and that demands to be read.
(관계사 수식)
그리고 더 많은 과학저술을 / 분명하고, 현명하고, 유창한 / 그리고 읽혀지도록 요구하는

해석 우리 보통 사람들이 과학의 속도와 보조를 맞추고자 한다면, 우리는 더 많은 과학 저술가를 필요로 할 것이며, 명확, 현명, 유창하며, 반드시 읽혀지도록 요구하는 과학저술을 더 많이 필요로 하게 될 것이다.

12-9 Indeed, / one role of a paradigm / is to enable / scientists / to work successfully /
(S / V be to R: ~하는 것이다)
실제로 / 패러다임의 한 가지 역할은 / 할 수 있도록 하는 것이다 / 과학자들이 / 성공적으로 일할 수 있도록 /

without having to provide a detailed account / of what they are doing /
상세한 설명을 제공할 필요 없이 / 그들이 하고 있는 것에 대한 /

or what they believe about it.
아니면 그들이 그것에 대해서 믿고 있는 것에 대해

해석 실제로, 패러다임의 한 가지 역할은 과학자들이 그들이 무엇을 하고 있는지 또는 그들이 그것에 관해 무엇을 믿고 있는지에 대한 상세한 설명을 제공할 필요 없이 성공적으로 일할 수 있게 하는 것이다.

12-10 According to this view, / the (or perhaps, a) goal of science / is to construct an economical
(S / V be to R: ~하는 것이다)
이 견해에 따르면 / 과학의 목적(또는 어쩌면 하나의)은 / 경제적인 틀을 구축하는 것이다

framework / of laws or generalizations / that are capable of subsuming all observable phenomena.
(관계사 수식)
/ 법칙이나 일반화의 / 모든 관찰 가능한 현상을 포섭할 수 있는

해석 이 견해에 따르면 과학의 목표(혹은 어쩌면 한 가지 목표)는 모든 관찰할 수 있는 현상을 포섭할 수 있는 법칙이나 일반화의 경제적인 틀을 구성하는 것이다.

UNIT 13 -ing 시작 구문

pg. 059~061

13-1 Giving honest information / may be particularly relevant / to integrity /
(S 동명사 주어 / V)
정직한 정보를 주는 것은 / 특히 관련되어 있을 수도 있다 / 진실성과 /

because honesty is so fundamental / in discussions of trust-worthiness.
정직은 매우 본질적이기 때문에 / 신뢰성의 논의에 있어

해석 정직은 신뢰성의 논의에서 매우 본질적이기 때문에, 정직한 정보를 주는 것은 진실성과 특별히 관련되어 있을 수 있다.

13-2 Being observed / while doing some task / or engaging in some activity /
(S 동명사 주어)
관찰되어지는 것은 / 어떤 과업을 하는 동안 / 아니면 어떤 활동에 관여하는 동안 /

that is well known / or well practiced / tends to enhance performance.
(관계사 수식 / V)
잘 알려진 / 혹은 잘 수행되는 / 성과를 향상시키는 경향이 있다

해석 잘 알고 있거나 많이 연습한 과제를 하거나 활동을 할 때 다른 사람이 지켜보는 것은 수행 능력을 향상시키는 경향이 있다.

S 동명사 주어

13-3 Using the same kinds of physical remains / to draw inferences / about social systems /
같은 종류의 물질적인 유물을 사용하는 것은 / 추론을 이끌어내기 위해 / 사회 체계에 대한 /

V

and what people were thinking about / is more difficult.
그리고 사람들이 생각하고 있는 것에 대한 / 더욱 어렵다

해석 같은 종류의 물질적인 유물을 사용하여 사회 체계와 사람들이 무엇을 생각하고 있었는지에 관한 추론을 도출하는 것은 더 어렵다.

분사구문 S_1 V_1

13-4 Recovering from a series of early failures, / Edison regained his reputation /
일련의 초기 실패로부터 회복한 이후 / 에디슨은 그의 명성을 다시 얻었다 /

S_2 V_2

as a great inventor, / and electric wiring / in the home / gained wide acceptance.
위대한 발명가로서 / 그리고 전기 배선은 / 가정에서의 / 널리 받아들여졌다

해석 초기의 잇단 실패에서 회복한 후, 에디슨은 위대한 발명가로 자신의 명성을 되찾았고, 가정의 전기 배선은 널리 받아들여졌다.

분사구문 S V

13-5 Rising above the passive and accidental nature of existence, / humans generate
수동적이고 우연한 존재의 본질 위로 올라가서 / 인간은 자신의 목적을 발생시키고

their own purposes / and thereby provide themselves / with a true basis of freedom.
/ 그래서 스스로에게 제공한다 / 자유의 진정한 기본을

해석 존재의 수동적이고 우연한 본질을 넘어서서 인간은 자신만의 목적을 만들어 내고 그렇게 함으로써 자신에게 자유의 진정한 토대를 제공한다.

분사구문

13-6 In an ancient tribe, / however, / living in small huts / in a tiny village settlement, /
고대 부족에서 / 하지만 / 작은 움막에 살았던 / 작은 마을 정착지에서 /

S V

a mother would have been able to hear / any of the babies / crying in the night.
엄마는 들을 수 있었을 것이다 / 어떤 아기들이 / 밤에 우는 것을

해석 소규모 마을 정착지의 작은 움막에 살았던 고대 부족의 아기 엄마는 밤에 우는 어떤 아기의 울음소리도 들을 수 있었을 것이다.

S 동명사 주어 V

13-7 Knowing / what their teammates are doing / provides a sense of comfort and security, /
아는 것은 / 그들의 팀 동료들이 무엇을 하고 있는지 / 편안함과 안전함의 감각을 제공한다 /
because people can adjust their own behavior / to be in harmony with the group.
사람들은 자신의 행동을 조절할 수 있기 때문에 / 집단과의 조화를 이루도록

해석 자신들의 팀 동료들이 무엇을 하고 있는지 아는 것이 편안하고 안전하다는 느낌을 제공하는데, 사람들은 그들 자신의 행동을 집단과 조화를 이루도록 조정할 수 있기 때문이다.

S 동명사 주어 V

13-8 Allowing / the space for this self-organizing emergence / to occur / is difficult /
허용하는 것은 / 이러한 자발적으로 조직하는 행동의 출현을 위한 공간이 / 발생하는 것을 / 어렵다 /
for many managers / because the outcome isn't controlled / by the management team's agenda /
많은 관리자들에게는 / 결과는 통제되지 않으니까 / 관리팀의 일정에 의해 /
and is therefore less predictable.
그리고 그래서 덜 예측 가능하니까

해석 이러한 자발적으로 조직하는 (집단의) 출현이 발생하도록 여지를 허용하는 것은 많은 관리자에게 어려운 일인데, 왜냐하면 그 결과는 관리팀의 일정에 의해 통제되지 않으며, 따라서 덜 예측 가능하기 때문이다.

S V S₁ 동명사 주어
13-9 That is why / getting a basketball through a hoop / while not using a ladder /
그것이 이유이다 / 농구공이 림을 통과하도록 하는 것이 / 사다리를 사용하지 않고 /

S₂ 동명사 주어
or pitching a baseball / across home plate / while standing a certain distance away /
아니면 야구공을 던지는 것이 / 본루로 / 특정한 거리를 선 채로 /

V
becomes an important human project.
중요한 인간의 프로젝트가 되는

해석 그것이 사다리를 사용하지 않고서 농구공을 림으로 통과시키거나, 특정한 거리를 두고 선 채로 본루로 야구공을 던지는 것이 인간의 중요한 활동인 이유이다.

S 동명사 주어 V
13-10 Stepping into someone else's vantage point / reminds you / that the other fellow has /
어떤 다른 사람의 관점에 들어가는 것은 / 당신에게 상기시킨다 / 다른 동료가 가진다는 것을 /

관계사 수식
a first-person, present-tense, ongoing stream of consciousness / that is very much like your own /
1인칭의, 현재 시점의, 지속적인 의식의 흐름을 / 당신 자신과 굉장히 닮은 /

but not the same as your own.
하지만 당신 자신의 것과 똑같지는 않은

해석 다른 누군가의 관점으로 발을 들여 놓는 것은 그 사람이 여러분과 매우 흡사하지만 똑같지는 않은 1인칭의, 현재 시제의, 지속적인 의식의 흐름을 갖고 있다는 사실을 상기시킨다.

S 동명사 주어 관계사 수식
13-11 Guiding students' progress / through the math curriculum / in a way / that promotes successful,
학생의 발전을 이끄는 것은 / 수학 교육과정을 통해서 / 방식으로 / 성공적이고 장기적인 학습을 촉진하는

V
long-term learning / and positive math attitudes / requires paying attention to /
/ 그리고 긍정적인 수학 태도를 / 관심을 갖는 걸 필요로 한다 /

their different levels / of achievable challenge / and different learning strengths.
그들의 다른 수준에 / 성취 가능한 도전 과제의 / 그리고 다른 학습 강점에

해석 성공적, 장기적 학습과 긍정적인 수학 태도를 향상시키는 방식으로 수학 교육과정을 통해 학생들의 발전을 이끄는 것은 그들의 다른 수준의 성취 가능한 도전 과제와 다른 학습 강점에 주의를 기울이는 것을 필요로 한다.

S V₁ S V V₂ S 동명사 주어
13-12 We agree / that explicit instruction / benefits students / but propose / that incorporating /
우리는 동의한다 / 명시적 교수가 / 학생들에게 유익하다는 데 / 하지만 제안한다 / 포함하는 것이 /

동격절
culturally relevant pedagogy / and consideration of nonacademic factors / that promote learning
문화적으로 관련된 교수법과 / 비학습 요인에 대한 고려사항을 / 학습과 숙달을 촉진하는

V
and mastery / must enhance explicit instruction / in mathematics instruction.
/ 명시적인 교수를 향상시켜야만 한다고 / 수학 교수에서

해석 우리는 명시적 교수가 학생들에게 유익하다는 데에는 동의하지만, 문화적으로 적합한 교수법과 학습 및 숙달을 촉진하는 비학습 영역에 대한 고려를 포함하는 것이 수학 교수에서 명시적 교수를 필연적으로 강화한다고 제안한다.

S_1 동명사 주어 / 분사 수식

13-13 Having no choice / but to drink water / contaminated with very high levels of arsenic, /
선택이 없는 것은 / 물을 마시는 것 이외에 / 매우 높은 수준의 비소로 오염된 /

S_2 동명사 주어

or being forced to passively breathe / in tobacco smoke / in restaurants, /
아니면 수동적으로 들이마시도록 강제되는 것이 / 담배 연기에 / 식당에서 /

V

outrages people more / than the personal choice / of whether an individual smokes tobacco.
사람들을 더욱 분노하게 만든다 / 개인의 선택보다 / 개인이 담배를 피울지 안 피울지에 대한

해석 어쩔 수 없이 매우 높은 수준의 비소로 오염된 물을 마실 수밖에 없는 것이나, 식당에서 담배 연기를 수동적으로 들이마시도록 강요당하는 것은 개인이 담배를 피울지 말지에 대한 개인적인 선택보다 더 사람들을 화나게 한다.

S 동명사 주어 / V / 동명사 목적어 ❶

13-14 Communicating the vision / to organization members / nearly always means / putting /
비전을 전달하는 것은 / 조직원들에게 / 거의 항상 의미한다 / 올려놓는 것을 /

동명사 목적어 ❷ / 동명사 목적어 ❸

"where we are going / and why" / in writing, / distributing the statement organizationwide, / and having /
우리가 어디를 향하고 있는지 / 그리고 왜를 / 글로 / 그 문구를 조직 전체에 배포하는 것을 / 그리고 하도록 하는 것을 /

have + 목적어 + 동사원형: 사역동사 구문

executives / personally explain / the vision and its justification / to as many people as possible.
임원들이 / 개인적으로 설명하도록 / 비전과 그 정당성을 / 가능한 한 많은 사람들에게

해석 비전을 조직의 구성원들에게 전달하는 것은 거의 항상 '우리가 가는 곳과 이유'를 적어 두고, 그 진술을 조직 전체에 퍼뜨리고, 임원들로 하여금 가능한 한 많은 사람들에게 비전과 그것의 정당성을 개인적으로 설명하게 하는 것을 의미한다.

UNIT 14 문장 뒤 분사 구문

pg. 063~067

S / V / S / V / 분사구문, 발달된

14-1 Some people believe / that giving to charity / is some kind of instinct, / developed /
일부 사람들은 믿는다 / 자선 단체에 기부하는 것이 / 일종의 본능이다 / 발달된

because it benefits our species / in some way.
그것은 우리 종에게 유익하니까 / 어떤 면에서는

해석 어떤 사람들은 자선 단체에 기부하는 것이 어떤 면에서는 우리 인류에게 이롭기 때문에 생겨난, 일종의 본능이라고 생각한다.

14-2 As much as we like to / think of ourselves / as being different and special, /
우리가 원하는 만큼 / 우리 스스로를 생각하는 / 다르고 특별한 존재로서 /

S / V / 분사구문, Earth's biosphere 추가 설명

humans are a part of Earth's biosphere, / created within and by it.
인간은 지구의 생물권의 일부이다 / 그건 그 안에서 그것에 의해서 생겨났다

해석 우리는 우리 자신을 다르고 특별한 존재인 것으로 생각하고 싶어 하지만, 인간은 지구 생물권 내에서 그것에 의해 창조된 생물권의 일부이다.

14-3 Before the Internet, / most professional occupations (S) / required (V) a large body of knowledge, /
인터넷 이전에 / 대부분의 전문적인 직업들은 / 엄청난 양의 지식을 필요로 했다 /
분사구문, a large body of knowledge 추가 설명
accumulated / over years or even decades of experience.
이는 축적된 것이다 / 수년 혹은 심지어 수십 년의 경험으로

해석 인터넷 이전에, 대부분의 전문 직업들은 몇 년간의 또는 심지어 수십 년의 경험으로 축적된 많은 양의 지식을 요구했다.

14-4 We (S) work (V_1), shop (V_2), and seek (V_3) entertainment, / for the most part, / outside our own neighborhoods, /
우리는 일하고 쇼핑하고 오락거리를 구한다 / 대부분 / 우리 이웃의 범위 밖에서 /
분사구문, 앞문장 전체 추가 설명
necessitating a journey / to work, to shop, and to visit the multiplex.
이는 여정을 필요로 한다 / 일하고 쇼핑하고 복합 영화관을 방문하기 위한

해석 우리는 대부분 우리 자신의 지역을 벗어나서 일하고, 쇼핑하고, 오락거리를 구하는데, 이것은 일하고, 쇼핑하고, 복합 영화관에 가는 여정을 필요하게 만든다.

14-5 In the 1960s, / conventional conservation wisdom (S) / held (V) / that the Maasai's roaming herds /
1960년대 / 전통적인 보존 지식은 / 주장했다 / 마사이족의 이동하는 가축들이 /
분사구문, the Maasia's~ overstocked 추가 설명
were overstocked, / degrading the range and Amboseli's fever-tree woodlands.
너무 많다고 / 이는 구역과 Amboseli의 fever-tree 산림 지대를 황폐화했다

해석 1960년대에 전통적인 보존 지식은 마사이족의 이동하는 가축이 너무 많아서 방목 구역과 Amboseli의 fever-tree 산림 지대를 황폐화했다고 주장했다.

14-6 Asch (S) found (V) striking differences / in how the participants characterized the target person, /
Asch는 놀라운 차이점을 발견했다 / 어떻게 참여자들이 대상 인물의 특성을 표현하는지에 있어서 /
분사구문, 동시상황 설명 — 관계사 생략 문장 수식
depending on / whether the first words / they encountered / were positive or negative.
이는 달라진다 / 최초의 단어가 / 그들이 직면했던 / 긍정적인지 아니면 부정적인지에 따라

해석 Asch는 참가자들이 처음에 접한 단어들이 긍정적이었는지 아니면 부정적이었는지에 따라 대상 인물의 특성을 표현하는 방식에 있어서 현격한 차이가 나타난다는 것을 발견했다.

14-7 These technological and economic advances (S) / have had (V) significant cultural implications, /
이러한 기술적, 경제적 발전은 / 놀라운 문화적 영향을 미쳐 왔다 /
분사구문, 앞문장 전체 추가 설명
leading us / to see our negative experiences / as a problem /
이는 우리를 이끌었다 / 우리의 부정적인 경험을 보도록 / 문제로서 /
분사구문, 앞문장 전체 추가 설명
and maximizing our positive experiences / as the answer.
그리고 우리의 긍정적인 경험을 극대화하였다 / 그 대답으로서

해석 이런 과학 기술과 경제 발전은 상당한 문화적 영향을 미쳐서 우리가 우리의 부정적인 경험을 문제로 간주하게 하고 그 해결책으로 우리의 긍정적인 경험을 극대화하게 하였다.

14-8 After making a choice, / the decision(S) ultimately changes(V) our estimated pleasure, /
선택을 한 후에 / 그 결정은 궁극적으로 우리 추측된 즐거움을 바꾼다 /

분사구문, 앞문장 전체 추가 설명
enhancing the expected pleasure / from the selected option /
이는 기대되는 즐거움을 향상시킨다 / 선택된 옵션으로부터 /

분사구문, 앞문장 전체 추가 설명
and decreasing the expected pleasure / from the rejected option.
그리고 기대된 즐거움을 감소시킨다 / 거부된 옵션으로부터

해석 선택을 한 후에, 그 결정은 결국 우리가 추측하는 즐거움을 변화시키며, 그 선택한 선택사항으로부터 얻을 것으로 기대되는 즐거움을 향상시키고 거부한 선택사항으로부터 얻을 것으로 기대되는 즐거움을 감소시킨다.

14-9 It(가주어 S) is(V) astonishing(형용사) / that(진주어), until now, / we have made so little effort / to unveil this wisdom /
놀라운 일이다 / 지금까지 / 우리는 그렇게나 적은 노력을 해 왔다는 것을 / 이러한 지혜를 밝혀내는 데 /

독립 분사구문, this wisdom 추가 설명
from the past, / based on / how people have actually lived / rather than utopian dreamings /
과거로부터 / 이는 근거로 한다 / 어떻게 사람들이 실제 살아왔는지 / 유토피아적인 꿈보다 /

of what might be possible.
가능할 수도 있는 것의

해석 지금까지 우리가, 가능한 것에 대한 유토피아적인 꿈보다는 실제로 사람들이 어떻게 살아왔는지에 기초하고 있는 이런 지혜를 과거로부터 밝혀내는 데 참으로 적은 노력을 기울였다는 것은 놀라운 일이다.

14-10 Hundreds of thousands(S) / fled(V) Europe / in the nineteenth century / to create new lives /
수십만 명의 사람들이 / 유럽을 떠났다 / 19세기에 / 새로운 삶을 만들기 위해서 /

in Australia, the United States, Canada and South Africa, /
호주, 미국, 캐나다와 남아프리카에서 /

분사구문, 동시상황 ... 분사구문, 동시상황
working / as trappers, lumberjacks and ranchers, / or lured by the gold rushes.
일하면서 / 덫 사냥꾼, 벌목꾼, 그리고 목장 일꾼으로서 / 아니면 골드러시에 유인되어서

해석 수십만 명의 사람들이 덫 사냥꾼, 벌목꾼, 목장 일꾼으로 일을 하거나 골드러시에 유인되어 호주와 미국, 캐나다와 남아프리카에서 새로운 삶을 살기 위해 19세기에 유럽을 떠났다.

14-11 Across hundreds of thousands of years, / artistic endeavors(S) may have been(V) the playground /
수십만 년에 걸쳐 / 예술적 노력은 놀이터였는지 모른다 /

분사구문, 동시상황
of human cognition, / providing a safe arena / for training our imaginative capacities /
인간 인지의 / 이는 안전 지대를 제공한다 / 우리 상상력을 양성하기 위해서 /

분사구문, 동시상황
and infusing them / with a potent faculty / for innovation.
그리고 그들에게 불어넣는다 / 강력한 능력을 / 혁신을 위한

해석 수십만 년에 걸쳐, 예술적 노력은 우리의 상상력을 양성하고 혁신을 위한 강력한 능력을 불어넣기 위한 안전한 활동 무대를 제공하는, 인간 인지의 놀이터였을지도 모른다.

분사구문, 동시상황

14-12 When the video came on, / showing nature scenes / with a musical soundtrack, /

비디오가 나오자 / 자연 광경을 보여 주는 / 음악 사운드트랙과 함께 /

S V

the experimenter exclaimed / that this was the wrong video / and went supposedly /

실험자는 소리쳤다 / 이것이 잘못된 비디오라고 / 그리고 아마도 갔다 /

video 분사구문, 동시상황

to get the correct one, / leaving the participant alone / as the video played.

제대로 된 것을 가지러 / 참가자를 혼자 남겨둔 채로 / 비디오가 재생될 때

해석 음악 사운드트랙과 함께 자연의 장면을 보여 주는 비디오가 나오자, 실험자는 이것이 잘못된 비디오라고 소리쳤고, 아마도 제대로 된 것을 가지러 가면서, 참가자를 비디오가 재생될 때 홀로 남겨두었다.

관계사 수식

14-13 In a society / where people / of all ages and income levels / live together, /

사회에서 / 사람들이 / 모든 연령대와 소득 수준의 / 함께 살아가는 /

S V

and diverse industries coexist / while depending on each other, / cities will continue to exist /

그리고 다양한 산업이 공존하는 / 서로에게 의존하는 동안 / 도시들은 계속 존재할 것이다 /

분사구문, 동시상황

overcoming environmental changes / such as population decline.

환경적 변화를 극복하면서 / 인구 감소와 같은

해석 모든 연령대와 소득 수준의 사람들이 함께 살고, 다양한 산업들이 서로 의존하면서 공존하는 사회에서 도시들은 인구 감소와 같은 환경적 변화를 극복하면서 계속 존재할 것이다.

S V

14-14 Some fifty years ago / one US economist contrasted / what he called the "cowboy" economy, /

약 50년 전에 / 한 미국의 경제학자가 대조했다 / 그가 '카우보이' 경제라고 부르는 것을 /

분사구문

bent on / production, exploitation of resources, and pollution, / with the "spaceman" economy, /

집중하는 / 생산과, 자원의 착취, 오염에 / '우주인' 경제와

in which quality and complexity / replaced "throughput"/ as the measure of success.

품질과 복합성이 / '처리량'을 대체하는 / 성공의 척도로서

해석 약 50년 전 미국의 한 경제학자는 생산, 자원의 착취, 오염에 집중하는, 그가 '카우보이' 경제라고 칭한 것과 성공의 척도로 품질과 복합성이 '처리량'을 대체하는 '우주인' 경제를 대조했다.

분사구문

14-15 Facing landfill costs, labor expenses, and related costs / in the provision of garbage disposal, /

쓰레기 매립 비용, 인건비, 관련 비용에 직면할 때 / 쓰레기 처리를 준비하는데 /

S V

for example, / some cities have required / households / to dispose of all waste / in special trash bags, /

예를 들어 / 일부 도시들은 요구해 왔다 / 가정들에게 / 모든 쓰레기를 처리하라고 / 특별한 쓰레기봉투에 /

분사구문 분사구문

purchased by consumers themselves, / and often costing a dollar or more each.

소비자 스스로가 구매한 / 그리고 종종 1달러 또는 그 이상의 비용이 드는

해석 예를 들어, 쓰레기 매립 비용, 인건비, 쓰레기 처리를 준비하는 데 관련된 비용에 직면한 일부 도시는 가정이 모든 폐기물을 소비자가 직접 구입한, 각각 흔히 1달러 또는 그 이상씩 드는 특별 쓰레기봉투에 담아 처리하도록 요구해 왔다.

14-16 With this administrative management system, / urban institutions of government / have evolved /
이런 행정적인 관리 시스템으로 / 도시의 정부 기관들은 / 진화해 왔다 /

to offer increasing levels of services / to their citizenry, / provided / through a taxation process and/or
증가하는 서비스 수준을 제공하는 것으로 / 그들의 시민들에게 / 제공되는 / 과세 과정 그리고/또는 요금을 통해서

fee / for services / (e.g., police and fire, street maintenance, utilities, waste management, etc.).
/ 서비스를 위한 / (예를 들어 치안과 소방, 도로 유지, 시설, 쓰레기 관리 등)

해석 이런 행정적인 관리 시스템으로, 도시의 정부 기관들은 자신의 시민에게, 과세 과정 그리고/또는 (예를 들면, 치안과 소방, 도로 유지·보수, 시설, 쓰레기 관리 등) 서비스 수수료를 통해 제공되는, 증대되는 수준의 서비스를 제공하도록 진화했다.

14-17 But without some degree of trust / in our designated experts /
하지만, 어느 정도의 신뢰가 없다면 / 우리의 지정된 전문가에 대해 /

— the men and women / who have devoted their lives / to sorting out tough questions /
남자들과 여자들 / 그들의 인생을 헌신해 온 / 어려운 질문들을 처리하는 데 /

about the natural world / we live in / — we are paralyzed, / in effect / not knowing /
자연 세계에 대해서 / 우리가 살고 있는 / 우리는 마비가 된다 / 사실상 / 알지 못한 채 /

whether to make ready / for the morning commute / or not.
준비해야 할지 / 아침 통근을 위해 / 말아야 할지

해석 하지만 우리의 지정된 전문가들, 즉 평생을 우리가 사는 자연 세계에 관한 어려운 질문들을 처리하는 데 생애를 바친 남녀들에 대한 어느 정도의 신뢰가 없으면, 우리는 마비되고, 사실상 아침 통근을 위해 준비해야 할지 말아야 할지를 알지 못할 것이다.

14-18 In response to variations / in chemical composition, temperature and most of all pressure, /
변화에 반응하여 / 화학적 구성, 온도, 무엇보다 압력에서의 /

volatile substances / contained in the magma / like water or carbon dioxide /
휘발성 물질들은 / 마그마에 포함된 / 물이나 이산화탄소처럼 /

can be released / to form gas bubbles, / producing great changes /
방출될 수 있다 / 가스 거품을 형성하기 위해서 / 이는 엄청난 변화를 만들어낸다 /

in the properties of the magma / and in many cases / leading to an eruption.
마그마의 성질에 / 그리고 많은 경우에 / 분출로 이어진다

해석 화학적 구성, 온도, 그리고 무엇보다 압력의 변화에 반응하여, 물이나 이산화탄소와 같은, 마그마에 포함된 휘발성 물질들이 방출되어 기포를 형성할 수 있는데, 이것은 마그마의 성질에 커다란 변화를 가져오고, 많은 경우 분출로 이어진다.

14-19 Conversely, / if a mutation killed the animals / at two years, / striking them down /
반대로 / 만약 한 돌연변이가 동물들을 죽인다면 / 2살에 / 그들을 처치하면서 /

when many could reasonably expect / to still be alive / and producing children, /
다수가 합리적으로 기대할 수 있을 때 / 여전히 살아서 / 새끼를 낳을 것이라고 /

evolution would get rid of it very promptly.
진화는 그것을 매우 신속히 제거할 것이다

해석 반대로, 만약 한 돌연변이가 2살에 동물들을 죽여서, 다수가 여전히 살아서 새끼를 낳을 것이라 마땅히 예상할 수 있을 때 그것들의 목숨을 앗아 간다면, 진화는 그것을 매우 신속하게 제거할 것이다.

14-20 The introduction and spread (S) / of electric light and power / was (V) one of the key steps /
도입과 확산은 / 전깃불과 전력의 / 핵심 단계 중 하나였다 /

in the transformation of the world / from an industrial age, / characterized /
세상의 전환에서 / 산업 시대로부터 / 특징지어지는 /
(from A to B: A에서 B까지) (분사구문)

by iron and coal and steam, / to a post-industrial one, / in which electricity was joined /
철과 석탄과 증기에 의해 / 후기 산업 시대로의 / 전기가 결합되는 /
(전치사+관계대명사 수식)

by petroleum, light metals and alloys, / and internal combustion engines /
석유와, 경금속, 합금 / 그리고 내연 기관과 /

to give the twentieth century / its distinctive form and character.
20세기에 주는 / 그 독특한 형태와 특성을

해석 전깃불과 전력의 도입과 확산은 세상이 철, 석탄, 증기를 특징으로 하는 산업 시대에서, 전기가 석유, 경금속과 합금 그리고 내연 기관과 결합해 20세기에 특유한 형태와 특성을 부여한, 후기 산업 시대로의 전환에 핵심 단계 중 하나였다.

UNIT 15 명사 수식 분사 구문

pg. 069~072

15-1 Psychic costs (S) / associated with (명사 수식 분사) / separation from family, friends, / and the fear of the unknown /
심리적 비용은 / 연관된 / 가족, 친구와의 이별과 / 미지의 것에 대한 두려움과

also should be taken (V) into account / in cost-benefit assessments.
또한 고려되어야 한다 / 비용-편익 평가에서

해석 가족, 친구와의 이별과 미지의 것에 대한 두려움과 관련된 심리적 비용 또한 비용-편익 평가에서 고려되어야 한다.

15-2 The meaning (S) of "stress" / is (V_1) the very thing / which (관계사 수식) someone (S) / requesting the definition (명사 수식 분사) /
'스트레스'의 의미는 / 바로 그것이다 / 누군가가 / 정의를 요구하는 /

is seeking (V) to understand, / and so should not be presupposed (V_2) / in the definition.
이해하고자 하는 / 그래서 전제되어져서는 안 된다 / 그 정의 속에서

해석 "스트레스"의 의미는 그 정의를 요구하는 사람이 이해하고자 하는 바로 그것이므로 정의 속에서 전제되어져서는 안 된다.

15-3 UNEP (S) estimates (V) / that every kilogram of mercury (S) / taken out of the environment (명사 수식 분사) /
UNEP는 추정한다 / 수은 1킬로그램마다 / 환경에서 제거되는 /

can lead (V) to up to $12,500 worth / of social, environmental, and human health benefits.
12,500달러에 달하는 가치에 이어질 수 있다 / 사회적, 환경적 그리고 인간 건강상의 혜택의

해석 UNEP는 환경에서 수은이 1킬로그램 제거될 때마다 12,500달러에 달하는 사회적, 환경적 그리고 인간 건강상의 혜택으로 이어질 수 있다고 추정한다.

15-4 She pointed out, / for instance, / that the actors / affected by the rules / for the use and care of resources / must have the right / to participate in decisions / to change the rules.

S: She / V: pointed out / S: the actors / 명사 수식 분사: affected / V: must have

그녀는 지적했다 / 예를 들어 / 행위자들이 / 그 규칙에 영향을 받은 / 자원 사용과 관리를 위한 / 권리를 가져야 한다고 / 결정에 참여할 수 있는 / 그 규칙들을 바꾸는

해석 예를 들어, 그녀는 자원의 이용 및 관리 규칙의 영향을 받는 행위자에게 규칙을 변경하는 결정에 참여할 권리가 있어야 한다고 지적했다.

15-5 The skeletons / found in early farming villages / in the Fertile Crescent / are usually shorter / than those of neighboring foragers, / which suggests / that their diets were less varied.

S: The skeletons / 명사 수식 분사: found / V: are

유골들은 / 초기 농경 마을들에서 발견된 / 비옥한 초승달 지대에서 / 보통 더 짧다 / 이웃의 수렵채집인의 것들보다 / 그런데 이것은 시사한다 / 그들의 식단이 덜 다양했음을

해석 비옥한 초승달 지대의 초기 농경 마을들에서 발견된 유골은 이웃하고 있는 수렵채집인의 것들보다 대체로 작았는데, 이는 그들의 식단이 덜 다양했다는 것을 암시한다.

15-6 Archaeologists do it, / but there are necessarily more inferences / involved in / getting from physical remains / recognized as trash / to making interpretations / about belief systems.

S_1: Archaeologists / V_1: do / V_2: are / S_2: inferences / 명사 수식 분사: involved / 명사 수식 분사: recognized

from A to B: A에서 B까지

고고학자들은 그것을 한다 / 하지만 꼭 필수적으로 더 많은 추론이 있다 / 관련된 / 물리적인 유물로부터 얻는 것에서 / 쓰레기로 인식되는 / 해석을 하는 데까지 / 신념 체계에 대해서

해석 고고학자들은 그렇게 하지만, 쓸모없는 것으로 인식되는 물리적 유물로부터 신념 체계에 관한 해석에 도달하는 것과 관련된 더 많은 추론이 어쩔 수 없이 있어야 한다.

15-7 Leaders need to take steps / to explain the true reasons / for their decisions / to those individuals / affected by it, / leaving less room / for negative interpretations / of leader behavior.

S: Leaders / V: need / 명사 수식 분사: affected / 분사구문, 동시상황: leaving

리더들은 조치를 취할 필요가 있다 / 진짜 이유를 설명하기 위한 / 그들의 결정에 대해 / 그러한 개인들에게 / 그것에 영향을 받는 / 이것은 여지를 주지 않는다 / 부정적인 해석에 대해서 / 리더의 행동에 대한

해석 리더는 그것에 의해 영향을 받는 그러한 개인들에게 자신의 결정에 대한 진실된 이유를 설명하려는 조치를 취할 필요가 있으며, 리더의 행동에 대해 부정적 해석에 대한 여지를 덜 남긴다.

15-8 Since the Industrial Revolution began / in the eighteenth century, / CO_2 / released during industrial processes / has greatly increased the proportion of carbon / in the atmosphere.

S: CO_2 / 명사 수식 분사: released / V: has greatly increased

산업 혁명이 시작된 이후로 / 18세기에 / 이산화탄소는 / 산업 공정 중 배출된 / 엄청나게 탄소의 비율을 증가시켜 왔다 / 대기 중에

해석 산업 혁명이 18세기에 시작된 이후로, 산업 공정 중에 배출된 이산화탄소는 대기의 탄소 비율을 크게 증가시켰다.

15-9 As Marilyn Strathern has remarked, / the notions of 'the political' and 'political personhood' / are cultural obsessions of our own, / a bias / long reflected in anthropological constructs.

S: the notions / V: are / 명사 수식 분사: long reflected

Marilyn Strathern이 언급했던 것처럼 / '정치적인 것'과 '정치적인 개성'이라는 개념은 / 우리 자신에 대한 문화적인 강박관념이다 / 즉 편견 / 오랫동안 인류학적 구성에서 반영된

해석 Marilyn Strathern이 말한 것처럼, '정치적인 것'과 '정치적 개성'이라는 개념은 우리 자신의 문화적 강박 관념으로, 인류학적 구성 개념에 오랫동안 반영된 편견이다.

15-10 The complementary relationship / between knowledge and ignorance / is perhaps most exposed / in transitional societies / seeking to first disrupt / and then stabilize social and political order.

S: relationship / V: is / 명사 수식 분사: seeking / (to) stabilize

상호보완적인 관계는 / 지식과 무지 사이의 / 아마도 가장 많이 드러난다 / 과도기 사회에서 / 먼저 붕괴시키고 / 그리고 나서 사회적, 정치적 질서를 안정화시키려고 하는

해석 지식과 무지 사이의 상호보완적 관계는 사회적 그리고 정치적 질서를 먼저 붕괴시키고 그러고 나서 안정시키려는 과도기 사회에서 아마도 가장 많이 드러난다.

15-11 The actual exploration challenge / is the time / required to access, produce, and deliver oil / under extreme environmental conditions, / where temperatures in January / range from -20℃ to –35℃.

명사 수식 분사: required / 관계사 수식: where / S: temperatures / V: range

실제적인 탐사의 어려움은 / 시간이다 / 석유에 접근하고 생산하고 배송하는 데 필요한 / 극심한 환경 조건 아래에서 / 이곳에서 1월의 온도는 / 영하 20도에서 영하 35도의 범위를 보인다

해석 실제적인 탐사의 어려운 문제는 1월에 기온이 영하 20℃에서 영하 35℃에 이르는 극한의 환경 조건 하에서 석유에 접근하여, 생산하고, 배송하는 데 필요한 시간이다.

15-12 When we learn to read, / we recycle a specific region / of our visual system / known as the visual word-form area, / enabling / us / to recognize strings of letters / and connect them / to language areas.

S: we / V: recycle / 명사 수식 분사: known / 분사구문, 동시상황: enabling / (to) connect

우리가 읽는 것을 배울 때 / 우리는 특정한 영역을 재활용한다 / 우리 시각 시스템에서 / 시각 단어-형태 영역이라고 알려진 / 이는 가능케 한다 / 우리가 / 일련의 문자를 인식하도록 / 그리고 그것들을 연결하도록 / 언어 영역에

해석 우리가 읽는 것을 배울 때, 우리는 시각적인 단어-형태 영역이라고 알려진 우리의 시각 시스템의 특정 영역을 재활용하는데, 이것이 우리가 일련의 문자를 인식하고 그것들을 언어 영역에 연결할 수 있게 해 준다.

15-13 A consumer / buying a good in a store / will likely trigger the replacement of this product, / which will generate demands for activities / such as manufacturing, resource extraction and, of course, transport.

S: A consumer / 명사 수식 분사: buying / V: will likely trigger / 계속적 용법: which

소비자는 / 상점에서 상품을 구매하는 / 기꺼이 이 상품의 대체를 유발할 것이다 / 활동의 수요를 발생시키는 / 제조, 자원 추출, 그리고 물론 운송과 같은

해석 상점에서 상품을 구매하는 소비자는 아마 이 상품의 보충을 촉발할 것이고, 이것은 제조, 자원 추출, 그리고 물론 운송과 같은 활동에 대한 수요를 창출할 것이다.

15-14 If preschool children are allowed / realistic freedom / to make some of their own decisions, /
미취학 아동들이 허용된다면 / 현실적인 자유가 / 그들 자신의 결정 중 일부를 내릴 수 있는 /

S V 명사 수식 분사
they tend to develop a positive orientation / characterized by confidence /
그들은 긍정적인 성향을 발달시키는 경향이 있다 / 자신감에 의해서 특징지어지는 /

in their ability / to initiate and follow through.
그들의 능력에서의 / 주도하고 끝까지 완수해 내는

해석 미취학 아동들에게 자기 결정을 얼마간 내릴 실제적인 자유가 허용된다면 그들은 자기가 주도하고 끝까지 완수해 낼 자신의 능력에 대한 자신감을 특징으로 하는 긍정적인 성향을 발달시키게 된다.

S 명사 수식 분사
15-15 Some methods / used in "organic" farming, / however, / such as the sensible use of crop rotations /
일부 방법들은 / 유기농 경작에서 사용되는 / 하지만 / 돌려짓기의 합리적인 사용과 같은 /

V
and specific combinations / of cropping and livestock enterprises, / can make important contributions /
그리고 특정한 조합 / 경작과 가축 경영의 / 중요한 기여를 할 수 있다 /

to the sustainability of rural ecosystems.
농촌 생태계의 지속 가능성에 대한

해석 그러나 돌려짓기의 합리적인 사용과 경작과 가축 경영의 특정한 조합과 같은 '유기농' 경작에서 사용되는 몇몇 방식들은 농촌 생태계의 지속 가능성에 중요한 이바지를 할 수 있다.

S_1 V_1
15-16 The repairman is called in / when the smooth operation of our world / has been disrupted, /
수리공이 소환된다 / 우리 세상의 부드러운 작동이 / 중단되었을 때 /

S_2 명사 수식 분사
and at such moments / our dependence on things / normally taken for granted /
그리고 그런 순간에 / 사물에 대한 우리의 의존은 / 보통 당연시 여겨지는 /

관계사 수식 V_2
(for example, a toilet that flushes) / is brought to vivid awareness.
예를 들어, 물이 내려가는 변기 / 생생한 인식으로 이어진다

해석 우리가 사는 세상이 원활하게 돌아가지 않을 때 수리공을 부르게 되며, 그러한 순간에 우리가 보통 당연하게 여겼던 것들(예를 들어, 물이 내려가는 변기)에 대한 의존성을 분명히 인식하게 된다.

명사 수식 분사
15-17 In order to capture the social disruption / surrounding Christianity and the Roman Catholic Church, /
사회적 혼란을 포착하기 위해서 / 기독교와 로마 가톨릭 교회를 둘러싸고 있는 /

S V
many artists abandoned / old standards of visual perfection /
많은 예술가들은 버렸다 / 시각적 완전함에 대한 오래된 기준을 /

from the Classical and Renaissance periods / in their portrayal of religious figures.
고전주의와 르네상스 시대부터 / 종교적 인물에 대한 그들의 묘사에 있어서

해석 기독교와 로마 가톨릭 교회를 둘러싼 사회적 혼란을 포착하기 위해 많은 예술가들이 종교적 인물들에 대한 자신들의 묘사에 있어 고전주의와 르네상스 시대로부터의 시각적인 완벽이라는 오래된 기준을 버렸다.

15-18 An inlander pushed forward a net bag / containing / between 10 and 35 pounds of taro and sweet potatoes, / and the Sio villager / sitting opposite / responded / by offering a number of pots and coconuts / judged equivalent in value / to the bag of food.

(S_1: An inlander, V_1: pushed; containing: 명사 수식 분사; S_2: the Sio villager; sitting opposite: 명사 수식 분사; V_2: responded; judged: 명사 수식 분사)

한 내륙인이 망태기를 앞으로 밀었다 / 포함하고 있는 / 10에서 35파운드 사이의 타로토란과 고구마를 / 그리고 Sio 마을 사람은 / 반대편에 앉아 있는 / 반응했다 / 많은 그릇과 코코넛을 제공함으로써 / 동일한 가치를 지닌 것으로 판단되는 / 음식이 든 가방에

해석 한 내륙인이 10에서 35파운드 사이의 타로토란과 고구마가 든 망태기를 앞으로 내밀면, 맞은편에 앉은 Sio 마을 사람은 그 망태기에 든 음식과 가치가 같다고 판단되는 몇 개의 단지와 코코넛을 내놓아 응수했다.

15-19 This zone is created / by the low rates of oxygen / diffusing down / from the surface layer of the ocean, / combined with / the high rates of consumption of oxygen / by decaying organic matter / that sinks from the surface / and accumulates at these depths.

(S: This zone, V_1: is created; diffusing: 명사 수식 분사; combined: 분사구문, 동시상황; that: 관계사 수식)

이 지역은 만들어진다 / 낮은 산소 비율에 의해서 / 아래로 퍼져 가는 / 바다 표층에서부터 / 결합된 채로 / 높은 산소 소비율과 / 부패하는 유기 물질에 의해서 / 표면으로부터 가라앉는 / 그리고 이 깊이에 축적되는

해석 이 대역은 바다의 표층에서 아래로 퍼져 가는 산소의 낮은 비율에 의해 형성되고, 표면에서 가라앉아 이 깊이에 축적된 부패하고 있는 유기물에 의한 높은 산소 소비율과 결합된다.

15-20 If physicists, / for example, / were to concentrate on / exchanging email and electronic preprints / with other physicists / around the world / working in the same specialized subject area, / they would likely devote less time, / and (would likely) be less receptive / to new ways / of looking at the world.

(working: 명사 수식 분사; S: they, V_1: would likely devote, V_2: (would likely) be)

물리학자들이 / 예를 들어 / 집중해야 한다면 / 이메일과 전자 예고를 교환하는 데 / 다른 물리학자들과 / 전 세계의 / 같은 전문화된 주제 분야에서 일하는 / 그들은 더 적은 시간을 쓸 가능성이 있다 / 그리고 덜 수용적이 될 / 새로운 방식에 / 세상을 바라보는

해석 예를 들어, 물리학자들이 같은 전문화된 주제 분야에서 연구하는 전 세계의 다른 물리학자들과 이메일과 전자 예고(豫稿)를 주고받는 일에 집중한다면, 그들은 세상을 보는 새로운 방식에 더 적은 시간을 쏟고 그것을 덜 받아들이려고 할 가능성이 크다.

UNIT 16 특수 분사 구문

pg. 074~076

16-1 If hit by a fast-moving vehicle, / posts need to come apart / in just the right way / in order to reduce damage / and save lives.

(If hit: 접속사+분사; S: posts, V: need)

만약 빠르게 움직이는 자동차에 치였다면 / 기둥은 분리될 필요가 있다 / 단지 올바른 방식으로 / 손해를 줄이기 위해서 / 생명을 구하기 위해서

해석 빠르게 달리는 차량에 치였을 경우, 피해를 줄이고 생명을 구하기 위해서 기둥이 올바른 방식으로 분리되어야 한다.

16-2 Even the most complex cell (S) / has (V) only a small number of parts, /
심지어 가장 복잡한 세포조차도 / 겨우 적은 수의 부분만 가진다 /

주어 다른 분사구문, each (being) responsible
each / responsible for / a distinct, well-defined aspect of cell life.
각각은 / 책임이 있다 / 뚜렷하고 명확한 세포 생명의 특성에

해석 가장 복잡한 세포조차도 그저 몇몇 부분만을 가지고 있는데, 각각은 세포 생명의 뚜렷하고, 명확한 측면을 맡고 있다.

주어진다면 vs. 고려할 때
16-3 Given the right conditions, / entrepreneurship (S) can be fully woven (V) /
올바른 환경이 주어진다면 / 기업가 정신은 완전히 짜여 들어갈 수 있다 /

분사구문, 동시상황
to the fabric of campus life, / greatly expanding its educational reach.
캠퍼스 생활의 구조로 / 그리고 그것의 교육적 범위를 크게 확장한다

해석 적절한 환경이 주어지면, 기업가 정신은 캠퍼스 생활의 구조로 완전히 짜여 들어가 그것의 교육적 범위를 크게 확장할 수 있다.

관계사 생략 수식 구문 / 접속사+분사
16-4 If there are things / you don't notice / while viewing a situation or event, / your schemata (S) will lead (V) /
무언가가 있다면 / 당신이 알아차리지 못하는 / 상황이나 사건을 보는 동안 / 당신의 도식은 이끌 것이다 /

you / to fill in these "gaps"/ with knowledge / about what's normally in place / in that setting.
당신을 / 이러한 '차이'를 메우도록 / 지식을 가지고 / 보통 어울리는 것에 대해 / 그 환경에서

해석 어떤 상황이나 사건을 보면서 여러분이 알아차리지 못하는 것이 있으면, 여러분의 도식이 그 상황에서 일반적으로 무엇이 어울리는지에 관한 지식으로 이러한 '공백'을 채우도록 여러분을 이끌어줄 것이다.

---

with+명사+분사 (동시상황 표현)
16-5 With population growth slowing, / the strongest force (S) / increasing demand / for more agricultural
인구 증가가 둔화됨과 동시에 / 가장 강한 힘은 / 수요를 증가시키는 / 더 많은 농업 생산에 대한

production / will be (V) rising incomes, / which are desired / by practically all governments and individuals.
/ 증가하는 수입일 것이다 / 이는 원하는 바이다 / 실제적으로 모든 정부와 개인들에 의해서

해석 인구 증가가 둔화됨에 따라, 더 많은 농업 생산에 대한 수요를 증가시키는 가장 강력한 힘은 '높아지는 소득'일 것인데, 그것은 거의 모든 정부와 개인이 원하는 바이다.

16-6 Divide (V_1) an ecosystem into parts / by creating barriers, / and the sum (S_2) of the productivity of the parts /
생태계를 부분으로 나누어라 / 장벽을 만들어서 / 그러면 각 부분의 생산성의 합은 /

주어 다른 분사구문
will typically be found (V_2) / to be lower / than the productivity of the whole, / other things being equal.
일반적으로 발견될 것이다 / 더 낮아지는 걸로 / 전체 생산성보다 / 다른 것이 동일하다면

해석 어떤 생태계를 장벽을 만들어 부분들로 나누면, 그 부분들의 생산성의 총합은 일반적으로, 다른 것이 동일하다면, 전체의 생산성보다 더 낮다는 것이 발견될 것이다.

16-7 Moreover, / because there are relatively few processors and retailers, /
게다가 / 상대적으로 적은 가공업자와 소매업자가 있기 때문에 /

주어 다른 분사구문 S
each handling a high volume of goods, / the provision of feedback / from customers /
각각은 많은 양의 상품을 다루기 때문에 / 피드백의 제공은 / 고객에서부터 /

V
to individual producers / on their particular goods / is impractical.
개개의 생산자에 이르기까지의 / 그들의 특정 상품에 대한 / 실용적이지 않다

해석 더욱이 상대적으로 적은 수의 가공업자와 소매업자가 존재하며, 이들 각자가 많은 양의 상품을 취급하기 때문에, 소비자로부터 각각의 생산자에게 이르는 그들의 특정 상품에 관한 피드백의 제공은 실제적이지 않다.

---

having p.p. 과거 사실 S_1 V_1
16-8 Having arrived in regions / with colder winters or poorer soils, / rye proved its strength /
지역에 도착했을 때 / 더 추운 겨울 혹은 더 척박한 토양을 갖춘 / 호밀은 자신의 강함을 증명했다 /

by producing more and better crops / than the wheat and barley / it had attached itself to, /
더 많고 더 좋은 작물을 생산함으로써 / 밀과 보리보다 / 자신이 들러붙었었던 /

S_2 V_2
and in a short time / it replaced them.
그리고 짧은 시간 안에 / 그것은 그것들을 대체했다

해석 더 추운 겨울 또는 척박한 토양을 가진 지역에 도달했을 때, 호밀은 자신이 들러붙었었던 밀과 보리보다 더 많이 그리고 더 나은 작물을 생산함으로써 강인함을 증명했고 짧은 시간에 그것들(밀과 보리)을 대신했다.

---

with+명사+분사 (동시상황 표현)
16-9 With tablets and cell phones / surpassing personal computers / in Internet usage, / and as slim
태블릿과 휴대 전화가 / 개인용 컴퓨터를 능가함과 동시에 / 인터넷 사용에서 /

digital devices resemble nothing / like the room-sized mainframes / and bulky desktop computers
그리고 얇은 디지털 기기가 어떠한 것도 닮지 않았기에 / 방 크기의 중앙 컴퓨터처럼 / 수십 년 전의 부피가 큰 데스크탑 컴퓨터를

가주어 S V 진주어
of previous decades, / it now appears / that the computer artist is finally extinct.
/ 지금 보인다 / 컴퓨터 아티스트는 결국 소멸한 것으로

해석 인터넷 사용에서 태블릿 컴퓨터와 휴대 전화가 개인용 컴퓨터를 능가하는 상황에서, 그리고 얇은 디지털 기기들이 수십 년 전의 방 크기의 중앙 컴퓨터와 부피가 큰 탁상용 컴퓨터와 전혀 닮지 않았으므로, 오늘날에는 컴퓨터 아티스트가 결국 소멸한 것으로 보인다.

---

with+명사+분사 (동시상황 표현)
16-10 On a 100 point scale, / with 100 being the worst rating / for a morally reprehensible act, /
100점 범위 안에서 / 100이 가장 나쁜 점수인 / 도덕적으로 비난 받을 만한 행동에 대해서 /

S_1 관계사 수식 V_1
the students / who drank the bitter liquid / gave the acts / an average rating of 78; /
학생들은 / 쓴맛을 마셨던 / 행동에 주었다 / 평균 78점을 /

S_2 관계사 수식 V_2
those / who drank the sweet beverage / gave an average of 60; /
사람들은 / 달콤한 음료를 마셨던 / 평균 60점을 주었다 /

S_3 V_3
and the water group gave an average of 62.
그리고 물을 마신 그룹은 평균 62점을 주었다

해석 100점의 범위 안에서, 도덕적으로 비난 받을 만한 행동에 대해서 가장 나쁜 점수를 100으로 하였을 때, 쓴맛 음료를 마신 학생들은 그러한 행동들에 대해서 평균 78점을 주었다. 그리고 단맛 음료를 마신 학생들은 평균 60점, 물을 마신 집단은 평균 62점을 주었다.

16-11 Charles and Carstensen review / a considerable body of evidence / indicating that, /
Charles와 Carstensen은 재검토한다 / 상당한 양의 증거를 / 보여 주는 /
as people get older, / they tend to prioritize close social relationships, / focus more on /
사람들이 나이가 들어감에 따라 / 그들은 친밀한 사회적 관계를 우선시하는 경향이 있다 / 더 많이 집중하고 /
achieving emotional well-being, / and attend more / to positive emotional information /
정서적인 행복을 얻는 데 / 그리고 더 많이 주목한다 / 긍정적인 정서적 정보에 /
접속사+분사
while ignoring negative information.
부정적 정보를 무시하면서

해석 Charles와 Carstensen은 사람들은 나이가 들면서 친밀한 사회적 관계를 우선시하고, 정서적 행복을 성취하는 데 더 주력하고, 긍정적인 정서적 정보를 더 주목하는 반면에 부정적인 정보는 무시하는 경향이 있다는 것을 보여 주는 상당한 양의 증거를 재검토한다.

분사구문 / with+명사+분사 (동시상황 표현)
16-12 Settled into a comfortable genre, / with our basic expectations satisfied, /
편안한 장르에 정착한 채로 / 우리의 기본적인 기대를 만족시킴과 동시에 /
we become more keenly aware of / and responsive to /
우리는 더욱 날카롭게 알게 된다 / 그리고 반응하게 된다 /
관계사 수식
the creative variations, refinements, and complexities / that make the film / seem fresh and original, /
창의적인 다양성, 정제, 그리고 복잡성에 / 영화를 만드는 / 신선하고 독창적이게 보이도록 /
and by exceeding our expectations, / each innovation becomes an exciting surprise.
그리고 우리 기대를 넘어섬으로써 / 각각의 혁신은 흥미진진한 놀라움이 된다

해석 우리의 기본적 기대를 충족한 채로 편안한 장르 속에 자리를 잡고서, 우리는 영화를 신선하고 독창적으로 보이게 만드는 창의적 변형, 정제, 그리고 복잡한 것들을 더 예민하게 인식하게 되고 그것들에 반응하게 되며, 그리고 우리의 기대를 넘어섬으로써 각각의 혁신은 흥미진진한 놀라움이 된다.

UNIT 17 관계사 수식 구문

pg 078~082

관계사 수식
17-1 Yet there wasn't a single day / when I sat down / to write an article, blog post, or book chapter /
하지만 하루도 없었다 / 내가 앉아 있던 / 기사나 블로그, 아니면 책 한 챕터를 쓰기 위해서 /
without a string of people / waiting / for me / to get back to them.
일련의 사람들이 / 기다리게 하지 않고 / 내가 / 그들에게 답장을 주기를

해석 하지만 내가 기사나 블로그 게시글 혹은 책의 한 챕터를 쓰려고 앉을 때마다 일련의 사람들이 내가 그들에게 답장을 주기를 기다리지 않은 날이 단 하루도 없었다.

17-2 The flexibility of medicinal use / makes the essential oils / of special benefit /
의료적 사용의 융통성은 / 정유를 만든다 / 특별한 도움이 되도록 /
(S: The flexibility of medicinal use, V: makes)

to patients / whose digestive systems / have, for whatever reason, been impaired.
환자들에게 / 그 환자의 소화계가 / 어떤 이유로든 손상된
(관계사 수식)

해석 의료적 사용의 융통성은 소화계가 어떤 이유로든 손상된 환자들에게 정유가 특별히 도움이 되게 해 준다.

17-3 A sovereign state is usually defined / as one / whose citizens are free / to determine
주권 국가는 보통 정의된다 / 국가로 / 그 국가의 시민은 자유롭다 /
(S: A sovereign state, V: is, 관계사 수식)

their own affairs / without interference from any agency / beyond its territorial borders.
그들 자신이 일을 결정하는 데 / 어떤 기관으로부터 방해없이 / 그것의 국경 너머에 있는

해석 주권 국가는 보통 그 시민들이 국경 너머의 그 어떤 기관으로부터도 간섭받지 않고 자신들의 일을 스스로 결정할 자유가 있는 국가라고 정의된다.

17-4 An individual characteristic / that moderates the relationship with behavior /
개개인의 특성은 / 행동과의 관계를 조정하는 /
(S: An individual characteristic, 관계사 수식)

is self-efficacy, / or a judgment of one's capability / to accomplish a certain level of performance.
자기 효능감이다 / 아니면 자기 능력에 대한 판단이다 / 특정한 수준의 성과를 성취하는
(V: is)

해석 행동과의 관계를 조정하는 개인적인 특징은 자기 효능감, 즉 특정한 수준의 성과를 달성하는 자신의 능력에 대한 판단이다.

17-5 The spatial horizons of our understanding / are thereby greatly expanded, /
우리 이해에 대한 공간적 수평선은 / 그로 인해 엄청나게 확장된다 /
(S: The spatial horizons of our understanding, V: are)

for they are no longer restricted / by the need / to be physically present /
왜냐하면 그들은 더 이상 제한적이지 않으니까 / 필요에 의해서 / 물리적으로 존재할 /

at the places / where the observed events, etc., occur.
장소들에서 / 관찰된 사건이 발생하는
(관계사 수식)

해석 우리가 이해하는 것의 공간적 범위는 그로 인해 엄청나게 확장되는데, (이는) 관찰되는 사건 등이 발생하는 장소에 (우리가) 물리적으로 존재해야 할 필요에 의해 그 범위가 더는 제한되지 않기 때문이다.

17-6 Ultimately, however, / even dishonesty / that was meant / to protect employee morale /
궁극적으로 하지만 / 심지어 부정직함조차도 / 의도되었던 / 직원의 사기를 보호하고자 /
(S: dishonesty, 관계사 수식)

will eventually be exposed, / undermining trustworthiness /
결국 노출될 것이다 / 이는 신뢰성을 훼손한다 /
(V: will eventually be exposed, 분사구문, 앞문장 추가 설명)

at a time / when commitment to the organization / is most vital.
시기에 / 조직에 대한 헌신이 / 가장 중요한
(관계사 수식)

해석 하지만 궁극적으로 직원의 사기를 보호하고자 하는 부정직함도 결국 노출될 것이며 조직에 대한 헌신이 가장 중요한 시간에 신뢰성을 훼손시킨다.

17-7 In a different set of studies, / researchers found / that those / who had searched the Internet /
다른 일련의 연구에서 / 연구원들은 밝혔다 / 사람들은 / 인터넷을 검색해 온 /

to answer specific questions / rated their ability / to answer unrelated questions /
특정한 질문에 답하기 위해서 / 그들의 능력을 평가했다 / 관련 없는 질문에 답하는 /

as higher / than those / who had not.
더 높은 것으로 / 사람들보다 / 그렇지 않았던

해석 다른 일련의 연구에서, 연구원들은 특정한 질문에 답하기 위해 인터넷을 검색한 사람들이 그렇게 하지 않았던 사람들보다 관련이 없는 질문에 답할 수 있는 자신들의 능력을 더 높게 평가했다는 것을 알아냈다.

17-8 Like the movies, / book publishing is another industry /
영화와 마찬가지로 / 서적 출판은 또 다른 산업이다 /

where lots of money is traditionally spent / on advertising / but can't begin to compete /
많은 돈이 전통적으로 소비되는 / 광고에 / 하지만 경쟁을 시작할 수 없다 /

with the power / of friends telling friends / about their discoveries.
힘과 / 친구가 친구에게 말하는 / 그들의 발견에 대해서

해석 영화와 마찬가지로 서적 출판은, 많은 돈이 전통적으로 광고에 쓰이지만 자신이 알게 된 것을 친구가 친구에게 말해주는 것의 힘과 경쟁을 시작할 수 없는 또 다른 산업이다.

17-9 While we might expect / that members of society / who take part in singing /
우리가 예상할지도 모르지만 / 사회의 구성원들이 / 노래하는 데 참여하는 /

only as members of a larger group / may learn their music / through imitation, /
오직 더 큰 집단의 구성원으로서 / 그들의 음악을 배울지도 모른다 / 모방을 통해서 /

musicianship, / seen as a special skill, / usually requires more directed learning.
음악적 기술은 / 특별한 기술처럼 보이는 / 보통 더 통제된 학습을 필요로 한다.

해석 우리는 오직 더 큰 집단의 구성원으로서 노래 부르기에 참가하는 사회의 구성원들이 모방을 통해 그들의 음악을 배울 것으로 예상할 수도 있지만, 특별한 기술로 간주되는 음악적 기술은 대개 더 통제된 학습을 필요로 한다.

17-10 When confronted / by a seemingly simple pointing task, / where their desires are put /
직면했을 때 / 외형적으로 간단한 가리키는 과업에 의해서 / 그들의 욕망이 놓여지는 /

in conflict with outcomes, / chimpanzees find it impossible /
결과와의 상충에 / 침팬지는 불가능하다는 걸 알게 된다 /

to exhibit subtle self-serving cognitive strategies / in the immediate presence of a desired reward.
영민한 자기 인지 전략을 보여 주는 것이 / 원했던 보상의 즉각적인 존재에서

해석 욕망이 결과와 상충되는, 단순해 보이는 가리키는 과업에 직면했을 때, 침팬지들은 원하는 보상이 바로 옆에 있는 상황에서 자신에게 이익이 되는 예리한 인지 전략을 보여 주는 것이 불가능하다는 것을 알게 된다.

17-11 In the past / when there were few sources of news, / people could either expose themselves / to mainstream news / — where they would likely see / beliefs / expressed counter to their own / — or they could avoid news altogether.

(관계사 수식; S_1: people, V_1: could either expose; S_2: they, V_2: could avoid)

과거에는 / 뉴스의 공급처가 거의 없었던 / 사람들은 스스로를 노출시킬 수 있었다 / 주류 뉴스에 / 그들이 보게 될 수도 있는 / 신념이 / 그들 자신의 것과 상반되게 표현되어지는 걸 / 아니면 그들은 뉴스를 아예 피할 수 있었다

해석 뉴스의 공급처가 얼마 없었던 과거에는, 사람들이 그들 자신의 신념과 상반되게 표현된 신념을 보게 될 수도 있는 주류 뉴스에 자신을 노출시키거나 뉴스를 전적으로 피할 수 있었다.

17-12 Such an environment is far different / from one / where children are shaped / by rewards for winning (alone), / praise for the best grades, / criticism or non-selection / despite making their best effort, / or coaches / whose style is to hand out unequal recognition.

(S: Such an environment, V: is; 관계사 수식)

그런 환경은 훨씬 다르다 / 환경과는 / 아이들이 만들어지는 / 승리(만)을 위한 보상 / 최고의 성적을 위한 칭찬 / 비판이나 미선발 / 최선의 노력을 했음에도 불구하고 / 아니면 코치들 / 그들의 방식이 불평등한 인정을 전해주는

해석 그러한 환경은 (오직) 이기는 것에 대한 보상, 최고의 성적에 대한 칭찬, 최선의 노력을 다했음에도 받는 비난 또는 미선발, 혹은 불균등한 인정을 건네는 스타일의 코치에 의해 아이들의 모습이 만들어지는 환경과는 크게 다르다.

17-13 High levels of adversity / predicted poor mental health, / as expected, / but people / who had faced intermediate levels of adversity / were healthier / than those / who experienced little adversity, / suggesting / that moderate amounts of stress / can foster resilience.

(S_1: High levels of adversity, V_1: predicted; S_2: people, V_2: were; 관계사 수식; 분사수식)

최고 수준의 역경은 / 나쁜 정신 건강을 예측했다 / 예측했던 대로 / 하지만 사람들은 / 중간 수준의 역경에 직면했던 / 더 건강했다 / 사람들보다 / 전혀 역경을 경험하지 않았던 / 이는 시사한다 / 적절한 양의 스트레스는 / 회복력을 촉진할 수 있다는 것을

해석 높은 수준의 역경은 예상대로 나쁜 정신 건강을 예측했지만, 중간 수준의 역경에 직면했던 사람들은 역경을 거의 경험하지 않았던 사람들보다 더 건강했는데, 이것은 적당한 양의 스트레스가 회복력을 촉진할 수 있음을 보여준다.

17-14 Earliest indications of the need / for inspiration for fashion direction / are possibly evidenced / by a number of British manufacturers / visiting the United States / in around 1825 / where they were much inspired / by lightweight wool blend fabrics / produced for outerwear.

(S: Earliest indications, V: are possibly evidenced; 관계사 수식; 분사수식)

초기 욕구의 징후들은 / 패션 방향의 영감에 대한 / 아마도 증명된다 / 많은 영국 제조업자들에 의해서 / 미국을 방문하는 / 1825년 경에 / 그들이 훨씬 영감을 받았던 / 경량 울 혼방 옷감에 의해서 / 겉옷을 위해 생산된

해석 패션 경향의 영감에 대한 요구의 초기 징후들은 아마도 1825년경에 미국을 방문하여 겉옷용으로 제작되는 경량 울 혼방 옷감에 많은 영감을 받은 많은 영국 제조업자들에 의한 것으로 보인다.

17-15 Such reliance can create a paradoxical situation / in which species and ecosystems / inside
그런 의존은 역설적인 상황을 만들 수 있다 / 종과 생태계가 /

the protected areas / are preserved / while the same species and ecosystems outside / are allowed
보호구역 안쪽의 / 보존된다 / 바깥쪽에 있는 같은 종과 생태계가 / 손상되도록 허용된다

to be damaged, / which in turn results in the decline of biodiversity / within the protected areas.
/ 이는 결과적으로 생물 다양성의 쇠퇴를 야기한다 / 보호구역 내의

해석 그러한 의존은 보호구역 내의 종과 생태계는 보존되는 반면에 바깥에 있는 같은 종과 생태계는 손상되도록 허용되는 역설적인 상황을 만들어 낼 수 있는데, 이는 다시 보호구역 내의 생물 다양성의 쇠퇴라는 결과를 가져온다.

17-16 The person / designing the algorithm / may be an excellent software engineer, /
사람은 / 알고리즘을 설계하는 / 뛰어난 소프트웨어 공학자일 수 있다 /

but without the knowledge of all the factors / that need to go into an algorithmic process, /
하지만 모든 요인에 대한 지식 없이는 / 알고리즘 공정으로 들어가는 데 필요한 /

the engineer could unknowingly produce an algorithm / whose decisions are at best incomplete /
공학자는 모르고 알고리즘을 만들 수 있다 / 알고리즘의 결정이 기껏해야 불완전하고 /

and at worst discriminatory and unfair.
최악의 경우 차별적이고 불공정한

해석 알고리즘을 설계하는 사람은 훌륭한 소프트웨어 기술자일 수 있지만, 알고리즘의 과정에 들어가야 할 모든 요인에 대한 지식이 없으면, 그 기술자는 결정이 기껏해야 불완전하고 최악의 경우 차별적이고 불공정한 알고리즘을 모르고 만들어 낼 수 있다.

17-17 The primary difference / between morality and prudence / is simply that, / in the latter case, /
주된 차이점은 / 도덕과 사려 사이에 / 간단히 이것이다 / 후자의 경우 /

the long-term benefits are secured / through one's own agency, / whereas in the former case, /
장기적인 혜택이 보장된다 / 자기 자신의 행위를 통해서 / 반면에 전자의 경우 /

they are mediated / through the agency of another, / namely, / the person / whose reciprocity
그들은 조정된다 / 다른 사람의 행위에 의해서 / 말하자면 / 사람인 / 그의 호혜성이 확보된

is secured / thanks to one's compliance / with the moral law.
/ 사람의 순응 덕택에 / 도덕률에

해석 도덕성과 사려 사이의 주된 차이는 간단히 말해 후자의 경우 장기적인 이익이 자기 자신의 행위로 확보되는 반면, 전자의 경우 다른 사람, 즉 도덕률에 순응한 덕분으로 호혜성이 확보된 사람의 행위로 그것[장기적인 이익]이 달성된다는 것이다.

17-18 In this regard, / even a journey / through the stacks of a real library / can be more fruitful /
이런 면에서 / 심지어 여정조차도 / 실제 도서관의 서가를 통하는 / 보다 유익할 수 있다 /

than a trip / through today's distributed virtual archives, / because it seems difficult /
여정보다 / 오늘날의 배포된 가상 기록 보관서를 통하는 / 왜냐하면 어려운 것 같아서 /

진주어
to use the available "search engines" / to emulate efficiently the mixture / of predictable and surprising
이용 가능한 '검색 엔진'을 사용하는 것이 / 효율적으로 섞여 있는 것을 따라하기 위해서 / 예측 가능하고 놀라운 발견들의

discoveries / that typically result from a physical shelf-search / of an extensive library collection.
/ 일반적으로 물리적인 서가 찾기에서 발생하는 / 광범위한 도서관의 장서의

해석 이러한 면에서, 심지어 실제 도서관의 서가를 훑고 다니는 것마저도 오늘 배포된 가상의 기록 보관소를 뒤지는 것보다 더 유익할 수 있는데, 왜냐하면 도서관의 방대한 장서가 있는 실제 서가에서 찾다가 흔히 달성할 수 있는 예측 가능한 발견과 놀라운 발견들이 섞여 있는 것을 효과적으로 따라 하기 위해 이용 가능한 '검색 엔진'을 사용하는 것이 어려워 보이기 때문이다.

S V 강조되는 대상 it-that 강조구문
*17-19 Psychological studies indicate / that it is knowledge / possessed by the individual / that determines /
심리학 연구는 보여 준다 / 바로 지식이다 / 개인에 의해서 소유된 / 결정되는 것이 /

의문사 which 의문사 what
which stimuli become the focus / of that individual's attention, / what significance /
어떤 자극이 초점이 되는지 / 그 개인의 관심의 / 어떤 의미인지 /

의문사 how
he or she assigns to these stimuli, / and how they are combined / into a larger whole.
그 사람이 이러한 자극에 부여하는 / 어떻게 그들이 결합되는지 / 더 커다란 전체로

해석 심리학 연구는 어떤 자극이 그 개인의 관심에 초점이 되는지, 그 사람이 이 자극에 어떤 의미를 부여하는지, 그리고 그 자극들이 어떻게 결합되어 더 커다란 전체를 이루는지를 결정하는 것은 바로 그 개인이 소유하고 있는 지식이라는 점을 보여 준다.

S V S V
*17-20 Herodotus writes / that the Phoenicians, / upon returning from their heroic expedition, / reported /
Herodotus는 쓴다 / 페니키아인들이 / 그들의 영웅적인 탐험으로부터 돌아오자마자 / 보고했다 /

that after sailing south / and then turning west, / they found / the sun was on their right, /
남쪽으로 항해를 한 후에 / 그 다음에 서쪽으로 돌고 / 그들은 깨달았다 / 태양이 그들의 오른쪽에 있다는 걸 /

~하는 곳
the opposite direction / to where they were used to seeing it / or expecting it to be.
반대 방향인 / 그들이 그것을 보는 데 익숙했던 / 아니면 그것이 있을 거라고 예측했던

해석 Herodotus는 페니키아인들이 영웅적인 탐험을 마치고 돌아와, 남쪽으로 항해를 한 다음 서쪽으로 방향을 바꾼 후에 태양이 자신들이 늘 보았거나 떠 있으리라고 예상했던 곳과는 정반대 방향인 자신들의 오른편에 있는 것을 발견했노라고 보고했다고 기록한다.

분사구문 S V
*17-21 Compounding the problem, / an algorithm design firm might be under contract / to design
문제를 심화시키는 것은 / 알고리즘 설계 회사는 계약을 하는 중일지도 모른다 /

의문사 which 분사구문
algorithms / for a wide range of uses, / from determining / which patients / awaiting transplants /
알고리즘을 설계하는 / 다양한 범위의 사용을 위해 / 결정하는 것에서부터 / 어떤 환자를 / 이식을 기다리는 /

의문사 which 분사구문
are chosen / to receive organs, / to which criminals / facing sentencing /
선택할지 / 장기를 받기 위해 / 어떤 범죄자가 / 선고에 직면한 /

should be given probation or the maximum sentence.
집행유예 혹은 최고형을 받아야 하는 지에 이르기까지

해석 문제를 더 심각하게 만드는 것은, 한 알고리즘 설계 회사가, 이식을 기다리는 어느 환자가 장기를 받도록 선택될지 결정하는 것부터, 선고에 직면한 어느 범죄자가 집행 유예 또는 최고형을 받아야 하는지 결정하는 것까지의, 광범위한 용도를 위해 알고리즘을 설계하도록 계약을 체결할지도 모른다는 것이다.

UNIT 18 전치사+관계대명사 구문

18-1 Creating smaller, more inward-looking, xenophobic societies / may thus help / to reduce exposure to diseases / to which one has no natural immunity.

S: Creating smaller, more inward-looking, xenophobic societies / V: may thus help / 전치사 + 관계대명사 구문: to which

더 작고, 더 내부 지향적이고, 외부인을 꺼리는 사회를 만드는 것은 / 그래서 도움이 될 수 있다 / 질병에 대한 노출을 줄이는 것을 / 사람이 자연 면역력이 없는

해석 규모가 더 작고, 내부 지향적이고, 외부인을 꺼려하는 사회를 만들어 내는 것이 자연 면역이 없는 질병에의 노출을 줄이는 것을 도울 수 있다.

18-2 Alphabet letterpress printing, / in which each letter was cast / on a separate piece / of metal, or type, / marked a psychological breakthrough / of the first order.

S: Alphabet letterpress printing / 전치사 + 관계대명사 구문: in which / V: marked

알파벳 활판 인쇄술은 / 각 문자가 주조되는 / 별개의 조각으로 / 금속이나 활자의 / 심리학적인 발전을 이루었다 / 최고의

해석 각 글자가 분리된 금속 조각, 즉 활자에 주조되는 알파벳 활판 인쇄술은 최고의 심리학적 발전을 이루었다.

18-3 Employees are rated / not only by their supervisors / but by coworkers, clients or citizens, / professionals in other agencies / with whom they work, / and subordinates.

S: Employees / V: are rated / 전치사 + 관계대명사 구문: with whom

직원들은 평가된다 / 그들의 상관뿐만 아니라 / 동료, 고객이나 시민 / 다른 대행사의 전문가들 / 그들과 함께 일하는 / 그리고 부하 직원들에게

해석 직원들은 자신의 관리자에 의해서만이 아니라, 동료, 고객이나 시민, 함께 일하는 다른 대행사의 전문가들, 그리고 부하 직원들에 의해서도 평가를 받는다.

18-4 Standard descriptions / of the actions of the muscles / controlling the hand / can give a misleading impression / of the degree / to which the fingers can be controlled independently.

S: Standard descriptions / 분사구문: controlling the hand / V: can give / 전치사 + 관계대명사 구문: to which

표준 설명은 / 근육의 움직임에 대한 / 손을 제어하는 / 잘못된 인상을 줄 수 있다 / 정도에 대해서 / 손가락이 독립적으로 제어될 수 있는

해석 손을 제어하는 근육의 움직임에 대한 일반적 기술은 손가락이 개별적으로 제어될 수 있는 정도에 대해 잘못된 인상을 줄 수 있다.

18-5 However, / efforts are on / to have a built environment / in which loss of life is minimized, / and lifelines and infrastructure continue to function / during and after an earthquake disaster.

S: efforts / V: are on / 전치사 + 관계대명사 구문: in which

하지만 / 노력은 계속된다 / 환경을 구축하려는 / 인명 손실이 최소화되는 / 그리고 생명선과 기반 기설은 기능이 계속된다 / 지진이 벌어지고 있는 기간과 그 이후에

해석 그러나 인명 손실을 최소화하고, 지진 재해 진행 중과 그 이후에 생명선과 기반 시설이 계속 작동하는 건조 환경을 조성하기 위한 노력은 계속되고 있다.

18-6 The typical scenario / in the less developed world / is one / in which a very few commercial agriculturalists / are technologically advanced / while the vast majority are incapable of competing.

(S: The typical scenario / V: is / 전치사 + 관계대명사 구문: in which)

일반적인 시나리오는 / 저개발 세계에서 / 이것이다 / 매우 소수의 상업 농업인들이 / 기술적으로 발전하는 / 다수는 경쟁할 수 없는 반면에

해석 저개발 세계에서 쓰이는 전형적인 시나리오는 아주 소수의 상업적 농업 경영인들이 기술적으로 발전해 있는 반면에 대다수는 경쟁할 수 없다는 것이다.

18-7 Establishing correspondences / without knowing the rules / by which those correspondences are constructed / is like comparing Mansi words / with Khanty words / when we understand neither language.

(S: Establishing / V: is / 전치사 + 관계대명사 구문: by which)

대응을 설정하는 것은 / 규칙을 알지도 못한 채 / 그 규칙에 의해서 그러한 대응이 구축되어지는 / Mansi의 단어를 비교하는 것과 비슷하다 / Khanty 단어들과 / 우리가 어느 쪽 언어도 이해하지 못할 때

해석 그러한 대응이 구성된 규칙을 알지 못한 채로 대응을 설정하는 것은 우리가 어느 쪽 언어도 이해하지 못했을 때 Mansi어 단어를 Khanty어 단어와 비교하는 것과 같다.

18-8 Because overwhelming fear / can get in the way of / many types of adaptive action, / it sometimes is adaptive / for cultures / to provide "rose-colored glasses"/ with which to understand reality and our place in it.

(가주어 S: it / V: is / 진주어: to provide / 전치사 + 관계대명사 구문: with which)

압도적인 공포는 / 방해할 수 있기 때문에 / 많은 종류의 적응 작용을 / 때때로 적응적이다 / 문화들이 / '낙관적 견해'를 제공하는 건 / 그 견해를 가지고 현실과 그 안의 우리의 위치를 이해할 수 있게 하는

해석 압도적인 공포는 많은 종류의 적응 작용에 방해가 될 수 있으므로, 문화가 현실과 그 안에서 우리의 위치를 이해할 수 있게 하기 위해 "낙관적 견해"를 제공하는 것은 때때로 적응을 돕는다.

18-9 There is good evidence / that the current obesity crisis is caused, / in part, / not by what we eat / (though this is of course vital, too) / but by the degree / to which our food has been processed / before we eat it.

(V: is / S: evidence / 동격: that / 전치사 + 관계대명사 구문: to which)

유효한 증거가 있다 / 현재 비만 위기가 유발되는 / 부분적으로 / 우리가 먹는 것에 의해서가 아니라 / 이것이 물론 중요하기는 하지만 / 정도에 의해서 / 우리의 음식이 가공되어지는 / 우리가 그것을 먹기 전에

해석 현재의 비만 위기가 부분적으로는 우리가 먹는 것(물론 이것도 중요하지만)이 아니라 우리의 음식이 우리가 그것을 먹기 전에 가공된 정도에 의해 유발된다는 유효한 증거가 있다.

18-10 Because of the inner qualities / with which the individual is endowed / through heritage and environment, / the mind functions as a filter; / every outside impression / that passes through it / is filtered and interpreted.

(전치사 + 관계대명사 구문: with which / S: the mind, V: functions / S: every outside impression, 관계사 수식: that passes through it, V: is filtered and interpreted)

내적 특성 때문에 / 개인이 부여받은 / 유산과 환경을 통해서 / 정신은 필터로서 기능한다 / 모든 외부의 인상은 / 그것을 통과하는 / 걸러지고 해석된다

해석 개인이 유산과 환경을 통해 부여받은 내적 특성 때문에 그러한 정신은 그것을 통과하는 모든 외부의 인상이 걸러지고 해석되는 여과기 역할을 한다.

18-11 [Seeing / the hero battle obstacles / and overcome crises] / engages the viewer in an emotional struggle / in which the drama's storyline and its conclusion events / carry an emotional impact / that would otherwise be missing.

(동명사 주어 S: Seeing ~ crises, V: engages / 전치사 + 관계대명사 구문: in which / 관계사 수식: that would otherwise be missing)

보는 것은 / 영웅이 장애물과 싸우고 / 위기를 극복하는 걸 / 관객들을 감정적 투쟁이 빠지게 한다 / 드라마의 줄거리와 그 결말 사건은 / 감정적인 영향을 지닌다 / 그렇지 않았으면 놓치게 될

해석 영웅이 장애물과 싸우고 위기를 극복하는 것을 보는 것은 관객들을 감정적 투쟁에 빠지게 하는데, 그런 투쟁 속에서 드라마의 줄거리와 결말에 나오는 사건들은 그렇지 않다면 존재하지 않을 감정적인 영향을 지니게 된다.

18-12 As a result, / researchers gradually began to believe / that runners are subconsciously able to / adjust leg stiffness / prior to foot strike / based on their perceptions / of the hardness or stiffness of the surface / on which they are running.

(S: researchers, V: began / 전치사 + 관계대명사 구문: on which)

결과적으로 / 연구원들은 점차 믿기 시작했다 / 달리는 사람들이 잠재의식적으로 할 수 있다 / 다리의 경직도를 조정하기를 / 발이 땋에 닿기 전에 / 그들의 인식을 바탕으로 / 표면의 경도나 경직도에 대한 / 그들이 달리고 있는

해석 결과적으로 연구자들은 점차 달리는 사람은 자신이 달리고 있는 지표면의 경도나 경직도에 대한 자신의 인식을 바탕으로 발이 땅에 닿기 전에 다리의 경직도를 잠재의식적으로 조정할 수 있다고 믿기 시작했다.

18-13 People / with a strong sense of self-efficacy, / therefore, / may be more willing to / step outside the culturally prescribed behaviors / to attempt tasks or goals / for which success is viewed / as improbable / by the majority of social actors in a setting.

(S: People, V: may be / 전치사 + 관계대명사 구문: for which)

사람들은 / 강한 자기 효능감을 가진 / 그래서 / 더욱 하려고 할 지도 모른다 / 문화적으로 규정된 행동 밖으로 나아가려고 / 과업이나 목표를 시도하기 위해 / 성공이 보여지는 / 있을 법하지 않다고 / 환경에서의 다수 사회적 행위자에 의해서

해석 그러므로 강한 자기 효능감을 가진 사람들은 어떤 환경의 사회적인 행위자들 대다수가 성공이 있을 법하지 않다고 여기는 일이나 목표를 시도하기 위해 문화적으로 규정된 행동 밖으로 더 기꺼이 발을 디디려 할 수도 있다.

18-14 The transformation of such proto-language / into language / required the evolution of grammar / — rules / that define the order / in which a finite number of words / can be strung together / to create an infinite number of utterances, / each with a specific meaning.

S: The transformation of such proto-language / V: required / 관계사 수식: that define the order / 전치사 + 관계대명사 구문: in which / (being) 생략: each with a specific meaning

원시 언어의 변화는 / 언어로의 / 문법의 발달을 필요로 했다 / 규칙인 / 순서를 규정하는 / 유한한 수의 단어들이 / 함께 연결될 수 있다 / 무한한 수의 발화를 만들기 위해서 / 각각이 특정한 의미를 지닌

해석 그러한 원시 언어에서 언어로의 변형은 제한된 수의 단어들이 각각 특정한 의미를 지닌 무한한 수의 발화를 하기 위해 연결될 수 있는 순서를 규정하는 규칙인 문법의 발달을 필요로 했다.

18-15 When Peter Liu, / a UCLA sleep researcher, / brought chronically sleep-restricted people / into the lab / for a weekend of sleep / during which they slept / about 10 hours per night, / they showed improvements / in the ability of insulin / to process blood sugar.

전치사 + 관계대명사 구문: during which / S: they / V: showed

Peter Liu가 / UCLA 수면 연구원인 / 만성적으로 수면을 제한받고 있는 사람들을 데리고 왔을 때 / 실험실로 / 잠자는 주말을 위해서 / 그 기간 동안 그들은 잠을 잤다 / 하룻밤에 약 10시간 동안 / 그들은 개선을 보여 주었다 / 인슐린의 능력에서 / 혈당을 처리하는

해석 UCLA 수면 연구원 Peter Liu가 만성적으로 수면을 제한받은 사람들을 하룻밤에 10시간씩 자는 잠자는 주말을 보내기 위해 연구실로 데려 왔을 때, 그들은 혈당을 처리하는 인슐린 기능의 호전을 보였다.

18-16 We continually rely on the distribution systems / through which we experience art / — museums, galleries, radio stations, television networks, etc. — / to narrow the field of possibilities / for us / so that we don't have to spend / all of our energy / searching for the next great thing.

S: We / V: rely on / 전치사 + 관계대명사 구문: through which

우리는 계속해서 배급 시스템에 의존한다 / 그것을 통해서 우리는 예술을 경험한다 / 박물관, 미술관, 라디오 방송국, 텔레비전 방송국 등 / 가능성의 영역을 줄이기 위해서 / 우리에게 / 그래서 우리는 소비할 필요가 없다 / 우리의 에너지 모두를 / 다음 위대한 것을 찾는 데

해석 우리는 우리에게 가능한 것의 범위를 줄이기 위해 박물관, 미술관, 라디오 방송국, 텔레비전 방송국 등과 같이 우리가 예술을 경험하는 통로가 되어 주는 배급 체계에 계속 의존하여 그 결과 그 다음(번에 감상할) 훌륭한 것을 찾는 데 우리의 온 힘을 써버릴 필요가 없다.

18-17 It is precisely this issue of vulnerability / on which a number of social scientists focused, / arguing / that although floods, landslides and earthquakes are natural processes, / the disasters / that can be associated with them / are not a result of natural processes, / but of human vulnerability.

S: It / V: is / 전치사 + 관계대명사 구문: on which / 분사구문, 동시상황: arguing / S: the disasters / 관계사 수식: that can be associated with them / V: are

그것은 정확하게도 취약성의 문제이다 / 많은 사회 과학자들이 집중했던 / 주장하면서 / 비록 홍수, 산사태, 지진이 자연적인 과정임에도 불구하고 / 재난들은 / 그들과 관련될 수 있는 / 자연 과정의 결과가 아니라 / 인간의 취약성의 결과이다

해석 많은 사회과학자들이 집중했던 것이 바로 취약성의 문제인데, 그들은 홍수, 산사태, 그리고 지진이 자연적인 과정임에도 불구하고, 그들과 관련될 수 있는 재난들이 자연 과정이 아닌 인간의 취약성에 의한 결과라고 주장했다.

18-18 While current affairs programmes / are often 'serious' in tone / sticking to the 'rules' of balance, / more popular programmes / adopt a friendly, lighter, idiom / in which we are invited to / consider the impact of particular news items / from the perspective / of the 'average person in the street'.

(분사구문, 동시상황: sticking ~ / S: more popular programmes / V: adopt / 전치사 + 관계대명사 구문: in which → idiom)

현재의 시사 프로그램들은 / 종종 어조에서 '진지하다' / 균형의 '법칙'을 고수하면서 / 보다 대중적인 프로그램들은 / 친근하고 더 가벼운 표현 양식을 채택한다 / 우리는 해야 한다 / 특정한 뉴스 기사의 영향을 고려한다 / 관점으로부터 / '길거리의 보통 사람'의

해석 시사 프로그램들이 흔히 균형이라는 '규칙'을 고수하면서 어조가 '진지한' 편이지만, 더 대중적인 프로그램들은 친근하고 더 가벼운 표현 양식을 채택하는데 그 표현 양식에서 우리는 '거리에서 만나는 보통 사람'의 관점에서 특정 뉴스 기사의 영향을 고려해 보게 된다.

18-19 Imagine / there are two habitats, / a rich one / containing a lot of resources / and a poor one / containing few, / and that there is no territoriality or fighting, / so each individual is free to exploit the habitat / in which it can achieve the higher pay-off, / measured / as rate of consumption of resource.

(V: Imagine / 분사 구문: containing a lot of resources → a rich one / 분사 구문: containing few → a poor one / 전치사 + 관계대명사 구문: in which → the habitat / 분사구문, the higher pay-off 추가 설명: measured ~)

상상해 보라 / 두 서식지가 있다는 것을 / 풍요로운 서식지 / 많은 자원을 포함하는 / 그리고 형편없는 서식지 / 거의 아무것도 포함하지 않는 / 그리고 어떠한 영토권이나 싸움도 없다 / 그래서 각 개인은 자유롭게 서식지를 이용한다 / 그것은 더 높은 이익을 얻을 수 있는 / 이는 측정된다 / 자원 소비율로서

해석 많은 자원을 보유한 풍족한 서식지와 자원을 거의 보유하지 못한 부족한 서식지, 두 개의 서식지가 있고, 영토권이나 싸움이 없어서 각 개체가 자원 소비율로 측정되는 더 높은 이익을 얻을 수 있는 서식지를 자유롭게 이용할 수 있다고 상상해 보라.

18-20 Sociologists of genetics argue / that media portrayals / of genetic influences on health / have increased considerably over time, / becoming part of the public discourse / through which individuals understand symptoms, / make help-seeking decisions, / and form views of people / with particular traits or conditions.

(S: Sociologists of genetics / V: argue / S: media portrayals / V: have increased / 분사구문, 동시상황: becoming ~ / 전치사 + 관계대명사 구문: through which → the public discourse)

유전학 사회학자들은 주장한다 / 미디어의 묘사는 / 건강에 미치는 유전자의 영향에 대한 / 일정 시간 동안 상당히 증가해 왔다 / 이는 대중의 담론의 일부가 되었다 / 그것을 통해서 개인들은 증상을 이해하고 / 도움을 구하는 결정을 내리고 / 그리고 사람들의 견해를 형성했다 / 특정한 특성이나 조건을 가진

해석 유전학 사회학자들은 건강에 미치는 유전적 영향에 대한 대중매체의 묘사가 시간이 지나면서 상당히 증가하여 공개적 담론의 일부가 되었고, 그것을 통해 개인은 증상을 이해하고, 도움을 구하는 결정을 내리고, 특정한 특성이나 조건을 가진 사람들에 대한 견해를 형성한다고 주장한다.

UNIT 19 계속적 용법 구문

pg. 090~092

19-1 We expect / people / to monitor machines, / which means / keeping alert / for long periods, / something / we are bad at.

(S: We, V: expect / 앞문장 전체: which / 관계사 생략 문장 수식: something ← we are bad at)

우리는 기대한다 / 사람들이 / 기계를 감시하기를 / 이는 의미한다 / 경계를 유지하는 것을 / 오랜 기간 동안 / 어떤 것이다 / 우리가 잘하지 못하는

해석 우리는 사람들이 기계를 감시하기를 기대하는데, 이는 오랫동안 경계를 게을리하지 않는 것을 의미하며, 그것은 우리가 잘하지 못하는 어떤 것이다.

19-2 Some decisions / by their nature / present great complexity, / whose many variables must come together a certain way / for the leader to succeed.

(S: Some decisions, V: present / great complexity: whose)

일부 결정은 / 그들의 본질상 / 엄청난 복잡성을 제시한다 / 그것의 많은 변수들은 특정한 방식으로 합쳐져야 한다 / 지도자가 성공하기 위해서는

해석 몇몇 결정은 그 본질상 엄청난 복잡성을 제시하는데, 지도자가 성공하기 위해서는 그것의 많은 변수들이 특정한 방식으로 합쳐져야 한다.

19-3 The company's passion / for satisfying customers / is summed up in its credo, / which promises / that its luxury hotels will deliver a truly memorable experience.

(S: The company's passion, V: is summed up / its credo: which)

기업의 열정은 / 고객을 만족시키기 위한 / 그의 신조로 요약된다 / 이는 약속한다 / 그것의 고급 호텔은 진정으로 기억될 만한 경험을 전달할 것이라고

해석 고객을 만족시키기 위한 그 기업의 열정은 그것의 신조에 요약되어 있고, 이는 그 기업의 고급 호텔이 진정으로 기억될 만한 경험을 제공할 것을 약속한다.

19-4 The blueprints for our shells / spring from our minds, / which may spontaneously create something / none of our ancestors ever made or even imagined.

(S: The blueprints, V: spring / our minds: which / 관계사 생략 문장 수식: something ← none of our ancestors ever made or even imagined)

우리 겉모습을 위한 청사진은 / 우리 정신에서부터 튀어나온다 / 이는 자연스럽게 무언가를 만들어 낼 수도 있다 / 우리 조상 중 누구도 만들어 내거나 상상하지도 못했던

해석 우리의 겉모습을 위한 청사진은 우리의 정신으로부터 나오는데, 그것은 우리 조상들 중 어느 누구도 만들어 내거나 심지어 상상하지도 못했던 것을 자연스럽게 만들어 낼 수도 있다.

19-5 At times / they need to be surprised / with your small achievements, / which could be some additional skills / you acquired, / or some awards / you won in your field of passion.

(S: they, V: need / your small achievements: which / 관계사 생략 문장 수식: additional skills ← you acquired / 관계사 생략 문장 수식: some awards ← you won in your field of passion)

때때로 / 그들은 놀랄 필요가 있다 / 우리의 작은 성취에 / 이는 일부 추가적인 기술일 수도 있다 / 당신이 얻은 / 아니면 몇 개의 상일 수 / 당신이 당신의 열정 분야에서 얻은

해석 때때로 그들은 여러분의 작은 성과에 놀랄 필요가 있는데, 그것은 여러분이 추가로 습득한 몇 가지 기술이나 여러분이 열정 분야에서 받은 몇 개의 상일 수도 있다.

19-6 Why does the "pure" acting of the movies / not seem unnatural to the audience, / who, after all, / are accustomed in real life to people / whose expression is more or less indistinct?

S: the "pure" acting of the movies / V: not seem / who = the audience / whose ~: 관계사 수식

왜 영화에서의 '순진한 연기'가 / 관객들에게 부자연스럽게 보이지 않을까 / 결국 / 실제 삶에서 사람들에게 익숙한 / 그들의 표현이 다소 불분명한

해석 어쨌든 실제 현실에서는 표현이 다소 불분명한 사람들에 익숙한 관객들에게 왜 영화의 '순진한' 연기가 부자연스럽게 보이지 않는가?

19-7 Although richer people spend / smaller proportions of their income / on food, / in total / they consume more food / — and richer food, / which contributes to various kinds of disease and debilitation.

S: they / V: consume / which = 앞문장 전체

비록 더 부유한 사람들이 소비함에도 / 그들의 수입에서 더 적은 비율을 / 음식에 / 전체적으로 / 그들은 더 많은 음식을 섭취한다 / 그리고 더 기름진 음식을 / 이는 다양한 종류의 질병와 건강 악화를 유발한다

해석 비록 더 부유한 사람들이 자신들의 소득의 더 낮은 비율을 음식에 소비하지만, 통틀어 그들은 더 많은 음식 그리고 더 기름진 음식을 섭취하는데, 그것은 다양한 종류의 질병과 건강 악화의 원인이 된다.

19-8 Unlike the "urban villagers," / whose loose ties / to the outside / restrict them / within their boundaries, / cosmopolitan networks / profit from exposure / to new information and a more extensive range of relationships.

whose = the ruban villagers / S: cosmopolitan networks / V: profit

'도시의 촌사람들'과는 달리 / 그들의 느슨한 연대가 / 외부와의 / 그들을 제한하는 / 그들의 경계안에서 / 범세계적인 네트워크는 / 노출로부터 이득을 취한다 / 새로운 정보와 관계의 보다 넓은 범위에 대한

해석 외부와의 느슨한 결속으로 인해 자신들의 영역 안에 갇히는 '도시의 촌사람들'과는 달리 범세계적인 네트워크는 새로운 정보와 더 넓은 범위의 관계에 접함으로써 이득을 취한다.

19-9 A fundamental insight of modern economics / is that / the key to the creation of wealth / is a division of labor, / in which specialists learn / to produce a commodity / with increasing cost-effectiveness / and have the means / to exchange their specialized products efficiently.

S: A fundamental insight / V: is / S: the key / V: is / which = a division of labor

현대 경제에 대한 근본적인 통찰은 / 이것이다 / 부의 창출에 대한 핵심은 / 노동의 분업이다 / 이 안에서 전문가들은 배운다 / 상품을 생산하는 것을 / 비용 효율성을 늘리면서 / 그리고 수단을 갖게 된다 / 그들의 특화된 상품을 효율적으로 교환하는

해석 현대 경제학의 근본적인 통찰은 부 창출의 핵심은 분업이고, 그것(분업) 내에서 전문가들은 비용 효율성을 늘리면서 상품을 생산하는 법을 배우고 자신의 특화된 상품을 효율적으로 교환할 수 있는 수단을 갖는다는 것이다.

19-10 It seemed like a fair deal: / we would accept new technologies, / which would modify our habits / and oblige us / to adjust to certain changes, /

S: It / V: seemed / S_1: we / V_1: would accept / which = 앞문장 전체 / V_1: would modify / V_2: oblige

그건 공정한 거래처럼 보였다 / 우리는 새로운 기술을 받아들일 것이다 / 이건 우리 습관을 수정할 지도 모른다 / 우리로 하여금 하게 할 것이었다 / 특정한 변화에 적응하도록 /

S₂ V₂
but in exchange / we would be granted / relief from the burden of work, /
하지만 그 대가로 / 우리는 얻을 것이었다 / 일의 부담으로부터의 경감을 /

more security, / and above all, / the freedom to pursue our desires.
더 많은 보안을 / 그리고 무엇보다도 / 우리 욕구를 추구할 자유를

해석 그것은 공정한 거래처럼 보였다. 우리는 새로운 기술을 받아들일 것이었고, 그것은 우리의 습관을 바꾸고 어쩔 수 없이 우리가 특정한 변화에 적응하게 할 것이었지만, 그 대가로 우리는 일의 부담의 경감, 더 많은 보안, 그리고 무엇보다도 우리의 욕망을 추구할 자유를 얻을 것이었다.

가주어 V 진주어 1
19-11 Since that time, / it has become apparent / that broadly effective pesticides /
그때 이래로 / 명확하게 되었다 / 폭넓게 효과적인 살충제가

앞문장 전체
can have harmful effects / on beneficial insects, / which can negate their effects /
위험한 영향을 미칠 수 있다 / 유익한 곤충에게 / 이는 그들의 영향을 무효화할 수 있다

진주어 2
in controlling pests, / and that persistent pesticides can damage non-target organisms /
해충을 통제하는 데 있어 / 그리고 그렇게 지속적인 살충제는 목표가 아닌 생물에게 해를 입힐 수 있다 /

in the ecosystem, / such as birds and people.
생태계에서 / 새와 사람과 같은

해석 그때 이래로, 널리 효과를 거두는 살충제가 유익한 곤충에 해로운 영향을 미칠 수 있어서 그것이 해충 통제 효과를 무효화할 수 있으며, 그 지속하는 살충제는 새와 사람 같은, 생태계의 목표 외 생물에게 해를 줄 수 있다는 것이 분명해졌다.

19-12 In spite of increasing acceleration, / for example / in travelling through geographical or virtual space, /
가속도가 증가함에도 불구하고 / 예를 들어 / 지리적 공간이나 가상 공간을 통해서 이동할 때 /

S V a passive non-moving container
our body becomes more and more a passive non-moving container, / which is transported /
우리 신체는 더욱 더 수동적인 움직이지 않는 컨테이너가 된다 / 이는 운송된다 /

by artefacts / or loaded up / with inner feelings of being mobile / in the so-called information society.
인공물에 의해서 / 아니면 채워진다 / 움직이고 있다는 내부의 감정으로 / 소위 정보 사회에서

해석 예를 들어, 지리적 공간이나 가상의 공간을 이동하는 데에서 속도가 증가하고 있음에도 불구하고, 우리의 몸은 점점 수동적이고 움직이지 않는 컨테이너가 되는데, 그것은 인공물에 의해 운송되거나 이른바 정보 사회에서 이동한다는 내적 느낌으로 가득 채워진다.

UNIT 20 관계사 what 구문

pg. 094~096

S V
20-1 As we invent more species of AI, / we will be forced / to surrender more of /
우리가 더 많은 종의 AI를 발명함에 따라 / 우리는 해야만 할 것이다 / 더 많은 것들을 포기해야 /

what절 V
what is supposedly unique / about humans.
아마도 독특한 것을 / 인간에 대해서

해석 더 많은 종의 AI(인공지능)를 발명하면서, 우리는 아마도 인간에게만 있는 것 중 더 많은 것을 내줘야만 할 것이다.

S 관계사 수식 V_1 ❶

20-2 Children / who visit / cannot help but remember /

아이들은 / 방문하는 / 기억하지 않을 수 없다 /

what절 S V V_2 ❷

what their parents or grandparents once were / and be depressed by their incapacities.

그들의 부모나 조부모님이 예전에 어떠했는지를 / 그리고 그들의 무능에 의해 낙담할 수밖에 없다

해석 방문하는 자녀들은 부모님이나 조부모님이 예전에 어떠했는지를 기억하고 그들의 무능함에 의기소침해할 수밖에 없다.

관계사 수식

20-3 When you begin to tell a story again / that you have retold many times, /

당신이 다시 이야기를 말하기 시작할 때 / 당신이 여러 번 말해 왔던

what절 S S V V

what you retrieve from memory / is the index / to the story itself.

당신이 기억으로부터 되찾은 것은 / 지표이다 / 이야기 그 자체에 대한

해석 여러 번 반복하여 말했던 이야기를 다시 말하기 시작할 때, 기억에서 되찾는 것은 이야기 자체에 대한 지표이다.

S V

20-4 The fast-moving, risk-loving, and pioneering private sector, / by contrast, / is /

빠르게 움직이고,위험을 사랑하고, 선구적인 민간 부문은 / 반대로 / 이다 /

what절 V 관계사 수식

what really drives the type of innovation / that creates economic growth.

진짜로 혁신의 유형을 이끄는 것 / 경제 성장을 만들어내는

해석 반면에, 빠르게 움직이고, 위험을 사랑하며, 선구적인 민간 부문이 경제 성장을 창출하는 혁신 유형을 실제로 추진하는 것이다.

what절 S V V

20-5 In economic systems / what takes place in one sector / has impacts on another; /

경제 시스템에서 / 한 분야에서 발생한 것은 / 또 다른 것에 영향을 준다 /

S V

demand for a good or service / in one sector / is derived from another.

상품이나 서비스에 대한 수요는 / 한 분야에서 / 또 다른 것에서 파생한다

해석 경제 시스템에서는 한 부문에서 일어나는 일이 다른 부문에 영향을 미치며, 한 부문에서의 재화나 서비스에 대한 수요는 다른 부문에서 파생된다.

S V

20-6 Good teachers know / that learning occurs / when students compare /

훌륭한 교사들은 안다 / 학습이 발생한다는 것을 / 학생들이 비교할 때 /

what절 분사 수식

what they already know / with the new ideas / presented by the teacher or textbook.

그들이 벌써 알고 있는 것을 / 새로운 생각과 / 교사나 교재로부터 받은

해석 훌륭한 교사들은 학생들이 이미 알고 있는 것을 교사나 교과서가 제시하는 새로운 아이디어와 비교할 때 학습이 일어난다는 것을 알고 있다.

20-7 Intellectual, introspective, and exceedingly detail-oriented, investigators(S) are(V) happiest / when they're using their brain power / to pursue / what(what절) they(S) deem(V) / as a worthy outcome.

지적이고 자기 성찰적이며 과도하게 꼼꼼한 조사자는 가장 행복하다 / 그들이 그들의 지적 능력을 사용하고 있을 때 / 추구하기 위해서 / 그들이 여기는 것을 / 가치 있는 결과로

해석 조사자는 지적이고, 자기 성찰적이며, 대단히 꼼꼼하며, 자신이 가치 있는 결과로 여기는 것을 추구하기 위해 지적 능력을 사용하고 있을 때 가장 행복하다.

20-8 Any discussion(S) of coevolution / quickly runs into(V) / what(what절) philosophers(S) call(V) a "causality dilemma," / a problem / we recognize from the question, (관계사 생략 문장 수식) / "Which came first, / the chicken or the egg?"

공진화에 대한 어떠한 논의도 / 빠르게 부딪힌다 / 철학자들이 '인과관계의 딜레마'라고 부르는 것에 / 문제인 / 우리가 질문으로부터 인식하는 / 어느 게 먼저냐 / 닭인가 달걀인가?

해석 공진화(共進化)에 대한 어떠한 논의도 철학자들이 '인과관계 딜레마'라고 부르는 것, 즉 '어느 것이 먼저인가, 닭인가 아니면 달걀인가?'라는 질문에서 우리가 인식하는 문제에 곧 부딪힌다.

20-9 In the Arapesh tribe, / both men and women(S) were taught(V) / to play / what(what절) we(S) would regard(V) / as a feminine role: / They(S) were(V) cooperative, non-aggressive, and sensitive / to the needs of others.

Arapesh 부족에서 / 남성과 여성 둘 다 배웠다 / 역할을 하도록 / 우리가 간주하는 것을 / 여성의 역할로서 / 그들은 협조적이고, 비공격적이고, 민감하다 / 다른 이들의 욕구에

해석 Arapesh 부족에서 남성과 여성 모두는 우리가 여성 역할로 간주할 만한 것의 역할을 하도록 배웠다. 그들은 상호협조적이고 비공격적이었고 다른 사람들의 요구를 잘 헤아렸다.

20-10 Philosopher Thomas Nagel(S) argued(V) / that there is no "view from nowhere,"/ since we cannot see the world / except from a particular perspective, / and that perspective influences / what(what절) we(S) see(V).

철학자 Thomas Nagel은 주장했다 / 어떠한 '아무 것도 아닌 곳으로부터의 관점'은 없다고 / 왜냐하면 우리는 세상을 볼 수 없으니까 / 특정한 관점을 제외하고는 / 그리고 그 관점은 영향을 준다 / 우리가 보는 것에

해석 철학자 Thomas Nagel은 '입장이 없는 관점'은 없다고 주장했는데, 왜냐하면 우리는 특정한 관점에서 보는 경우를 제외하고는 세계를 볼 수 없고, 그 관점이 우리가 보는 것에 영향을 미치기 때문이다

20-11 To assess subjects' real life experiences, / the researchers(S) compared(V_1) / lists of goals / that subjects had set for themselves (관계사 수식) / against what(what절) they(S) had actually accomplished(V) / and also relied on(V_2) self-reports.

피실험자의 실제 생활 경험을 평가하기 위해서 / 연구원들은 비교했다 / 목표의 목록을 / 피실험자들이 스스로 세웠던 / 그들이 실제로 성취했던 것과 / 또한 자기 보고서에 의존했다

해석 실험 대상자들의 실생활 경험을 평가하기 위해, 연구원들은 실험 대상자들 스스로가 설정했던 목표들의 목록과 그들이 실제로 성취했던 것을 비교하였고, 또한 자기 보고서에 의존했다.

20-12 Most historians of science / point to the need / for a reliable calendar / to regulate agricultural activity /
대부분의 과학 역사가들은 / 필요성을 지적한다 / 신뢰할 만한 달력의 / 농업 활동을 규제하기 위해서 /

as the motivation for learning / about what we now call astronomy, / the study of stars and planets.
학습의 동기로서 / 우리가 지금 천문학이라고 부르는 것에 대해 / 별과 행성에 대한 학문인

해석 대부분의 과학 역사가들은 별과 행성에 대한 연구, 즉 우리가 현재 천문학이라 부르는 것에 대해 배우고자 하는 동기로 농업 활동을 규제하기 위한 신뢰할 만한 달력의 필요성을 지적한다.

20-13 Once you start to see praise / for what it is / — and what it does — /
일단 당신이 칭찬을 보기 시작하는 한 / 그것이 무엇인지에 대해 / 그리고 그것이 무엇을 하는지 /

these constant little valuative outbursts / from adults / start to produce the same effect /
이러한 지속적인 작은 평가의 분출은 / 어른으로 부터의 / 같은 효과를 만들기 시작한다 /

as fingernails / being dragged down a blackboard.
손톱과 / 칠판을 아래로 긁어대는

해석 일단 당신이 칭찬이 무엇인지-그리고 칭찬이 무엇을 하는지-에 대해 보기 시작한다면, 어른들로부터 지속적으로 쏟아져 나오는 이러한 평가(칭찬)는 손톱이 칠판위에 긁힐 때 나오는 소리가 갖는 (소름 돋는)효과와 같은 효과를 내기 시작한다.

20-14 We all begin / in a kind of sensory chaos /
우리 모두는 시작한다 / 일종의 감각의 혼돈에서 /

— what William James called an "aboriginal sensible muchness": /
William James가 '원래의 지각 가능한 많은 것'으로 불렀던 것 /

a more or less undifferentiated mass / of sounds and lights, colors and textures and smells.
다소 구분되지 않았던 덩어리 / 소리와 빛, 색깔과 질감과 냄새의

해석 우리는 모두 William James가 "원래의 지각 가능한 많은 것"이라 불렀던 것인 일종의 감각의 혼돈에서 시작하는데, 이는 소리와 빛, 색깔과 질감과 냄새가 좀처럼 구분되지 않은 하나의 덩어리이다.

20-15 The researchers were led to the conclusion / that the 5-year-olds in the toys group /
연구원들은 결론에 다달았다 / 장난감 집단에서의 5세 아이들은 /

were attending quite strategically, / distributing their attention / between toy play and viewing /
아주 전략적으로 주의를 기울이고 있었다 / 그들의 관심을 분배하면서 / 장난감 놀이와 시청 사이에 /

so that they looked at / what was for them the most informative part of the program.
그들이 보기 위해서 / 그들에게 있어 프로그램 중 가장 유용한 정보를 주는 것을

해석 그 연구자들은 장난감 집단에 있었던 5세 아동들이 그 프로그램에서 그들에게 가장 유용한 정보를 주는 부분을 보기 위해 장난감 놀이와 시청 사이에 주의를 분배하면서 상당히 전략적으로 주의를 기울이고 있었다는 결론을 내렸다.

21-1 There's(V) a direct analogy(S) / between the fovea / at the center of your retina /
직접적인 유사함이 있다 / 중심와와 / 당신의 망막의 중앙에 있는 /
and your fingertips, / both of which (both of the fovea and your fingertips) have high acuity.
당신의 손가락 끝 사이에 / 이 둘 다 모두 매우 예민하다

해석 망막의 중심에 있는 중심와(窩)와 손가락 끝 사이에 직접적인 유사함이 있는데, 그것 둘 다 예민함이 높다는 것이다.

21-2 Jobs(S_1) may not be(V_1) permanent, / and you(S_2) may lose(V_2) your job / for countless reasons, /
일들은 영구적이지 않을 수 있다 / 그리고 당신은 일자리를 잃을 수도 있다 / 셀 수 없는 이유로 /
some of which (some of countless reasons) / you may not even be responsible for.
그중 일부는 / 당신이 심지어 책임도 없을지도 모른다

해석 일은 영구적이지 못할 수 있으며 여러분은 무수하게 많은 이유로 인해 일자리를 잃을지도 모르는데, 여러분은 그 이유 중 몇몇에 대해서는 아무런 책임도 없을 수 있다.

21-3 The contestants(S) had pinpointed(V) 110 locations / on the company's property, /
대회 참가자들은 110개의 지점을 정확하게 지적했다 / 회사의 소유지에서 /
half of which (half of 110 locations) had never been earmarked / by company geologists.
그중의 절반은 결코 주목받지 못했다 / 회사의 지질학자들에 의해서

해석 대회 참가자들은 그 회사의 소유지에서 110개의 지점을 정확하게 지적했는데, 그 지점들 중에서 절반은 그 회사의 지질학자들이 한 번도 주목하지 않은 것이었다.

21-4 Good papers(S) do not merely review(V_1) literature / and then say(V_2) something like /
좋은 논문은 단순히 문헌을 검토만 하지 않는다 / 그리고 나서 이와 같은 것을 말하지도 않는다 /
"there are many different points of view, / all of which (all of many different points of view) / have something useful to say."
많은 다른 관점이 있다 / 그 모든 것들은 / 말할 만한 유용한 무언가를 가진다

해석 좋은 논문은 단지 문헌을 검토하고 난 후 "많은 다른 관점들이 있고, 그 모든 관점들은 유용한 무언가를 말하고 있다."와 같은 말을 하지 않는다.

21-5 Justinian(S) helped(V) his people / by recovering the lands / that had once been part of the Roman (관계사 수식)
Justinian는 자신의 백성들을 도왔다 / 영토를 회복함으로써 / 로마제국의 일부였었던
Empire, / many of which (many of the lands) had fallen into / the hands of invaders from the north.
/ 그중 많은 부분은 떨어졌었다 / 북쪽에서 온 침입자들의 손에

Justinian는 한때는 로마제국의 일부였던 땅을 되찾음으로써 자신의 백성들을 도왔는데, 그 땅들의 많은 부분들이 북쪽의 침략자들의 손에 떨어진 적이 있었다.

동명사 주어 S / V

21-6 [Building in regular "you time,"] / however, / can provide numerous benefits, /

규칙적인 '여러분의 시간'을 구축하는 것은 / 하지만 / 수 많은 이익을 제공할 수 있다 /

all of numerous benefits

all of which / help to make life / a little bit sweeter and a little bit more manageable.

이 모든 것은 / 삶을 만들도록 돕는다 / 약간 더 달콤하고 약간 더 관리하기 쉽게

해석 그러나 규칙적인 '여러분의 시간'을 구축하는 것은 많은 이득을 제공할 수 있는데, 이 모든 것들이 삶을 좀 더 달콤하고 좀 더 관리하기 쉽게 하는 데 도움을 준다.

S / 분사 수식 / V_1

21-7 People / rooted in landscape / may feel strong connections / to other community members /

사람들은 / 경관에 뿌리를 두고 있는 / 강한 유대감을 느낄 수도 있다 / 다른 공동체의 구성원과 /

V_2 / they believe (outsiders) are different and challenge ~

and may resent the invasion of outsiders / who they believe / are different /

그리고 외부인의 침입에 분노할 수도 있다 / 그들이 믿기에 / 다르다고 /

and challenge their common identity.

그리고 그들의 공동의 정체성에 도전한다고

해석 경관에 뿌리를 두고 있는 사람들은 다른 공동체 구성원들과 강한 유대감을 느낄 수도 있고 그래서 그들과 다르고 그들의 공통된 정체성에 도전한다고 그들이 믿는 외부인들의 침입에 분개할 수도 있다.

S / V / ❶

21-8 Much of this loss / has been driven / by habitat destruction / from logging /

이 감소의 상당 부분은 / 초래되었습니다 / 서식지 파괴에 의해서 / 벌목으로부터 /

❷ / the fruit of oil palm

and the rapid spread / of vast plantations of oil palm, / the fruit of which / is sold /

그리고 빠른 확산으로부터 / 기름야자나무의 광대한 재배 농장의 / 그것의 과일은 / 팔린다 /

분사 수식

to make oil / used in cooking and in many food products.

기름을 만들기 위해서 / 요리와 많은 식품에 사용되는

해석 이러한 감소의 상당 부분은 벌목으로 인한 서식지 파괴와 요리 및 많은 식품에 사용되는 기름을 만들기 위해 판매되는 열매를 맺는 기름야자나무의 광대한 재배 농장이 급속도로 널리 퍼진 것 때문에 초래되었다.

S

21-9 According to Derek Bickerton, / human ancestors and relatives /

Derek Bickerton에 따르면 / 인간의 조상들과 친척들은 /

V

such as the Neanderthals / may have had a relatively large lexicon of words, /

네안데르탈인과 같은 / 아마도 상대적으로 거대한 어휘 목록을 가지고 있었을지도 모른다 /

each of words

each of which / related to a mental concept / such as 'meat', 'fire', 'hunt' and so forth.

그 각각은 / 정신적인 개념과 관련이 있었다 / 고기, 불, 사냥, 등과 같은

해석 Derek Bickerton에 따르면, 네안데르탈인과 같은 인간의 조상들과 친척들은 비교적 큰 어휘 목록을 가지고 있었을 것이고, 각 단어는 '고기', '불', '사냥' 등과 같은 정신적인 개념과 관련이 있었다.

21-10 If glaciers started re-forming, / they have a great deal more water now / to draw on /
빙하가 재형성되기 시작한다면 / 그들은 지금 엄청난 양을 가지고 있다 / 끌어올 /
— Hudson Bay, the Great Lakes, / the hundreds of thousands of lakes of Canada, /
Hudson만, 오대호, / 캐나다의 수십만 개의 호수 /
none of Hudson Bay, ~Canada
none of which / existed to fuel the last ice sheet / — so they would grow very much quicker.
그중 어떠한 것도 / 마지막 빙하에 연료(물)를 제공하기에 존재하지 않았다 / 그래서 그들은 더 빠르게 커질 것이다

해석 만일 빙하가 다시 형성되기 시작한다면, 그것들은 이제는 이용할 훨씬 더 많은 물, 즉 존재하지 않아서 마지막 대륙 빙하에 물을 공급하지 못했던 Hudson만(灣), 오대호, 캐나다의 수십만 개의 호수를 가지고 있어서, 매우 훨씬 더 빠르게 커질 것이다.

21-11 The location of senile mental deterioration / was no longer the aging brain / but a society / that,
노쇠한 이들의 정신적 악화의 장소는 / 더 이상 노화된 뇌가 아니라 / 사회였다 /
관계사절 안에 삽입된 형태
through involuntary retirement, social isolation, / and the loosening of traditional family ties, /
비자발적 퇴직, 사회적 고립, / 그리고 전통적 가족 결합의 느슨해짐을 통해서 /
관계사 수식
stripped the elderly of the roles / that had sustained meaning in their lives.
노인들로부터 역할을 빼앗아 버린 / 그들의 삶에서 의미를 유지해 왔던

해석 노쇠한 이들의 정신적 노화의 장소는 더 이상 노화한 뇌가 아니라 비자발적 퇴직, 사회적 고립, 그리고 전통적인 가족 유대감의 해체를 통해 노인들로부터 그들의 삶에서 의미를 유지했던 역할을 빼앗아 버린 사회였다.

21-12 Book advertisements / in *The New York Review of Books* and *The New York Times Book Review* /
책 광고는 / The New York Review of Books와 The New York Times Book Review에서 /
regularly include pictures of authors / and quote authors / as they talk about their work, /
정기적으로 저자의 사진을 포함하고 / 저자를 인용한다 / 그들이 작품에 대해서 이야기할 때 /
both of 앞문장의 두 가지 사실(사진과 인용)
both of which / show / that our interest is as much in authors / as in their books.
그 두 가지 모두 / 보여 준다 / 우리 관심이 저자들에게도 있다는 걸 / 그들의 책만큼이나

해석 'The New York Review of Books'와 'The New York Times Book Review'에 실리는 책 광고는 보통은 작가의 사진을 포함하고 작가가 자신의 작품에 관해 이야기할 때 한 말을 인용하는데, 이 두 가지는 모두 우리의 관심이 그들의 책만큼이나 작가에게도 있다는 것을 보여 준다.

21-13 Respondents' most emotional memories / of their personal details / at the time /
응답자의 가장 감정적인 기억들은 / 그들의 개인적인 세부 사항에 대한 / 그 당시에 /
관계사 생략 문장 수식 those of personal details
they learned of the attacks / are also those of which / they are most confident /
그들은 그 공격에 대해서 알았던 / 마찬가지로 세부 사항에 대한 기억들이다 / 그들이 가장 확신하는 /
관계사 수식
and, paradoxically, the ones / that have most changed over the years /
그리고 역설적이게도 기억이다 / 수년 동안 가장 많이 변했던 /
relative to other memories about 9/11.
9/11에 대한 다른 기억에 비해서

해석 응답자가 그 공격에 대해서 알게 되었을 당시 자신의 개인적인 세부 사항에 관해 가장 감정을 자극하는 기억은 또한 그들이 가장 확신하는 기억인데, 역설적이게도 그것은 9/11에 대한 다른 기억에 비해 시간이 지나면서 가장 많이 변했던 기억이다.

21-14 For every patient / seeking help / in becoming more organized, self-controlled, / (분사 수식)
모든 환자들에게 있어 / 도움을 구하는 / 더 조직화되고, 자기 통제적이 되는 데 있어 /

and responsible about her future, / there is a waiting room / full of people / hoping to loosen up, / (V, S, 형용사구 수식, 분사 수식)
그리고 자신의 미래에 대해 책임감을 갖게 되기 위해 / 대기실이 있다 / 사람으로 가득찬 / 느슨해지길 희망하는 /

lighten up, / and worry less / about the stupid things / they said at yesterday's staff meeting / (관계사 수식)
가벼워지고 / 덜 걱정하기를 / 어리석은 것들에 대해서 / 그들이 어제 직원 회의에서 말했던 /

or about the rejection / they are sure / will follow tomorrow's lunch date. (they are sure (rejection) will follow ~)
혹은 거절에 대해서 / 그들이 확신하기에 / 내일의 점심 데이트에 이어질 거라

해석 좀 더 조직화되고, 자기 통제적이며, 자신의 미래에 대해 책임감을 갖게 되기 위해 도움을 청하는 환자 한 명에 비해, 대기실을 가득 채울 정도의 사람들이 긴장을 풀고, 마음을 가볍게 하며, 어제 직원 회의에서 자신이 했던 어리석은 말들이나 내일 점심 데이트에 이어질 거라 확신하고 있는 거절에 대해 덜 걱정하기를 희망한다.

UNIT 22 복합 관계사 구문

pg. 102-103

22-1 People work / within the forms / provided by the cultural patterns / (S, V, 분사 수식)
사람들은 일한다 / 형태 내에서 / 문화적 패턴에 의해서 제공되는 /

that they have internalised, / however contradictory these may be. (관계사 수식)
그들이 내면화한 / 아무리 이것들이 모순되더라도

해석 사람들은 아무리 모순되더라도 자신이 내면화한 문화적 패턴에 의해 제공되는 형태 내에서 일한다.

22-2 A fearful prey animal / like a deer / ought to just get out of there / (S, V)
두려움이 많은 사냥감 동물은 / 사슴과 같은 / 거기에서 바로 벗어나야만 한다 /

whenever it sees something / strange and different / that it doesn't understand. (관계사 수식)
그것이 무언가를 볼 때마다 / 이상하고 다른 / 그것이 이해하지 못하는

해석 사슴처럼 두려움이 많은 사냥감 동물은 자신이 이해하지 못하는 이상하고 색다른 일을 볼 때마다 바로 그 자리에서 벗어나야 한다.

22-3 Accepting / whatever others are communicating / only pays off / (S, V)
받아들이는 것은 / 다른 이들이 전달하고 있는 무엇이든 / 오직 성공한다 /

if their interests correspond to ours / — think / cells in a body, / bees in a beehive. (V 명령문)
그들의 관심사가 우리의 것과 상응한다면 / 생각해 보라 / 신체 안의 세포 / 벌집 속 벌을

해석 다른 사람들이 전달하고 있는 것이 무엇이든 그것을 받아들이는 것은 그들의 관심사가 우리의 관심사와 일치할 때에만 성공하는데, 체내의 세포, 벌집 속의 벌을 생각해 보라.

22-4 A turtle / that withdraws into its shell / at every puff of wind /
(S: A turtle, 관계사 수식)
거북이는 / 그것의 등껍질 속으로 움츠리는 / 바람이 조금 불 때마다 /

or whenever a cloud casts a shadow / would never win races, / not even with a lazy rabbit.
(V: would never win)
아니면 구름이 그림자를 드리울 때마다 / 경기를 이기지 못할 것이다 / 심지어 게으른 토끼와의

해석 바람이 조금 불 때마다, 또는 구름이 그림자를 드리울 때마다 등껍질 속으로 움츠리는 거북은 게으른 토끼와의 경주라도 결코 이기지 못할 것이다.

22-5 I have found / that in general, / however touchy the question, / if a person is telling the truth /
(S: I, V: have found)
나는 알게 되었다 / 일반적으로 / 아무리 그 질문이 까다로울지라도 / 만약 사람이 진실을 말한다면 /
his or her manner will not change / significantly or abruptly.
그 사람의 태도는 변하지 않을 것이다 / 상당히 혹은 갑자기

해석 나는 일반적으로 질문이 아무리 까다로울지라도 만약 어떤 사람이 사실을 말하고 있다면 대체로 그 사람의 태도가 상당히 또는 갑자기 변하지 않을 것이라는 점을 알게 되었다.

22-6 When a company comes out with a new product, / its competitors typically go on the defensive, /
(S: its competitors, V: go)
회사가 새로운 제품을 출시할 때 / 그 회사의 경쟁자들은 일반적으로 방어적이 된다 /
분사구문, 동시상황
doing / whatever they can / to reduce the odds / that the offering will eat into their sales.
(관계사 수식: the odds ← that the offering…)
하면서 / 그들이 할 수 있는 무엇이든 / 가능성을 줄이기 위해서 / 그 제공된 것(제품)이 그들의 판매를 먹어치우는

해석 어떤 회사가 신제품을 출시할 때, 그 회사의 경쟁사들은 일반적으로 그 제품이 자신들의 판매를 잠식할 가능성을 줄이기 위해 할 수 있는 것은 무엇이든 하면서 방어 태세를 취한다.

22-7 International law could play a minimal role / or none at all, /
(S: International law, V_1: could play)
국제법은 최소한의 역할만 할 수 있었다 / 아니면 아무것도 할 수 없었다 /

and was perhaps just an illusion, / a sophisticated kind of propaganda /
(V_2: was; an illusion = a sophisticated kind of propaganda)
그리고 아마도 단지 환상이었다 / 정교한 형태의 선전인 /
— a set of rules / that would be swept away / whenever the balance of power changed.
(관계사 수식: a set of rules ← that would be swept away)
일련의 규칙들 / 사라져 버리게 될 / 힘의 균형이 변할 때마다

해석 국제법은 최소한의 역할만 할 수 있거나 혹은 아무것도 할 수 없었으며, 아마도 그것은 단지 환상, 어떤 정교한 선전, 즉 힘의 균형이 달라질 때마다 없어져 버릴 규칙들의 집합이었다.

22-8 Experiments have shown / that whatever number of lake trout / a pond is stocked with /
(S: Experiments, V: have shown)
실험들은 보여줬다 / 호수 송어가 몇 마리이든지 간에 / 연못이 채워지는지 /
in the beginning, / the population will increase / until it reaches a particular density, /
(S: the population, V_1: will increase)
처음에 / 개체 수는 증가할 것이라는 것을 / 그것이 특정한 밀도에 도달할 때까지 /
then level off at about the same number.
((will) V_2: level off)
그리고 나서 같은 수로 안정화될 것이라는 것을

해석 처음에 연못에 몇 마리의 호수 송어가 방류되었든지 간에, 개체 수가 특정한 밀도에 도달할 때까지 증가하다가 대략 비슷한 수로 안정화된다는 것을 실험 결과에서 보여주어 왔다.

22-9 When millionaires are asked / about the size of the fortune / necessary / to make them / feel 'truly at ease', / they(S) all respond(V) in the same way, / whatever the level of income / they have already attained: / they(S) need(V) double / what they already possess!

(형용사구 수식)

백만장자들이 질문을 받을 때 / 재산의 크기에 대해서 / 필요한 / 그들을 만들기 위해 / '진짜로 편안하게' 느끼도록 / 그들 모두는 같은 식으로 반응한다 / 수입의 수준이 어떠하든지 간에 / 그들이 벌써 얻은 / 그들은 두 배가 필요하다 / 그들이 벌써 소유하고 있는 것의

해석 어떠한 재산 또는 어떠한 발전이든 상대적이며, 다른 사람들과의 비교 속에서 빠르게 효력이 사라진다. 백만장자들에게 그들이 '정말 마음 편하다'고 느끼게 하는 데 필요한 재산의 규모에 관해 물어보면, 그들이 이미 달성한 소득 수준이 어느 정도이든 간에, 똑같은 방식으로 대답하는데, 그들은 기존에 가진 것의 두 배를 원한다!

22-10 Wherever we fixate in that view, / the things(S) / we see / before the point of fixation / are moving(V) quickly across our retina / opposite to the direction / we are moving in, / while things / past the point / are moving slowly across our retina / in the same direction / as we are traveling.

(관계사 생략 문장 수식) (관계사 생략 문장 수식) (전치사구 수식)

우리가 그 풍경에서 어디에 시선을 고정하든지 간에 / 사물들은 / 우리가 보는 / 고정된 지점 앞에서 / 빠르게 우리 망막을 지나간다 / 방향 반대로 / 우리가 움직이는 / 반면에 사물들은 / 그 지점을 지나는 / 천천히 망막을 지나간다 / 같은 방향으로 / 우리가 이동하는

해석 그 풍경에서 우리가 어디에 시선을 고정을 시키든 그 고정된 지점 뒤 쪽에 있는 사물은 우리가 이동하는 방향과 같은 방향으로 우리의 망막을 천천히 지나쳐가는 반면, 우리가 보는 그 고정 지점 앞에 있는 것들은 우리가 이동하는 방향의 반대편으로 우리의 망막을 빠르게 지나쳐간다.

UNIT 23 후위 수식 구문

pg 105-106

23-1 For instance, / when issues arise / that touch on women's rights, / women(S) start(V) to think of / gender / as their principal identity.

(관계사 수식)

예를 들어 / 이슈가 발생할 때 / 여성의 권리를 건드리는 / 여성들은 생각하기 시작한다 / 성을 / 그들의 주된 정체성으로

해석 예를 들어 여성의 권리에 관련된 문제가 생기는 경우, 여성들은 성을 자신들의 주된 정체성으로 생각하기 시작한다.

23-2 When you live in Sweden, / chances(S) are(V) good / that any group within five hundred miles / has been exposed / to the same few pathogens.

(= 동격절)

여러분이 스웨덴에서 살 때 / 가능성이 크다 / 500마일 이내의 어떤 집단도 / 노출되어 왔을 / 같은 소수의 병원균에

해석 여러분이 스웨덴에 살면 500마일 이내의 어떤 집단도 동일한 극히 소수의 병원균에 노출되어 왔을 가능성이 크다.

S V 관계사 수식

23-3 At the end of the War, / however, / a transition began / that replaced old-style farming /
전쟁 막바지에 / 하지만 / 변화가 시작되었다 / 구식 농업을 대체하는 /

관계사 수식

with production systems / that were much more intensive.
생산체계로 / 훨씬 더 집약적인

해석 하지만 전쟁 막바지에 구식 농업을 훨씬 더 집약적인 생산체계로 대체하는 변화가 시작되었다.

S V V S 형용사구 수식

23-4 Elinor Ostrom found / that there are several factors / critical /
Elinor Ostrom은 발견했다 / 몇 가지 요인이 있음을 / 필수적인 /

to bringing about stable institutional solutions / to the problem of the commons.
안정적인 제도적 해결책을 가져오는 데 / 공유지의 문제에 대한

해석 Elinor Ostrom은 공유지의 문제에 대한 안정적인 제도적 해결책을 가져오는 데 중요한 몇 가지 요인이 있음을 알게 되었다.

S_1 = V_1 동격절

23-5 The possibility also exists / that an unfamiliar object may be useful, /
가능성은 마찬가지로 존재한다 / 익숙하지 않은 물체가 유용할 수도 있다는 /

S_2 V_2

so if it poses no immediate threat, / a closer inspection may be worthwhile.
그래서 그것이 즉각적인 위협을 발생하지 않으면 / 더 자세히 살펴보는 것이 가치가 있을 수 있다

해석 익숙하지 않은 대상이 유용할 가능성도 있으므로, 그것이 즉각적인 위협을 주지 않는다면, 더 자세히 살펴보는 것이 가치가 있을 수도 있다.

S V 관계사 수식 V_1

23-6 A program should be established / that looks for likely invasion routes of pests /
프로그램은 수립되어야 한다 / 가능한 해충의 침입 경로를 찾는 /

V_2

into a museum facility / and takes steps / to prevent use of these routes.
박물관 시설에 / 그리고 조치를 취하는 / 이러한 경로의 사용을 막기 위한

해석 해충이 박물관 시설에 침입하는 가능한 경로를 찾고 이런 경로가 이용되는 것을 막는 조치를 취하는 프로그램이 수립되어야 한다.

S V 관계사 수식 V_1

23-7 Often useless material is gathered / that may seem important / at the time /
종종 쓸모없는 자료가 모인다 / 중요해 보일 수도 있는 / 그 당시에 /

V_2

but does not seem so / in their study room / on the night before an exam / or essay due date.
하지만 그렇게 보이지는 않는다 / 그들의 공부방에서 / 시험 전날 밤에 / 아니면 에세이 마감

해석 그 당시에는 중요해 보일 수 있지만 시험이나 에세이 마감 전날 밤에 공부방에서 보면 그렇게 보이지 않는 불필요한 자료가 쌓이는 일이 자주 있다.

S V

23-8 Albert Einstein sought relentlessly for / a so-called unified field theory / — a theory /
Albert Einstein은 끊임없이 추구했다 / 소위 통일장이론을 / 이론인 /

형용사구 수식

capable of describing nature's forces / within a single, all-encompassing, coherent framework.
자연의 힘을 묘사할 수 있는 / 하나의 모든 것을 포괄하는 일관된 틀 안에서

해석 Albert Einstein은 자연의 힘을 하나의 모든 것을 포괄하는 일관된 구조 안에서 묘사할 수 있는 이론, 소위 통일장이론을 끊임없이 추구했다.

S V 관계사 수식

23-9 Eventually a point will be reached / where the next arrivals will do better /

결국 지점에 이르게 될 것이다 / 다음 도착이 더 잘 살 수 있게 되는 /

관계사 수식

by occupying the poorer quality habitat / where, although the resource is in shorter supply, /

더 형편없는 품질의 서식지를 차지함으로써 / 비록 자원이 더 부족함에도 불구하고 /

there will be less competition.

더 적은 경쟁이 있게 되는

해석 결국 자원의 양은 부족하지만 경쟁이 덜한 질이 더 낮은 서식지를 차지함으로써 그 다음에 도착하는 개체들이 더 잘 살 수 있는 지점에 이르게 될 것이다.

S V

23-10 In the context of SNS, / media literacy has been argued / to be especially important /

SNS의 상황에서 / 미디어 정보 해독력은 주장되어 왔다 / 특히 중요하다고 /

❶

"in order to make the users / aware of their rights / when using SNS tools, /

'사용자들을 만들기 위해서 / 그들의 권리를 알도록 / SNS 도구를 사용할 때 /

❷ help A 동사원형 (A가 ~하는 것을 돕다)

and also help them / acquire or reinforce human rights values /

그리고 또한 그들을 돕기 위해 / 인권의 가치를 얻거나 강화하도록 /

형용사구 수식

and develop the behaviour / necessary / to respect other people's rights and freedoms".

그리고 행동을 발달시키도록 / 필요한 / 다른 사람의 권리와 자유를 존중하기 위해'

해석 SNS 상황에서, 'SNS 도구들을 사용할 때 사용자들이 자신들의 권리를 의식하게 하도록 하기 위해, 그리고 또한 그들이 인권이라는 가치를 배우거나 강화하고 타인의 권리와 자유를 존중하기 위해 필요한 태도를 기르도록 돕기 위해' 미디어 정보 해독력이 특히 중요하다고 주장되어왔다.

UNIT 24 that 구문

pg. 109-113

S V 가주어 V so ~ that …: 너무 ~해서 …하다

24-1 The act of "seeing" / appears so natural / that it is difficult /

보는 행위는 / 너무 자연스럽게 보여서 / 어렵다 /

진주어 분사 수식

to appreciate the vastly sophisticated machinery / underlying the process.

대단히 복잡한 기계를 평가하는 게 / 그 과정의 기저에 있는

해석 '보는 것'이라는 행위는 너무 당연하게 보여서 그 과정의 기저에 있는 대단히 복잡한 장치의 진가를 알아보기가 어렵다.

S V 접속사(목적어절)

24-2 I realized / that I had wanted a reward: / If I do this nice thing / for you, /

나는 깨달았다 / 내가 보상을 원했었다는 것을 / 만약 내가 이 좋은 것을 한다면 / 너를 위해서

S V

you / (or someone else) / will do an equally nice thing / for me.

너는 / (혹은 다른 누군가는) / 똑같이 좋은 것을 할 것이다 / 나를 위해서

해석 나는 내가 보상을 원하고 있다는 사실을 깨달았다. 내가 당신에게 이런 친절을 베푼다면 당신(또는 어떤 다른 사람)이 나에게 그만한 친절을 베풀 것이라는 생각이었다.

24-3 Metacognition(S_1) simply means(V_1) / "thinking about thinking,"/
메타인지는 단순히 의미한다 / "생각에 대해 생각하는 것"을 /
and it(S_2) is(V_2) one of the main distinctions / between the human brain / and that(대명사, brain 지칭) of other species.
그리고 그것은 주된 차이점 중 하나이다 / 인간의 두뇌와 / 다른 종의 그것(두뇌) 사이에

해석 메타인지는 단순히 "생각에 대해 생각하는 것"을 의미하며, 그것은 인간의 두뇌와 다른 종의 두뇌 간의 주요 차이점 중 하나이다.

24-4 While we believe / we hold the power / to raise our children, / the reality(S) is(V) that(접속사(보어절)) /
우리가 믿는 반면에 / 우리가 그 힘을 지니고 있다고 / 우리 아이들을 키우는 / 사실은 이렇다 /
our children hold the power / to raise us / into the parents / they need us to become. (관계사 생략 문장 수식)
우리 아이들이 힘을 가지고 있다 / 우리를 키우는 / 부모로 / 그들이 우리가 되기를 필요로 하는

해석 우리는 우리가 아이들을 기르는 능력을 가지고 있다고 믿지만, 현실은 우리의 아이들이 우리가 되기를 바라는 부모로 '우리'를 기르는 능력을 가지고 있다.

24-5 It(S) may be(V) / because people in the dispersed city / have invested so heavily in private comfort / (so ~ that … (너무 ~해서 …하다))
그것은 ~일수도 있다 / 분산된 도시에 사는 사람들이 / 사적 편안함에 너무 많은 투자를 해서 /
that they feel insulated / from the problems / of the rest of the world.
차단되었다고 느끼기 때문에 / 문제들로부터 / 나머지 세상의

해석 그것은 아마도 분산된 도시에 사는 사람들이 사적 편안함에 너무 많은 투자를 해서 나머지 세상의 문제들로부터 차단되었다고 느끼기 때문일 수 있다

24-6 Ideas(S_1) are worked out(V_1) / as logical implications or consequences / of other accepted ideas, /
사상들은 도출된다 / 논리적 함축이나 결과로서 / 다른 수용된 사상의 /
and it(S_2) is(V_2) in this way / that cultural innovations and discoveries are possible. (it ~ that 강조)
바로 이런 방식이다 / 문화적 혁신과 발견이 가능한 것이

해석 사상은 다른 수용된 사상의 논리적 영향이나 결과로 도출되고, 이러한 방식으로 문화적 혁신과 발견이 가능하다.

24-7 The borderless-world thesis(S) has been vigorously criticized(V) / by many geographers /
국경 없는 세계라는 논제는 격렬하게 비판받고 있다 / 많은 지리학자들로부터 /
on the grounds / that it presents a simplistic and idealized vision of globalization. (= 동격절)
~라는 이유로 / 그것은 단순하고 이상화된 세계화의 비전을 제시한다

해석 국경 없는 세계라는 논제는 세계화에 대한 굉장히 단순하고 이상화된 비전을 제시한다는 이유로 많은 지리학자로부터 격렬하게 비난받아 왔다.

S V 접속사(보어절)
24-8 A popular notion / with regard to creativity / is that / constraints hinder our creativity /
일반적인 견해는 / 창의성에 관한 / 이것이다 / 제한이 우리의 창의성을 방해한다는 /

관계사 수식
and the most innovative results come from people / who have "unlimited" resources.
그리고 가장 혁신적인 결과는 사람들로부터 온다 / '무제한적인' 자원을 가진

해석 창의성과 관련된 일반적인 한 견해는 제한이 우리의 창의성을 방해하며 가장 혁신적인 결과는 '무제한의' 자원을 가진 사람들로부터 나온다는 것이다.

S V 접속사(보어절) S 관계사 수식
24-9 Part of the problem may be that / the majority of the people / who are most likely to write /
그 문제의 일부는 이것이다 / 사람들 다수가 / 글을 쓸 가능성이 높은 /

V
novels, plays, and film scripts / were educated in the humanities, / not in the sciences.
소설, 희곡, 영화 대본을 / 인문학에서 교육받았다는 / 과학이 아니라

해석 그 문제의 일부는 아마도 소설, 희곡, 그리고 영화 대본을 쓸 가능성이 높은 사람 대다수가 과학이 아니라 인문학 분야에서 교육받았다는 것일 수도 있다.

S V 접속사(보어절)
24-10 The payoff of the scientific method / is that / the findings are replicable; / that is, / if you run the
과학적 방법의 이점은 / 이것이다 / 결과가 반복 가능하다는 / 즉 /

분사구문, 동시상황
same study again / following the same procedures, / you will be very likely to get / the same results.
만약 당신이 같은 실험을 다시 진행한다면 / 같은 절차를 따르면서 / 당신은 얻을 가능성이 매우 클 것이다 / 같은 결과를

해석 과학적인 방법의 이점은 연구 결과가 반복 가능하다는 것이다. 즉 같은 절차를 따르면서 같은 연구를 다시 진행하면, 같은 결과를 얻을 가능성이 매우 클 것이다.

S V in that (~라는 점에서)
24-11 We may categorize / 80% of all compliments in the data / as adjectival / in that /
우리는 분류할지도 모른다 / 데이터에 있는 모든 칭찬 중 80%를 / 형용사로 / ~라는 점에서 /

S V
they depend on an adjective / for their positive semantic value.
그들은 형용사에 의존한다는 / 그들의 긍정적인 의미론적 가치를 위해서

해석 칭찬들이 그것들의 긍정적인 의미론적 가치를 위해 형용사에 의존한다는 점에서 우리는 자료에 있는 모든 칭찬의 80퍼센트를 형용사적인 것으로 분류할 수 있을 것이다.

S V = 동격절
24-12 The feeling of novelty or surprise / often attests to the fact / that our lived experience is preceded /
참신함이나 놀라움의 느낌은 / 종종 그 사실을 입증한다 / 우리가 살아온 인생이 선행된다는 /

분사 수식
by a set of preconceptions / derived, / at least to some extent, /
일련의 선입견에 의해서 / 얻어진 / 최소한 어느 정도는 /

분사 수식
from the words and images / conveyed by the media.
단어들과 이미지들로부터 / 미디어에 의해서 전달된

해석 신기함이나 놀라움의 느낌은 우리의 직접적인 경험보다 적어도 어느 정도까지는 미디어에 의해 전달된 말과 이미지들로부터 생겨난 일련의 선입견이 앞선다는 사실을 흔히 입증한다.

24-13 The essential argument here is that / the capitalist mode of production / is affecting peasant production / in the less developed world / in such a way / as to limit the production of staple foods, / thus causing a food problem.

(S: The essential argument / V: is / 접속사(보어절): that / 분사구문, 앞문장 추가 설명: thus causing)

여기에서 본질적은 논점은 이것이다 / 생산에 대한 자본주의적 방식은 / 소작농의 생산에 영향을 주고 있다는 / 저개발 세계에서 / 그런 식으로 / 주요 식품에 대한 생산을 제한하는 / 그래서 이는 식량 문제를 유발한다는

해석 여기에서 본질적인 논점은 자본주의적 생산 방식이 주요 식품의 생산을 제한하는 방식으로 저개발 세계 소작농의 생산에 영향을 끼쳐 식량 문제를 일으키고 있다는 것이다.

24-14 This digital misdirection strategy / relies on the fact / that online users / utilizing web browsers / to visit websites / have quickly learned / that the most basic ubiquitous navigational action / is to click on a link or button / presented to them on a website.

(S: strategy / V: relies / the fact = that: 동격절 / S: online users / utilizing: 분사 수식 / V: have learned / 접속사(목적어절): that / S: action / V: is / presented: 분사 수식)

이러한 디지털상의 방향을 다른 곳으로 돌리는 전략은 / 사실에 의존한다 / 온라인 사용자가 / 웹브라우저를 사용하는 / 웹사이트를 방문하기 위해서 / 빠르게 배워 왔다 / 가장 기본적인 산재해있는 탐색 행동이 / 링크나 버튼을 클릭하는 것이다 / 웹사이트에서 그들에게 제시된

해석 이러한 디지털상에서 시선을 다른 곳으로 돌리게 하는 전략은 웹사이트를 방문하기 위하여 웹브라우저를 사용하는 온라인 사용자가 가장 기본적이고 어디에서나 하는 탐색 동작이 웹사이트에서 그들에게 제시되는 링크나 버튼을 클릭하는 것이라는 것을 바로 배웠다는 사실에 의존한다.

24-15 Having made the decision / that promptness was now of major importance, / I found / that answers came automatically to such questions / as "Can I squeeze in one more errand / before the dentist?"/ or "Do I have to leave for the airport now?"

(분사구문, ~한 후에: Having made / the decision = that: 동격절 / S: I / V: found / 접속사(목적어절): that)

결정을 한 후에 / 신속함이 지금 매우 중요하다고 / 나는 깨달았다 / 그런 질문에 대한 대답들이 자동적으로 나온다는 것을 / "내가 한 가지 잡무를 더 할 수 있을까 / 치과에 가기 전에?" / "아니면 내가 지금 공항으로 출발해야 하나?"

해석 신속함이 매우 중요하다고 결정을 내리고 나니, 나는 "내가 치과 가기 전에 잡무를 한 가지 더 할 수 있을까?" 또는 "지금 공항으로 출발해야 하나?"와 같은 질문에 대한 대답이 자동적으로 나오는 것을 알게 되었다.

24-16 A study of Stanford University alumni found / that those / "who have varied work and educational backgrounds / are much more likely to start / their own businesses / than those / who have focused on one role / at work / or concentrated in one subject / at school."

(S: A study / V: found / 접속사(목적어절): that / S: those / who: 관계사 수식 / V: are / who: 관계사 수식)

스탠포드 대학 동문에 대한 연구는 발견했다 / 사람들이 / '다양한 일과 교육 배경을 가지는 / 시작할 가능성이 훨씬 높다는 것을 / 자신의 사업을 / 사람들보다 / 한 역할에 집중해 온 / 직장에서 / 아니면 한 가지 주제에 집중할 때 / 학교에서'

해석 스탠퍼드대학교 동문들을 대상으로 한 연구에서 '다양한 업무 및 교육 배경을 가진 사람들이 직장에서 한 가지 역할에 집중했거나 학교에서 한 가지 과목에 집중한 사람들보다 자기 자신의 사업을 시작할 가능성이 훨씬 더 높다'는 것을 발견했다.

24-17 On the other hand, / the apparent universality of sleep, / and the observation /
다른 한편으로 / 잠의 명확한 보편성 / 그리고 관찰은 /

that mammals such as cetaceans / have developed such highly complex mechanisms /
고래목과 같은 포유류들은 / 그렇게나 매우 복잡한 기제를 발전시켜 왔다 /

to preserve sleep / on at least one side of the brain / at a time, / suggests /
잠을 보존하기 위해서 / 적어도 두뇌의 한 편에서 / 한 번에 / 시사한다 /

that sleep additionally provides / some vital service(s) for the organism.
잠은 추가적으로 제공한다는 것을 / 생명체에게 일부 중요한 서비스를

(S: the apparent universality of sleep, and the observation; 동격절 S: mammals, V: have developed; V: suggests; 접속사(목적어절) S: sleep, V: provides)

해석 다른 한편으로는, 잠의 분명한 보편성, 그리고 고래목의 동물들과 같은 포유동물들이 한 번에 적어도 뇌의 한쪽에서는 잠을 유지하는 매우 고도로 복잡한 기제를 발전시켰다는 관찰 결과는 잠이 생명체에게 몇가지 일부 중요한 도움(들)을 추가로 제공한다는 것을 보여 준다.

24-18 In addition to protecting the rights of authors / so as to encourage the publication of new
작가의 권리를 보호하는 것과 더불어 / 새로운 창의적인 작품의 출판을 촉진하기 위해서

creative works, / copyright is also supposed to place / reasonable time limits / on those rights /
/ 저작권은 또한 두어야 한다 / 합리적인 시간 제한을 / 그러한 권리들에 /

so that outdated works may be incorporated / into new creative efforts.
시대에 뒤처진 작품들이 포함되어지도록 / 새로운 창의적인 노력 안으로

(S: copyright, V: is; so that (~하기 위해서) S: outdated works, V: may be incorporated)

해석 새로운 창의적인 작품의 출판을 촉진하기 위해 작가의 권리를 보호하는 것 외에 판권은 또한 시대에 뒤진 작품이 새로운 창의적인 노력 속에 편입되도록 그런 권리에 적당한 기한을 두어야 한다는 것이다.

24-19 While there's plenty of research / that shows /
많은 연구가 있는 반면에 / 보여 주는 /

that people / who work with the muscles above their neck / create all kinds of stresses /
사람들이 / 목 위의 근육으로 일하는 / 모든 종류의 스트레스를 만든다는 것을 /

for themselves, / it's the people / who focus on the why of their jobs /
스스로 / 그게 바로 그 사람들이다 / 그들의 일의 이유에 집중하는

(as opposed to the what and the how) / who can manage the day-to-day problems more easily.
무엇과 어떻게에 반대되는 / 보다 쉽게 매일 매일의 문제를 관리할 수 있는

(that shows: 관계사 수식; 접속사(목적어절) S: people, who work ~: 관계사 수식, V: create; S: it, V: 's; who focus ~: 관계사 수식; it ~ who[that] 강조 용법)

해석 목 위의 근육으로 일하는 사람들(즉, 지적 노동자)은 스스로에게 온갖 종류의 스트레스를 유발시킨다는 것을 보여 주는 많은 연구가 있지만, 매일 매일의 문제를 좀 더 용이하게 관리할 수 있는 사람은 바로 자신의 일을('무엇'을 하는지와 '어떻게' 하는지가 아니라) '왜' 하는지에 초점을 두는 사람들이다.

S V 접속사(목적어절) S V

24-20 Which is all just to say / that the arts may well have been vital / for developing /

말해주는 것이다 / 예술은 당연히 중요했다는 것을 관계사 수식 / 발전시키는 데 /

the flexibility of thought / and fluency of intuition / that our relatives needed /

생각의 유연성을 / 그리고 직관력의 유창성을 / 우리 종족들이 필요했던 /

❶ to fashion the spear, / ❷ to invent cooking, / ❸ to harness the wheel, / and, later, /

창을 만들기 위해서 / 요리를 발명하고 / 바퀴를 이용하고 / 그리고 나중에 /

❹ to write the Mass in B Minor / and, later still, / ❺ to crack our rigid perspective / on space and time.

B단조 미사곡을 쓰고 / 이후에도 여전히 / 우리의 엄격한 관점을 깨려고 / 공간과 시간에 대한

해석 이것은 모두, 창을 만들고, 요리를 발명하고, 바퀴를 이용하고, 이후 B 단조 미사곡을 쓰고, 더욱 후에는 공간과 시간에 대한 우리의 경직된 시각을 깨기 위해 우리 종족이 필요한 생각의 유연성과 직관의 유창성을 개발하는 데 예술이 당연히 필수적이었다고 말해 주는 것이다.

UNIT 25 특수 비교 구문

pg. 116~117

25-1 While some cities took advantage of / these new opportunities, /

일부 도시들은 이용했던 반면에 / 이러한 새로운 기회들을 /

S V ~에 불과한, ~와 마찬가지로

many remained / little more than / rural trading posts.

많은 도시들은 남아 있었다 / ~에 불과한 / 지방의 교역 장소에

해석 일부 도시들은 이 새로운 기회들을 잘 활용했지만 많은 도시들은 지방의 교역 장소에 불과한 상태로 남아 있었다.

배수 as 형용사 as A: A보다 ~배 …한

25-2 If, for example, / the control group would normally catch / twice as many colds as /

만약 예를 들어 / 통제 집단이 보통 걸린다면 / 2배나 많이 감기에 /

S V

the experimental group, / then the findings prove nothing.

실험 집단에 비해서 / 그러면 그 결과는 아무 것도 입증하지 못한다

해석 예를 들어, 통제 집단이 보통 실험 집단보다 감기에 무려 두 배나 많이 걸리는 경우, 연구 결과는 아무것도 입증하지 못한다.

S V the 비교급 ~, the 비교급 ~

25-3 The ego doesn't know / that the more you include others, /

자아는 알지 못한다 / 여러분이 다른 사람들을 더 많이 포함하면 할수록 /

the more smoothly things flow / and the more easily / things come to you.

더 부드럽게 일이 흘러가고 / 그리고 더 쉽게 / 일이 당신에게 온다는 것을

해석 다른 사람들을 더 많이 포함할수록, 일이 더 순조롭게 흘러가고, 자신에게 더 쉽게 다가온다는 것을 자아는 알지 못한다.

S V = 동격절

25-4 If one looks at the Oxford definition, / one gets the sense / that post-truth is

우리가 Oxford 사전의 정의를 보면 / 우리는 알게 된다 /

not so much A as B (A가 아니라 B) = 동격절 접속사(보어절)

not so much a claim / that truth *does not exist* / as that *facts are subordinate to* /

탈진실이 주장이 아니라 / 진실이 '존재하지 않는다'는 / '사실들이 종속된다'는 것이라는 것을 /

our political point of view.

'우리 정치적 관점에'

해석 Oxford 사전의 정의를 보면, 탈진실이란 진실이 '존재하지 않는다'는 주장이 아니라, '사실이 우리의 정치적 관점에 종속되어 있다'는 주장이라는 것을 알게 된다.

25-5

S (관계사 수식) / V (배수 as 형용사 as A (A보다 ~배 …한))

Similarly, people / who personally know an entrepreneur / are more than twice /
마찬가지로 사람들은 / 개인적으로 기업가를 알고 있는 / 2배 이상이다 /

as likely to be involved in / starting a new firm / as those /
관여할 가능성이 / 새로운 기업을 시작하는 / 사람처럼 /

(전치사구 수식)
with no entrepreneur acquaintances or role models.
어떠한 기업가 지인이나 롤 모델이 없는

해석 마찬가지로 개인적으로 기업가를 알고 있는 삶이 기업가인 지인이나 롤 모델이 없는 사람보다 새로운 회사를 시작하는 일에 관여할 가능성이 두배 이상이다.

25-6

S / V / S / V

People in this group / are more likely to think / that what they are doing / is scientific, / the idea
이 집단의 사람들은 / 더 생각할 가능성이 높다 / 그들이 하고 있는 것은 / 과학적이라고 /

분사구문 / the 비교급 ~, the 비교급 ~
being that / the more we can measure and pin cooking down, / the more like science it will be.
생각은 이러하다 / 우리가 요리를 더욱 많이 측정하고 정의할수록 / 그것은 더욱 과학과 같을 것이다

해석 이러한 집단에 있는 사람들은 그들이 하는 일이 과학적이라고 생각할 가능성이 더 큰데, 이는 우리가 더 많이 계량하고 요리를 명확히 정의할수록 그것이 더욱 과학처럼 될 것이라는 생각이다.

25-7

S / V (관계사 수식) / A is no less 형용사 than B: B만큼이나 A도 ~하다

Organic farmers grow crops / that are no less plagued by pests /
유기농법을 사용하는 농부들이 작물을 키운다 / 해충에 의해서 시달리는 /

= crops / S / V
than those of conventional farmers; / insects generally do not discriminate /
전통적인 농부들의 그것들만큼 / 곤충들은 일반적으로 차별하지 않는다 /

between organic and conventional / as well as we do.
유기농과 전통적인 것 사이를 / 우리가 하는 것만큼 잘

해석 유기농법을 사용하는 농부들은 전통적 재래 농법을 사용하는 농부들의 작물들만큼이나 해충에 시달리는 작물들을 재배하는데, 벌레들은 대개 유기농과 재래 농법을 우리만큼 잘 구별하지 않는다.

25-8

S / V

Scientists have no special purchase / on moral or ethical decisions; /
과학자들은 특별한 장점이 없다 / 도덕적 혹은 윤리적 결정에 /

S / V / A is no more 형용사 than B: B가 ~ 아니듯, A도 ~ 아니다
a climate scientist is no more qualified to comment / on health care reform /
기후 과학자들은 말할 자격이 없다 / 의료 개혁에 대해서 /

than a physicist is to judge / the causes of bee colony collapse.
물리학자들이 판단할 자격이 없듯이 / 꿀벌 집단의 붕괴의 원인을

해석 과학자들은 도덕적 혹은 윤리적 결정에 대한 특별한 강점이 없으며, 기후 과학자가 의료 개혁에 대해 견해를 밝힐 자격이 없는 것은 물리학자가 꿀벌 집단의 붕괴 원인을 판단할 자격이 없는 것과 같다.

S 관계사 수식 V_1

25-9 The obese individual / who has been successfully sold on / going on a medically prescribed diet /

비만인 개인들은 / 성공적으로 설득된 / 의학적으로 처방된 다이어트를 지속하라고 /

V_2 V as ~ as … (…만큼 ~한)

but is lured back / to his candy jar and apple pie / after one week, / is as much of a failure as /

하지만 다시 유혹에 빠진 / 사탕 병이나 애플파이의 / 일주일 후에 / 똑같은 실패자이다 /

if he never had been sold on / the need / to lose and control his weight.

만약 그가 설득되지 않았더라면 / 그 필요성을 / 살을 빼고 조절할

해석 의학적으로 처방된 다이어트를 하겠다고 성공적으로 받아들였으나 일주일 후에 유혹에 빠져 다시 사탕(을 담아 놓은) 병과 애플파이에 손 대는 과체중인 사람은 아예 자신의 체중 감량과 조절의 필요성을 받아들이지 않은 경우와 다름없는 실패자이다.

가주어 V 진주어 접속사(목적어절)

25-10 It is thus quite credible / [to estimate / that in order to meet economic and social needs /

그래서 매우 믿을 만하다 / 추정하는 게 / 경제적 사회적 욕구를 맞추기 위해서 /

S V

within the next three to five decades, / the world should be producing /

향후 30에서 50년 안에 / 세계는 생산해야 한다는 것을 /

배수 as 형용사 as A (A보다 ~배 …한)

more than twice / as much grain and agricultural products as / at present, /

2배 이상을 / 곡물과 농산물을 / 현재보다 /

관계사 수식

but in ways / that these are accessible to the food-insecure].

하지만, 방식으로 / 이것들이 식량이 부족한 사람들에게 접근 가능한

해석 따라서 향후 30년에서 50년 이내에 경제적 그리고 사회적 요구를 충족시키기 위해서는 세계가 현재보다 2배가 넘는 곡물과 농산물을, 그러면서도 식량이 부족한 사람들도 이것들을 얻을 수 있는 방식으로 생산해야 한다고 추정하는 것은 꽤 설득력이 있다.

UNIT 26 도치구문

pg. 119-122

형용사 보어+V+S (도치) V S

26-1 Distinct / from the timing of interaction / is the way /

다른 / 상호 작용의 타이밍과는 / 방식은 ~이다 /

전치사+관계사

in which time is compressed on television.

시간이 텔레비전에서 압축되는

해석 텔레비전에서 시간이 압축되는 방식은 상호 작용의 타이밍과는 다르다.

부정부사어+조동사+S+V (도치) V S

26-2 Never before and never since / has the quality of monumentality been achieved /

그전에도 그 이후에도 / 기념비성이라는 특성은 달성된 적이 없었다 /

as fully as / it was in Egypt.

완전히 / 이집트에서 그랬던 것처럼

해석 그 전에도 그 이후에도, 기념비성이라는 특성이 이집트에서처럼 완전히 달성된 적은 한 번도 없었다.

26-3 Repeated measurements / with the same apparatus / neither reveal / nor do they eliminate a systematic error.

(S_1 = Repeated measurements, V_1 = reveal, V_2 = do, S_2 = they; nor+조동사+S+V (도치))

반복된 측정은 / 동일한 도구를 가지고 / 결코 드러나지 않는다 / 그리고 그것들은 계통 오차를 제거하지도 않는다

해석 동일한 도구를 가지고 반복적으로 측정해도 계통 오차가 드러나거나 제거되지도 않는다.

26-4 Often overlooked, / but just as important a stakeholder, / is the consumer / who plays a large role / in the notion of the privacy paradox.

(형용사 보어(분사)+V+S (도치); V = is, S = the consumer; 관계사 수식)

종종 간과되는 / 하지만, 못지않게 중요한 이해관계자로서 / 소비자는 ~이다 / 큰 역할을 하는 / 개인정보의 역설이라는 개념에서

해석 흔히 간과되지만 못지않게 중요한 이해관계자는 개인정보 역설이라는 개념에서 큰 역할을 하는 소비자이다.

26-5 At the heart of this process / is the tension / between the professions' pursuit of autonomy / and the public's demand for accountability.

(전치사구+V+S (도치); V = is, S = the tension)

이 과정의 핵심에는 / 긴장이 있다 / 전문직의 자율성에 대한 추구와 / 책임에 대한 대중의 요구 사이에

해석 이 과정의 핵심에는 전문직의 자율성 추구와 책임성에 대한 공공의 요구 사이의 긴장이 있다.

26-6 Most people would regard / as unfair / a market equilibrium / in which some individuals are super-rich / while others are dying of extreme poverty.

(S = people, V = would regard; OC 목적 보어 도치 (OC+O), OC = as unfair, O = a market equilibrium; 전치사+관계대명사)

대부분의 사람들은 간주할지도 모른다 / 불공정하다고 / 시장의 균형 상태를 / 일부 개인들은 엄청난 부자인 / 다른 이들은 극심한 빈곤에서 죽어가는 반면

해석 대부분의 사람들은 어떤 이들은 극도의 빈곤으로 죽어가는 반면 다른 이들은 엄청나게 부유한 시장의 균형 상태를 불공평한 것으로 여길 것이다.

26-7 Moving down / to the level of time / that occurs at 1/1000 of a second / are biological constants / with respect to the temporal resolution of our senses.

(형용사(분사) 보어+V+S (도치); 관계사 수식; V = are, S = biological constants)

내려가는 중 / 시간의 수준으로 / 1/1000초에 발생하는 / 생물학적 상수는 ~이다 / 우리 감각의 시간적 해상도와 관련한

해석 우리 지각의 시간적 해상도와 관련한 생물학적 상수는 1초의 1/1000에서 발생하는 시간 수준까지 내려가고 있다.

26-8 Only after a good deal of observation / do the sparks / in the bubble chamber / become recognizable / as the specific movements of identifiable particles.

(only+부사어+V+S (도치); V = do, S = the sparks)

오직 많은 관찰 이후에야 / 불꽃이 / 거품 상자 안의 / 인지가능하게 된다 / 확인 가능한 미립자의 구체적 움직임으로서

해석 상당한 양의 관찰이 있은 뒤에야 거품 상자의 불꽃은 확인 가능한 미립자의 구체적 운동으로서 인식될 수 있게 된다.

S V

26-9 We don't know / what ancient Greek music sounded like, / because there are

우리는 알지 못한다 / 고대 그리스 음악이 어떤 소리를 내는지 / 그것에 대한 어떠한 사례도 없어서

V S nor+조동사+S+V (도치)

no examples of it / in written or notated form, / nor has it survived / in oral tradition.

/ 기록되거나 악보에 적힌 형태로 / 아니면 그것을 살아남지 않았다 / 구전으로도

해석 우리는 고대 그리스 음악이 어떤 소리를 냈는지 알지 못하는데, 그 이유는 그것이 기록되거나 악보에 적힌 형태로 되어 있는 사례가 없고, 구전으로도 살아남지 못했기 때문이다.

부정부사어(not until)+V+S (도치)

26-10 Not until the rise of ecology / at the beginning of the twentieth century /

생태학의 등장 이후에야 / 20세기 초반에 /

V S

did people begin to think / seriously of land / as a natural system with interconnecting parts.

사람들은 생각하기 시작했다 / 토지에 대해 진지하게 / 서로 연결된 부분을 갖춘 하나의 자연 체계로서

해석 20세기 초에 생태학이 부상한 이후에야 사람들은 땅을 서로 연결된 부분을 가진 하나의 자연 체계로 진지하게 생각하기 시작했다.

---

not only+V+S (도치) V_1 S_1

26-11 Not only was Eurasia / by chance / blessed with biological abundance, /

유라시아는 뿐만 아니라 / 우연히 / 생물학적 풍요로움의 축복을 받았을 /

S_2 V_2

but the very orientation of the continent / greatly promoted the spread of crops /

대륙의 바로 그 방향은 / 크게 작물의 확산을 촉진했다

between distant regions.

멀리 떨어진 지역들 사이의

해석 유라시아는 우연히 생물학적 풍부함으로 축복받았을 뿐만 아니라 그 대륙의 바로 그 방향은 멀리 떨어진 지역 간의 농작물들의 확산을 크게 촉진시켰다.

---

only+부사어+V+S (도치)

26-12 Only in the last few decades, / in the primarily industrially developed economies, /

겨우 지난 몇 십년 안에 / 주요 산업 선진 경제국에서 /

V S

has food become so plentiful / and easy to obtain / as to cause fat-related health problems.

식량은 매우 풍요롭게 되었고 / 구하기 쉽게 되었다 / 그래서 지방 관련 건강 문제를 야기했다

해석 겨우 지난 몇 십년 동안에서야 비로소, 주요 산업 선진 경제국에서 식량이 매우 풍부해지고 구하기 쉬워져서 지방 관련 건강 문제를 야기하게 되었다.

---

only+부사어+V+S (도치) V S

26-13 Only when the information is repeated / can its possessor turn / the fact /

그 정보가 반복되었을 경우에만 / 그것의 소유주는 바꿀 수 있다 / 그 사실을 /

동격절

that he knows something / into something socially valuable /

그가 무언가를 알고 있다는 / 사회적으로 가치 있는 무언가로 /

like social recognition, prestige, and notoriety.

사회적 인지, 명성, 그리고 악명과 같은

해석 그 정보를 소유한 사람은 그 정보가 반복될 때만 자신이 무언가를 알고 있다는 사실을 사회적 인지, 명성 그리고 악명과 같은 사회적으로 가치 있는 어떤 것으로 바꿀 수 있다.

---

only+부사어+V+S (도치) V S

26-14 Only after some time and struggle / does the student begin / to develop the insights

어느 정도의 시간과 노력이 있은 뒤에야 / 학습자는 시작한다 / 통찰력과 직관을 발달시키는 것을

관계사 수식

and intuitions / that enable / him / to see the centrality and relevance / of this mode of thinking.

/ 할 수 있게 하는 / 그가 / 중요성과 타당성을 알도록 / 이런 사고방식의

해석 어느 정도의 시간과 노력이 있은 뒤에야 학습자는 이런 사고방식의 중요성과 타당성을 알 수 있게 해주는 통찰력과 직관력을 발달시키기 시작한다.

형용사 보어+V+S (도치) V S

26-15 Suggestive of our open-air markets and flea markets / were the occasional markets /

우리 노천 시장과 벼룩시장을 연상시키는 / 이따금씩 열리는 시장은 ~이었다 /

전치사+관계대명사 S 분사 수식

at which Sio villagers / living on the coast of northeast New Guinea /

Sio 마을 사람들이 / 뉴기니 북동쪽 해안에 사는 /

V

met New Guineans from inland villages.

내륙 마을에서 온 뉴기니 사람들은 만나는

해석 뉴기니 북동쪽 해안에 사는 Sio 마을 사람들이 내륙 마을에서 온 뉴기니 사람들을 만나는 이따금 서는 시장은 우리의 노천 시장과 벼룩시장을 연상시켰다.

not only+V+S (도치) V_1 S_1 관계사 수식

26-16 Not only are you / taking in sights and sounds / that you could not experience firsthand, /

당신은 뿐만 아니라 / 장면과 소리를 취하고 있을 / 당신이 직접 경험할 수 없는 /

S_2 V_2

but you have stepped inside / that person's mind / and are temporarily sharing /

당신은 안으로 나아갔다 / 그 사람의 마음속으로 / 그리고 일시적으로 공유하고 있다 /

his or her attitudes and reactions.

그나 그녀의 태도와 반응을

해석 여러분이 직접 경험할 수 없는 장면과 소리를 접하고 있을 뿐 아니라, 그 사람의 마음속으로 들어가서 잠시나마 그 사람의 태도와 반응을 공유하고 있는 것이다.

형용사 보어+V+S (도치) V S

26-17 Implicit / in the characterization of collectivist and individualist groups / is the assumption /

내재하는 / 집단주의 집단과 개인주의 집단의 특성 묘사에 / 가정이 있다 /

동격절 관계사 수식

that deviance will be downgraded / more in groups / that prescribe collectivism /

일탈이 평가 절하될 것이라는 / 집단에서 더 많이 / 집단주의를 규정하는 /

관계사 수식

than in groups / that prescribe individualism.

집단에서보다 / 개인주의를 규정하는

해석 개인주의를 규정하는 집단에서보다 집단주의를 규정하는 집단에서 일탈이 더 평가 절하될 것이라는 가정은 집단주의 집단과 개인주의 집단의 특성 묘사에 내재한다.

형용사 보어+V+S (도치)

26-18 Of particular importance / in considering emotional changes / in old age /
특히 중요한 / 정서적인 변화를 고려할 때 / 노년의 /

V S
is the presence of a positivity bias: / that is, / a tendency / to notice, attend to, and remember /
긍정적 편향의 존재가 ~이다 / 즉 / 경향인 / 알아차리고, 주목하고, 기억하는 /

more positive / compared to negative information.
더 긍정적인 (정보에) / 부정적인 정보와 비교해

해석 노년의 정서적 변화를 고려할 때 특히 중요한 것은 긍정 편향, 즉 부정적 정보와 비교해 더 많은 긍정적 정보를 인지하고, 주목하고, 기억하는 경향의 존재이다.

전치사구+V+S (도치) V_1 S_1 = 동격절

26-19 With this form of agency / comes the belief / that individual successes depends primarily on /
행위자의 이러한 형태와 함께 / 믿음이 온다 / 개인의 성공은 주로 달려 있다는 /

one's own abilities and actions, / and thus, whether by influencing the environment /
자신의 능력과 행동에 / 그래서 환경에 영향을 미치거나 /

S_2 V_2
or trying to accept one's circumstances, / the use of control / ultimately centers on the individual.
사람의 환경을 받아들이고자 함으로써 / 통제의 사용은 / 궁극적으로 개인에게 집중된다

해석 이러한 형태의 주체성의 결과로 개인의 성공이 주로 자신의 능력과 행동에 달려 있다는 믿음이 생기며, 따라서 환경에 영향을 미침에 의해서든, 자신의 상황을 받아들이려고 노력함에 의해서든, 통제력의 사용은 궁극적으로 개인에게 집중된다.

보어+V+S (도치) V S 전치사+관계사

26-20 So profound is the extent / to which our sense of the world /
정도가 너무 심오해서 / 세상에 대한 우리의 인식이 /

so profound ~that 구문
is shaped by media products today / that, when we travel to distant parts of the world /
오늘날 미디어 산물에 의해서 구성되어지는 / 그래서 우리가 세상의 먼 지역으로 여행을 할 때 /

as a visitor or tourist, / our lived experience is often preceded /
방문자나 여행객으로서 / 우리의 직접적인 경험은 종종 선행된다 /

분사 수식
by a set of images and expectations / acquired through extended exposure to media products.
일련의 이미지와 기대에 의해서 / 미디어 산물에 확장된 노출을 통해서 얻어지는

해석 세상에 대한 우리의 인식이 오늘날 미디어 산물에 의해 형성되는 정도가 너무나 심해져서 우리가 방문자나 여행객으로 세계의 먼 지역으로 여행할 때 흔히 우리의 직접적인 경험보다 미디어 산물에 장기간 노출됨으로써 습득된 일련의 이미지와 기대감이 앞선다.

UNIT 27 부정 관련 구문

pg. 124~127

S V
27-1 Neither Einstein's relativity nor Bach's fugues / are such stuff / as survival is made on.
아인슈타인의 상대성 이론도 바흐의 서곡도 아니다 / 그러한 물건이 / 생존이 만들어지는

해석 아인슈타인의 상대성 이론이나 바흐의 서곡은 둘 다 생존이 이루어지게 하는 것은 아니다.

S V
27-2 Some are reluctant to / label plant movements / as behaviors, / since they lack nerves and muscles.
일부는 꺼린다 / 식물의 움직임을 부르는 것을 / 행동이라고 / 그들이 신경과 근육이 부족하기 때문에

해석 몇몇 사람은 식물에 신경과 근육이 없어서 식물의 움직임을 행동이라고 부르기를 꺼린다.

27-3 In contrast, / successful participants(S) had(V) little wish / to be distracted / from their self-related thoughts!

대조적으로 / 성공적인 참여자들은 바람을 거의 가지지 않았다 / 주의가 딴 데로 돌려지는 걸 / 그들이 자아와 연관된 생각으로부터

해석 이와 대조적으로, 성공한 참가자들은 자기 자신과 관련된 생각에서 주의가 딴 데로 돌려지기를 거의 바라지 않았다!

27-4 Far from being static, / the environment(S) is constantly changing(V_1) / and offering(V_2) new challenges / to evolving populations.

정적이라기보다는 / 환경은 지속적으로 변하고 있다 / 그리고 새로운 도전을 제공하고 있다 / 진화하는 개체군에게

해석 정적이기는커녕 오히려 환경은 끊임없이 변하고 있으며 진화하는 개체군에게 새로운 도전을 제공하고 있다.

27-5 By now designers(S) worked(V_1) predominately / within factories / and no longer designed(V_2) for individuals / but for mass markets.

그쯤에 디자이너들은 주로 일했다 / 공장 내에서 / 그리고 더 이상 개인을 위해 디자인하지 않았다 / 그러나 대량 판매 시장을 위해서 했다

해석 그쯤에 디자이너들은 주로 공장에서 일했고 더 이상 개인을 위해서가 아닌 대량 판매 시장을 위해서 디자인했다.

27-6 Because dogs dislike bitter tastes, / various sprays and gels(S) have been designed(V) / to keep them from chewing / on furniture or other objects.

개들은 쓴맛을 싫어하기 때문에 / 다양한 스프레이와 젤이 고안되어 왔다 / 그들이 씹지 못하도록 하기 위해서 / 가구나 다른 물건들을

keep A from -ing: A가 ~하는 것을 막다

해석 개는 쓴맛을 싫어하기 때문에 개가 가구나 다른 물건을 씹는 것을 막기 위해 다양한 스프레이와 젤이 고안되어 왔다.

27-7 We(S) can see(V) the world / only as it appears to us, / not "as it truly is,"/ because there is no "as it truly is"/ without a perspective to give it form.

우리는 세상을 볼 수 있다 / 오직 그것이 우리에게 나타나는 것으로만 / 그것이 '정말로 있는 그대로'가 아니라 / 왜냐하면 '정말로 있는 그대로'란 없기 때문에 / 그것에게 형태를 주는 관점 없이는

해석 우리는 세계를 '정말로 있는 그대로'가 아니라, 그것이 우리에게 보이는 대로만 볼 수 있는데, 왜냐하면 세계에 형태를 부여하는 관점 없이 '정말로 있는 그대로'란 없기 때문이다.

27-8 Large or even medium-sized groups (S_1) / — corporations, movements, whatever — /
크거나 아니면 심지어 중간 크기의 집단들은 / 회사든, 운동조직이든, 무엇이든지 간에 /
aren't built (V_1) to be flexible, / nor are (V_2) they (S_2) willing to take large risks. (nor+V+S (도치))
유연하게 만들어지지 않는다 / 그리고 그들은 큰 위험을 감수하려고 하지도 않는다

해석 회사든 (사회)운동조직이든 무엇이든지 간에 크거나 심지어 중간 크기의 집단들은 유연하도록 만들어지지 않고, 기꺼이 큰 위험을 무릅쓰지도 않는다.

27-9 An introvert (S) is (V) far less likely to / make a mistake in a social situation, /
내성적인 사람은 가능성이 훨씬 낮다 / 사회적 상황에서 실수를 할 /
such as inadvertently insulting another person / whose opinion is not agreeable. (관계사 수식)
무심코 다른 사람을 모욕하는 것과 같은 / 그 사람의 의견이 동의할 수 없는

해석 내성적인 사람은, 찬성할 수 없는 의견을 가진 다른 사람을 무심코 모욕하는 것과 같은, 사교 상황에서의 실수를 할 가능성이 훨씬 더 낮다.

27-10 It (가주어) should be noted (V), / though, / [that (진주어) no development (S) in the Internet job age /
주목되어야 한다 / 하지만 / 인터넷 직업 시대에 어떠한 발전도 /
has reduced (V) / the importance of the most basic job search skill: / self-knowledge].
줄이지 않았다는 것을 / 가장 기본적인 구직 기술의 중요성을 / 자기 이해라는

해석 하지만 인터넷 직업 시대에서의 어떠한 발전도 가장 기본적인 구직 기술, 즉 자기 이해의 중요성을 감소시키지는 않았다는 것에 주목해야 한다.

27-11 In many cases, / weed control (S_1) can be (V_{1-1}) very difficult / or (will) require (V_{1-2}) much hand labor /
많은 경우에 / 잡초 방제는 매우 어려울 수 있다 / 아니면 많은 수작업을 필요로 할 수 있다 /
if chemicals cannot be used, / and fewer people (S_2) are (V_2) willing to do this work /
만약 화학물질이 사용될 수 없다면 / 그리고 이 일을 기꺼이 하려는 사람들이 더 적어진다 /
as societies become wealthier.
사회가 부유해짐에 따라

해석 많은 경우, 화학 물질이 사용될 수 없으면 잡초 방제가 매우 어렵거나 많은 손일이 필요할 수 있는데, 사회가 부유해짐에 따라 이 작업을 기꺼이 하려는 사람이 더 적어진다.

27-12 The fact (S) / that language is not always reliable (= 동격절; 부분 부정) / for causing precise meanings /
사실은 / 언어가 항상 믿을 만한 것은 아니다라는 / 정교한 의미를 유발하는 /
to be generated / in someone else's mind / is (V) a reflection of its powerful strength /
발생되어지도록 / 다른 누군가의 정신 속에 / 그것의 강력한 강함의 반영이다 /
as a medium / for creating new understanding.
매개체로서의 / 새로운 이해를 만들기 위한

해석 언어가 어떤 사람의 정신 속에 정확한 의미가 형성되도록 하는 데 항상 신뢰할 만하지는 않다는 사실은 새로운 이해를 만들어 내는 수단으로서의 언어의 강력한 힘을 반영하는 것이다.

S V
27-13 When you stand on a bathroom scale, / the scale measures / just how much upward force /
당신이 욕실 체중계에 올라설 때 / 체중계는 측정한다 / 단지 얼마나 많은 양력이 /
keep A from -ing: A가 ~하는 것을 막다
it must exert on you / in order to keep you from moving downward / toward the earth's center.
그것이 당신에게 발휘해야 하는지 / 당신이 아래로 움직이는 걸 막기 위해서 / 지구의 중심 쪽으로

해석 당신이 욕실 체중계에 올라설 때, 체중계는 단지 당신이 지구 중심을 향해 아래쪽으로 내려가는 것을 막기 위해 그것이 당신에게 얼마나 많은 양력(위로 상승하는 힘)을 가해야 하는지를 측정하는 것이다.

S V S
27-14 The reality of success / in the social web for businesses / is that / creating a social media program /
성공의 실제는 / 비즈니스를 위한 소셜 웹에서의 / 이것이다 / 소셜 미디어 프로그램을 만드는 것이 /
V not A but B: A가 아니라 B
begins not with insight / into the latest social media tools and channels /
통찰력을 가지고 시작할 뿐만 아니라 / 최근의 소셜 미디어 도구와 채널에 대한 /
but with a thorough understanding / of the organization's own goals and objectives.
철저한 이해를 통해서 / 조직 자체의 목적과 목표에 대한

해석 기업을 위한 소셜 웹에서의 성공의 실제는 소셜 미디어 프로그램을 고안하는 것이 최신 소셜 미디어 도구와 채널에 대한 통찰력이 아니라 조직 자체의 목적과 목표에 대한 철저한 이해와 더불어 시작된다는 것이다.

no sooner+조동사+S+V (도치)
no sooner A than B: A하자마자 B하다 S V 분사구문, 동시상황
*27-15 No sooner had the play begun / than she started to doze off, / falling forward.
연극이 시작하자마자 / 그녀는 졸기 시작했다 / 앞으로 넘어지면서

해석 연극이 시작하자마자 그녀는 앞으로 넘어지듯이 하면서 졸기 시작했다.

no doubt that: ~가 확실하다
V S = 동격절
*27-16 There is no doubt / that fashion can be a source of interest and pleasure /
의심할 여지가 없다 / 패션은 관심과 즐거움의 원천이 될 수 있다 /
관계사 수식
which links us to each other.
우리를 서로와 연결해 주는

해석 의심할 여지없이, 패션은 우리와 타인을 연결해 주는 흥미와 즐거움의 원천이 될 수 있다.

가주어 V not until A that B: A에서야 비로소 B하다 진주어
*27-17 It was not until relatively recent times / [that scientists came to understand the relationships /
비교적 최근에야 비로소 되었다 / 과학자들은 그 관계들을 이해하게 된 것이 /
between the structural elements of materials and their properties].
물질의 구조적 요소와 그들의 특성 사이의

해석 비로소 과학자들이 물질의 구조적 요소와 물질 특성의 관계를 이해하게 된 것은 비교적 최근에 이르러서였다.

S V
*27-18 Attributes and values are passed down / from parents to child / across the generations /
특성과 가치가 전해진다 / 부모에서 아이에게로 / 세대를 거쳐서 /
not only A but also B: A뿐만 아니라 B도 역시
not only through strands of DNA, / but also through shared cultural norms.
DNA 가닥을 통해서 뿐만 아니라 / 공유된 문화적 규범을 통해서도

해석 고유한 특성과 가치는 DNA 가닥뿐만 아니라 함께 경험한 문화 규범을 통해서 세대에 걸쳐 부모로부터 아이에게 전달된다.

S V nothing but (불과, 오직) ↔ anything but (~은 아니다)

*27-19 And what's worse, / they could do **nothing but** / turn filmmakers and audiences away /
설상가상으로 / 그들은 오직 할 수 있었다 / 영화 제작자와 관객을 멀어지게 /
from the fantasmatic dimension of cinema, /
영화의 환상적인 차원으로부터 /
분사구문, 동시 상황
potentially **transforming** film into a mere delivery device / for representations of reality.
잠재적으로 영화를 단순한 전달 도구로 변화시키면서 / 현실의 묘사를 위한

해석 그리고 설상가상으로 그것들은 잠재적으로 영화를 현실의 묘사를 위한 단순한 전달 장치로 변형시키면서, 영화 제작자와 관객을 영화의 환상적인 차원에서 멀어지게 할 수 있을 뿐이었다.

S V not only A (but) also B: A뿐만 아니라 B도 역시

*27-20 As a consequence, / firms do **not only** need to / consider their internal organization /
결과적으로 / 회사들은 필요할 뿐만 아니라 / 그들의 내부 조직을 고려할 /
S V
in order to ensure sustainable business performance; / they **also** need to /
지속 가능한 사업 성과를 보장하기 위해서 / 그들은 또한 필요하다 /
분사 수식
take into account / the entire ecosystem of units / surrounding them.
고려할 / 부문들의 전체 생태계를 / 그들을 둘러싸는

해석 결과적으로, 기업은 지속 가능한 사업 성과를 보장하기 위해 그들 내부 조직에 주의를 기울일 필요가 있을 뿐 만 아니라, 자신들을 둘러싸고 있는 부문들의 전체 생태계를 고려할 필요도 있다.

UNIT 28 5형식 구문

pg. 130-134

S V

28-1 Negotiators may focus only on / the largest, most salient issues, /
협상자들은 오직 집중할지도 모른다 / 가장 크고 가장 두드러진 문제에 /
분사구문, 동시 상황 leave+O+OC
leaving **more minor ones unresolved.**
이는 더 사소한 이슈들을 해결되지 않은 채 남겨두면서

해석 협상자들은 가장 크고 가장 두드러진 문제에만 집중하고 더 사소한 것들은 미제로 내버려 둘지 모른다.

S V keep+O+OC

28-2 For one thing, / the fear / of being left out of the loop / can **keep them glued** /
우선 / 두려움은 / 잘 모르는 상태로 남겨진다는 / 그들을 매달리게 만들 수 있다 /
to their enterprise social media.
그들의 기업 소셜미디어에

해석 우선, 상황을 잘 모르고 혼자 남겨진다는 두려움은 그들이 계속 자신들의 기업 소셜미디어에 매달리도록 할 수 있다.

S get+O+OC
28-3 A way / to get things done / more efficiently / and get better results /
방식은 / 일을 끝내는 / 보다 효율적으로 / 그리고 더 나은 결과를 얻는 /
V
is to do the right thing / at the right time of day.
적절한 것을 하는 것이다 / 하루 중 적절한 때에

해석 일들을 더 능률적으로 끝내고 더 나은 결과를 얻는 방법은 하루 중 적절한 때 적절한 것을 하는 것이다.

S 분사 수식
28-4 Thus, / archaeologists / claiming to follow hypothesis-testing procedures /
그래서 / 고고학자들은 / 가설 검증 절차를 따를 것을 주장하는 /
V find+O+OC
found themselves having to create / a fiction.
자신들이 써야하는 상태에 있음을 알게 되었다 / 소설을

해석 따라서 가설 검증 절차를 따를 것을 주장하는 고고학자들은 자신도 모르게 가공의 이야기를 써야 했다.

S V_1 regard+O+as+OC 관계사 생략
28-5 Furthermore, / we instantly regard / the screwdriver / we are holding /
게다가 / 우리는 즉시 간주한다 / 나사돌리개를 / 우리가 쥐고 있는 /
V_2
as "our" screwdriver, / and get possessive about it.
우리의 나사돌리개로 / 그리고 그것에 대해서 소유욕을 갖게 된다

해석 게다가, 우리는 즉시 우리가 들고 있는 나사돌리개를 '자신의' 나사돌리개로 간주하고, 그것에 대해 소유욕을 갖게 된다.

S V consider+O+(as)+OC
28-6 We tend to consider / ourselves as rational decision makers, /
우리는 간주하는 경향이 있다 / 우리 스스로를 합리적인 의사결정자로 /
분사구문, 동시 상황 관계사 생략 문장 수식
logically evaluating / the costs and benefits of each alternative / we encounter.
그리고 논리적으로 평가하면서 / 각각의 대안의 비용과 혜택을 / 우리가 직면하는

해석 우리는 우리 자신을 합리적인 의사 결정자로 여기는 경향이 있어서, 우리가 접하는 각 대안의 비용과 이익을 논리적으로 평가한다.

S V S V find+O+OC
28-7 But one may ask / why audiences would find such movies enjoyable /
하지만 사람은 물을지도 모른다 / 왜 관객은 그런 영화들이 즐거울 수 있다고 깨닫는지를 /
= (to) give
if all they do / is give cultural directives and prescriptions / for proper living.
그들이 하는 모든 것은 / 문화적 지시와 처방을 주는 것이라면 / 적절한 삶을 위해

해석 그러나 영화가 하는 일의 전부가 적절한 삶에 대한 문학적 지시와 처방을 전달하는 것뿐이라면 관객들이 왜 그러한 영화가 즐겁다고 느끼는지에 대한 질문이 제기될 수 있다.

get+O+OC
28-8 If he would have only taken a few minutes / to get the nail removed, /
만약 그가 몇 분만 시간을 들였더라면 / 못을 제거하는 데 /
S V
he most likely would not have received a flat tire / on that particular day.
그는 틀림없이 타이어 펑크가 나지 않았을 것이다 / 그날에

해석 만약에 그가 그 못을 제거하기 위해 몇 분만 시간을 들였더라면, 그는 틀림없이 그날 타이어에 바람이 빠지는 일은 당하지 않았을 것이다.

S V
28-9 Through these services and devices, / digital nomads assemble a kind of movable office, /
이러한 서비스와 기기를 통해서 / 디지털 유목민들은 일종의 이동 가능한 사무실을 조성한다 /
계속적 용법 allow+O+OC
which allows them to reach / their materials / from anywhere.
이는 그들을 접근하도록 허용한다 / 그들의 자료에 / 어디에서든

해석 이러한 서비스와 기기를 통해, 디지털 유목민은 일종의 이동 가능한 사무실을 조성하게 되는데 이는 그들이 어느 곳에서든 자신들의 자료에 접근하도록 해 준다.

S V consider+O+OC
28-10 Some theorists consider / Utopian political thinking / to be a dangerous undertaking, /
일부 이론가들은 간주한다 / 유토피아적인 정치사상이 / 위험한 일이 될 것이라고 /

since it has led in the past / to justifications of totalitarian violence.
그것은 과거에 유발했기 때문에 / 전체주의적인 폭력의 정당화를

해석 일부 이론가는 유토피아적 정치사상은 위험한 일이라고 여기는데, 그것이 지금까지 전체주의적인 폭력의 정당화로 이어졌기 때문이다.

S V_1 get+O+OC V_2 teach+O+OC regard+O+as+OC
28-11 Paying kids / to read books / might get them to read more, / but also teach them to regard /
아이들에게 돈을 지불하는 것은 / 책들을 읽으라고 / 그들이 더 많이 읽도록 할지도 모른다 / 마찬가지로 그들에게 간주하라고 가르칠 수도 있다 /

reading / as a chore / rather than a source of intrinsic satisfaction.
독서를 / 허드렛일로 / 내적인 만족감의 근원이라기보다

해석 아이들에게 책을 읽으라고 돈을 주는 것은 책을 더 읽게 할 수는 있지만, 독서를 내적 만족감의 근원보다는 허드렛일로 생각하도록 가르칠 수도 있다.

S V consider+O+OC 전치사+관계대명사
28-12 Plato considered music / in which the lyre and flute played alone /
플라톤은 음악을 여겼다 / 수금과 피리로만 연주하는 /

and not as the accompaniment of dance or song / to be ‘exceedingly coarse and tasteless’.
춤이나 노래의 부수적인 것으로서가 아니라 / ‘매우 조잡하고 무미건조한 것’으로

해석 플라톤은 춤이나 노래의 반주로서가 아닌 수금(竪琴)과 피리만 연주되는 음악을 ‘매우 조잡하고 무미건조하다’고 여겼다.

S V_1 make+O+OC
28-13 A reliance on schemata / will inevitably make the world / seem more “normal”/
도식에의 의존은 / 불가피하게 세상을 만들 것이다 / 더욱 ‘정상적’으로 보이게 /
V_2 make+O+OC
than it really is / and will make the past / seem more “regular”/ than it actually was.
그것이 실제보다 / 그리고 과거를 만들 것이다 / 더욱 ‘규칙적’으로 보이게 / 실제 그랬던 것보다

해석 도식에 의존하는 것은 불가피하게 세상을 실제보다 더 ‘정상적인’것으로 보이게 할 것이고, 과거를 실제보다 더 ‘규칙적인’것으로 보이게 할 것이다.

분사구문, 동시 상황 S V see+O+OC OC_1

28-14 Coming home from work / the other day, / I saw a woman trying / to turn onto the main street /
일터에서 집으로 오면서 / 요전 날에 / 나는 여자가 노력하는 걸 봤다 / 큰 길로 들어오려 하는 것을 /

OC_2

and having very little luck / because of the constant stream of traffic.
그리고 운이 없는 것을 / 지속적인 교통 흐름 때문에

해석 요전 날 일이 끝나고 집에 오는데, 큰길로 들어오려했지만, 연이은 교통 흐름 때문에 운이 나빴던 한 여인을 보았다.

S V 계속적 용법 cause+O+OC

28-15 Alternatively, / the leader's information / might be only fragmentary, / which might cause /
그렇지 않으면 / 지도자의 정보는 / 단지 단편적일 수도 있다 / 그것은 유발할지도 모른다 /

her to fill in the gaps / with assumptions / — sometimes without recognizing them as such.
그녀가 그 차이들을 메우도록 / 가정들을 가지고 / 때때로 그것들을 그런 것으로 인지하는 것 없이

해석 그게 아니면, 지도자의 정보는 그저 단편적인 것일 수도 있으며, 이는 지도자가 공백을 추정으로 채우게 하는데, 때로는 그것을 추정으로 인식하지 못하면서 그렇게 할 수도 있다.

S 관계사 수식

28-16 Any scientist / who announces a so-called discovery / at a press conference /
어떤 과학자들도 / 소위 발견이라는 것을 공표하는 / 기자 회견에서 /

permit+O+OC

without first permitting / expert reviewers / to examine his or her claims /
우선 허용하지 않고 / 전문가 검토인들에게 / 자신의 주장을 검증하는 것을 /

V

is automatically castigated / as a publicity seeker.
자동적으로 혹평받는다 / 명성을 좇는 사람으로서

해석 먼저 전문적인 검토자에게 자신의 주장을 검증하도록 허용하지 않은 채로 기자 회견에서 이른바 발견을 발표하는 과학자는 누구나 자동으로 명성을 좇는 사람이라는 혹평을 받는다.

S_1 V_1

28-17 In our contemporary world, / television and film are particularly influential media, /
우리 현대 세계에서 / 텔레비전과 영화는 특히 영향력 있는 매체이다 /

가주어 V_2 진주어

and it is likely / [that the introduction of more scientist-heroes / would help to /
그리고 가능성이 높다 / 더 많은 과학자 영웅들의 도입은 / 도움을 줄 /

make+O+OC

make science more attractive].
과학을 더욱 매력적으로 만드는 데

해석 우리의 현대 세계에서 텔레비전과 영화는 특히 영향력 있는 매체여서, 더 많은 과학자 영웅들을 주인공으로 도입한다면 과학을 더 매력 있게 하는 데 도움이 될 것이다.

28-18 While user habits are a boon / to companies / fortunate enough / to generate them, /
사용자 습관은 요긴한 것인 반면에 / 회사들에게 / 충분히 운이 좋은 / 그것들을 만들어 낼 만큼 /

S V make+O+OC

their existence / inherently makes / success / less likely /
그들의 존재는 / 본질적으로 만든다 / 성공이 / 덜 가능하게 /

분사 수식

for new innovations and startups / trying to disrupt the status quo.
새로운 혁신과 스타트업 기업들에게 / 현재 상태를 방해하려고 노력하는

해석 사용자 습관은 그것들을 만들어 낼 만큼 운 좋은 기업에게는 요긴한 것인 반면에, 그것들의 존재는 본질적으로 현재 상태를 무너뜨리려는 새로운 혁신과 신생 기업이 성공할 가능성을 더 적게 만든다.

28-19 Tory Higgins and his colleagues (S) / had (V) university students read (have+O+OC, OC_1) /
Tory Higgins와 그의 동료들은 / 대학생들이 읽도록 했다 /

a personality description of someone / and then summarize (OC_2) it / for someone else /
누군가의 성격 묘사를 / 그리고 나서 그것을 요약하도록 / 다른 누군가에게 /

관계사 수식
who was believed / either to like or to dislike this person.
믿어지는 / 이 사람을 좋아하거나 싫어한다고

해석 Tory Higgins와 그의 동료들은 대학생들에게 어떤 사람들의 성격을 기술한 것을 읽게 하고, 그 다음 이 사람을 좋아하거나 싫어한다고 믿어지는 어떤 다른 사람을 위해 그것을 요약해 보게 시켰다.

28-20 You (S) can use (V_1) a third party / to compliment a person / you want to befriend / (관계사 생략 문장 수식)
당신은 제삼자를 이용할 수 있다 / 사람을 칭찬하기 위해서 / 당신이 친구가 되고 싶은 /

and still get (V_2) the "credit" / for making (make+O+OC) / the target of your compliment / feel (OC_1) good /
그리고 여전히 '공적'을 인정받을 수 있다 / 만드는 것에 대해 / 당신 칭찬의 대상이 / 좋게 느끼도록 /

about themselves / and, by extension, / feel (OC_2) good about you.
스스로에 대해서 / 그리고 확장해서 / 당신에 대해서 좋게 느끼도록

해석 여러분은 친구가 되고 싶은 어떤 사람을 칭찬하기 위해 제삼자를 이용하면서도 여전히 여러분의 칭찬 대상이 자신에 대해 좋은 감정을 느끼고, 나아가 여러분에 대해서 좋은 감정을 느끼게 한 것으로 '공적'을 인정받을 수 있다.

28-21 The energy (S) from the Sun / that reaches the Earth / over the course of just three days / (관계사 수식)
태양으로부터의 에너지는 / 지구에 도달하는 / 단지 3일이라는 기간 동안 /

is (V) equal to the energy / in the fossil fuels / needed to / keep (keep+O+OC) / the human race / (분사 수식)
에너지와 동일하다 / 화석 연료의 / 필요한 / 만드는 데 / 인류가 /

supplied with power / for 100 years / at the present rate of consumption.
에너지를 제공받도록 / 100년 동안 / 현재의 소비 속도로

해석 단 3일 동안 지구에 도달하는 태양열 에너지는 현 속도로 소비하는 인류에게 100년 동안 계속 에너지를 제공하는 데 필요한 화석 연료 에너지와 같다.

28-22 Gift-wrapping (S), / in Waits's acute term, / became (V_1) a 'decontaminating mechanism' /
선물 포장은 / Waist의 예리한 관점에서 / '정화시키는 방법'이 되었다 /

관계사 수식
that removed the presents / from the 'normal flow / of bought-and-sold goods' /
선물들을 제거하는 / 평범한 흐름으로부터 / 사고 파는 물건의 /

and made (V_2, make+O+OC) them, / for a single ceremonial moment, / emblems of intimacy / rather than commerce.
그리고 그들을 만들었다 / 하나의 의식적인 순간을 위해서 / 친밀감의 상징으로 / 상업이라기보다는

해석 Waits의 예리한 관점으로는, 선물 포장은 '사고-파는 물건의 보통의 흐름'으로부터 선물을 분리시킨 '정화시키는 방법'이 되었으며 한 의식(儀式)적인 한 순간을 위해서 상업적이라기보다는 친밀함의 상징이 되도록 만들었다.

S_1 V_1 think of+O+as+OC see+O+OC

28-23 We think of ourselves / as seeing / some things cause / other things to happen, /
우리는 우리 스스로를 생각한다 / 보는 것으로 / 무언가가 유발하는 걸 / 다른 것이 발생하도록 /

S_2 V_2 see+O+OC

but in terms of our raw sense experience, / we just see / certain things happen /
하지만, 우리의 가공하지 않은 감각 경험의 관점에서 / 우리는 단지 본다 / 무언가가 발생하는 것을 /

before other things, / and remember having seen / such before-and-after sequences /
다른 것 앞에서 / 그리고 봤던 것을 기억한다 / 그런 전후의 연쇄과정을 /

at earlier times.
이전 시기에

해석 우리는 우리가 어떤 것들이 다른 것들을 발생하도록 하는 것을 본다고 생각하지만, 가공하지 않은 감각 경험의 관점에서 우리는 단지 어떤 것들이 다른 것들보다 전에 발생하는 것을 보고 이전에 그러한 전후의 연쇄과정을 봤던 것을 기억한다.

S V make+O+OC

28-24 This made / the television advertising of mass consumer products /
이것은 만들었다 / 대량 소비 제품의 텔레비전 광고를 /

가주어 V

relatively straightforward / — not to say easy — / whereas today it is necessary /
상대적으로 단순하게 / 쉬웠다고 말하지는 않지만 / 반면에 오늘날 필요하다 /

의미상의 주어 진주어

for advertisers / [to build up coverage of their target markets / over time, /
광고주들이 / 그들의 목표 시장의 점유 범위를 구축하는 것이 / 일정 시간 동안 /

by advertising on a host of channels / with separate audiences].
다수의 채널에 광고함으로써 / 별도의 시청자가 있는

해석 이것은 대량 소비 제품의 텔레비전 광고를 상대적으로 단순하게 — 쉬웠다고 말하는 것은 아니지만 — 만들어 주었는데, 반면에 오늘날에는 광고주들이 별도의 시청자가 있는 다수의 채널에 광고를 함으로써, 자신들의 목표 시장의 점유 범위를 시간을 두고 구축하는 것이 필요하다.

UNIT 29 5형식 수동태 구문

pg. 137~140

S V ❶ be encouraged+to R (~하도록 장려되다)

29-1 For optimum health, / people should be encouraged / to take control to a point /
최적의 건강을 위해서 / 사람들은 장려되어야 한다 / 어느 정도까지 통제를 해야 한다고 /

❷

and to try harder / to conquer uncontrollable stressful situations.
그리고 더욱 노력해야 한다고 / 통제할 수 없는 스트레스를 주는 상황을 정복하려고

해석 최적의 건강을 위해, 사람들은 어느 정도까지 통제하고, 통제할 수 없는 스트레스 상황을 정복하도록 더 노력하도록 권장되어야 한다.

29-2 Without a better understanding / of the what, when, and why / of data collection and use, /
더 나은 이해 없이 / 무엇, 언제, 그리고 이유에 대해 / 정보 수집과 이용의 /

S V be left+-ing (~한 상태로 남겨지다)

the consumer is often left / feeling vulnerable and conflicted.
소비자는 종종 남겨진다 / 취약하고 갈등을 겪는다는 느낌을 받도록

해석 정보 수집 및 이용의 내용과 시기, 이유에 더 잘 이해하지 못할 경우, 소비자는 흔히 취약하고 갈등을 겪는다는 느낌을 받게 된다.

S V be urged+to R (~하도록 촉구받다)
29-3 Through recent decades / academic archaeologists have been urged /
최근 몇십 년 동안 내내 / 학계의 고고학자들은 촉구받아 왔다 /
to conduct their research and excavations / according to hypothesis-testing procedures.
그들의 연구과 발굴을 행하라고 / 가설 검증 절차에 따라서

해석 최근 몇십 년 동안 내내 학계의 고고학자들은 가설 검증 절차에 따라 연구와 발굴을 수행하라고 촉구받아 왔다.

S_1 V_1 S_2 V_2
29-4 Our brains did not have enough time / to evolve for them, / but I reason /
우리 뇌는 충분한 시간이 없었다 / 그것들을 위해 진화할 / 하지만 나는 추론한다 /
접속사(목적어절) be made+형용사 (~하게 만들어지다)
that they were made possible / because we can mobilize our old areas / in novel ways.
그들이 가능하게 만들어졌음을 / 왜나하면 우리는 우리의 오랜 영역을 동원할 수 있으니까 / 새로운 방식으로

해석 우리의 뇌가 그것들을 위해 진화할 충분한 시간이 없었으나, 나는 우리가 우리의 오래된 영역들을 새로운 방식으로 동원할 수 있기 때문에 그것들이 가능하게 되었으리라고 추론한다.

Upon -ing: ~하자마자 S
29-5 Upon reaching more predictable profitability, / the incubated business /
더 예측 가능한 수익에 도달하자마자 / 육성된 기업들은 /
V be expected+to R (~하도록 기대되다)
can then be expected / to "graduate" and move on / to a typical office or warehouse building.
그때 기대될 수 있다 / '졸업'하고 이동하도록 / 전형적인 사무실이나 창고 건물로

해석 더 예측 가능한 수익성에 도달하자마자 육성된 기업들은 그때 '졸업'을 해서, 전형적인 사무실이나 창고 건물로 옮길 것으로 기대될 수 있다.

S V 접속사(목적어절) be made + 형용사: ~하게 만들어지다
29-6 This means / that government goods and services / are not made available /
이것은 의미한다 / 정부의 재화와 용역이 / 이용 가능하게 만들어지지 않음을 /
to persons / according to their willingness to pay / and their use is not rationed by prices.
사람들에게 / 지불하려는 그들의 의지에 따라서 / 그리고 그들의 사용은 가격에 의해 배분되지 않는다는 것을

해석 이것은 정부의 재화와 용역에 기꺼이 그 값을 내는 사람들의 의사에 따라 그들에게 이용 가능해지는 것이 아니며, 그것들의 이용이 가격에 의해 배분되지 않는다는 것을 의미한다.

as 형용사 as S+V ~: 비록 ~하더라도 S V be considered + 형용사: ~하게 여겨지다
29-7 As important as / the quality of the image may be, / however, / it must not be considered /
중요하더라도 / 이미지의 질이 / 하지만 / 그것은 여겨져서는 안 된다 /
so ~ that ... : 너무 ~ 해서 ... 하다 S V
so important / that the purpose of the film / as an artistic, unified whole / is ignored.
너무 중요하게 / 그래서 영화의 목적이 / 예술적, 그리고 통일된 전체로서 / 무시된다

해석 그러나 이미지의 질이 중요할지라도 그것이 예술적이고 통일된 전체로서 영화의 취지가 무시될 정도로 중요하게 여겨져서는 안 된다.

S 관계사 수식 be considered + 형용사: ~하게 여겨지다 V

29-8 Engaging in acts / that would be considered inconsequential / in ordinary life / also liberates

행동에 관여하는 것은 / 중요하지 않다고 생각되는 / 평범한 삶에서 / 우리를 약간 자유롭게 한다

분사구문, 동시상황 가목적어 진목적어

us a bit, / making it possible / to explore our capabilities / in a protected environment.

/ 그리고 이것은 가능하게 한다 / 우리의 능력을 탐구하는 것을 / 보호된 환경에서

해석 평범한 삶에서 중요하지 않다고 여겨질 수 있을 행위에 참여하는 것은 또한 우리를 약간 해방해, 보호된 환경에서 우리의 능력을 탐구할 수 있게 해준다.

분사구문, = While it is seemingly innovative S_1 V_1

29-9 Seemingly innovative, / architecture has actually become trapped / in its own convention and

외형적으로 혁신적이지만 / 건축은 실제로 갇혀왔다 / 자신의 관례와 상업화된 환경 안에

S_2 V_2 be made + to R: ~하게 되다

commercialized environment, / so efforts should be made / to activate its power / to change us.

/ 그래서 노력은 만들어져야만 한다 / 그 힘을 활성화하도록 / 우리를 변화시키기 위해서

해석 겉보기에는 혁신적이지만, 건축은 사실 그것 자체의 관습과 상업화된 환경에 갇히게 되었고, 그래서 우리를 변화시킬 수 있는 그것[건축]의 힘을 작동시키는 노력이 이루어져야 한다.

S V

29-10 The fallacy of false choice / misleads / when we're insufficiently attentive / to an important hidden

잘못된 선택의 오류는 / 오도한다 / 우리가 불충분하게 주의를 기울일 때 / 중요한 숨겨진 가정에

접속사 that(목적어 절) S 관계사 수식 be made + 형용사: ~하게 만들다 V

assumption, / that the choices / which have been made explicit / exhaust the sensible alternatives.

/ 선택들이 / 명백하게 만들어져왔던 / 합리적인 대안들을 고갈시키도록

해석 잘못된 선택의 오류는, 우리가 숨어 있는 중요한 가정에 불충분하게 주의를 기울이면, 명백한 것으로 밝혀진 선택 사항들이 합리적인 대안을 고갈시키도록 오도한다.

S V be seen + to R: ~로 보여지다

29-11 As a couple start to form a relationship, / they can be seen /

커플이 관계를 형성하기 시작함에 따라 / 그들은 보여질 수 있다 /

to develop a set of constructs / about their own relationship / and, in particular, /

일련의 구성을 발전시키는 것을 / 그들 자신의 관계에 대해서 / 그리고 특히 /

how it is similar or different / to their parents' relationship.

어떻게 비슷하거나 다른지를 / 그들 부모의 관계와

해석 한 커플이 관계를 형성하기 시작할 때 그들이 자신들의 관계에 대해 그리고 특히 그것(그들의 관계)이 그들의 부모의 관계와 어떻게 비슷하거나 다른지에 대해 일련의 구성 개념을 발전시키는 것을 볼 수 있다.

S V

29-12 They combined individuality and innovation / with emulation of the past, /

그들은 개성과 혁신을 결합했다 / 과거의 모방과 /

분사구문, 동시상황 관계사 수식 be considered + 형용사: ~하게 여겨지다

seeking to write music / that would be considered / original and worthy of performance /

그리고 음악 작곡을 추구했다 / 여겨질 / 독창적이며 연주할 가치가 있다고 /

alongside the masterworks of earlier times.

이전 시기의 걸작들과 나란히

해석 그들은 개성과 혁신을 과거의 모방과 결합하여, 이전 시대의 걸작들과 나란히 독창적이고 공연할 가치가 있는 것으로 여겨질 음악을 작곡하려고 노력했다.

S 분사 수식
29-13 These predispositions, / referred to as task and ego goal orientations, /
이러한 성향은 / 과업과 자아 목표 성향이라고 언급되는 /
V be believed + to R: ~라고 여겨지다
are believed / to develop throughout childhood / largely due to the types of people /
믿어진다 / 어린 시절 내내 발전한다고 / 대개 사람들의 유형 때문에 /
관계사 생략 문장 수식 관계사 생략 문장 수식
the athletes come in contact with / and the situations / they are placed in.
운동선수들이 함께하는 / 그리고 상황 때문에 / 그들이 처한

해석 '과제 목표 성향 및 자아 목표 성향'이라고 불리는 이러한 성향은, 주로 운동선수들이 접하게 되는 사람들의 유형 그리고 그들이 처한 상황 때문에 어린 시절 내내 발달한다고 여겨진다.

S V be permitted + to R: ~하도록 허락되다
29-14 Private companies are permitted / to sell their "right"/ to pollute / to other companies, /
민간 기업들은 허용된다 / 그들의 권리를 팔도록 / 오염시킬 / 다른 기업들에게 /
계속적 용법 동격
which can then pollute more, / in the belief / that the free hand of the market /
이는 더 많이 오염시킬 수 있다 / 믿음 속에서 / 시장 경제의 자유의 손이 /
will find the most efficient opportunities / for greenhouse gas reductions.
가장 효율적인 기회를 찾을 것이라는 / 온실 가스 감축을 위한

해석 시장의 자유로운 손이 온실 가스 감축을 위한 가장 효율적인 기회들을 찾아낼 것이라는 믿음 속에서, 사기업들이 오염시킬 그들의 '권리'를 다른 기업들에게 파는 것이 허락되고, 그러면 그들(권리를 산 다른 기업들)은 더 많이 오염시킬 수 있다.

S V be observed + to R: ~하는 것으로 확인된다
29-15 When therapies / such as acupuncture or homeopathy / are observed / to result in /
치료법들이 / 침술이나 동종 요법과 같은 / 관찰될 때 / 유발하는 것이 /
관계사 수식
a physiological or clinical response / that cannot be explained / by the biomedical model, /
생리학적 혹은 임상적 반응을 / 설명될 수 없는 / 생물 의학적 모델에 의해서 /
S V
many have tried to deny the results / rather than modify the scientific model.
많은 사람들은 그 결과들을 부인하고자 노력해 왔다 / 과학적 모델을 수정하기보다는

해석 침술이나 동종 요법 같은 치료법이 생물 의학적 모델에 의해 설명될 수 없는 생리적 또는 임상적 반응을 초래하는 것이 관찰될 때, 많은 사람이 과학적인 모델을 수정하기보다는 그 결과를 부정하려 애써 왔다.

29-16 Likewise, / if a library has not collected much / in a subject, / and then decides to start /
마찬가지로 / 만약 도서관이 많이 수집하지 않았다면 / 한 주제에서 / 그리고 나서 시작하는 걸 결정한다면 /
비인칭 주어 S V
collecting heavily in that area / it will take several years / for the collection /
그 분야에서 과도하게 모으는 것을 / 수년이 걸릴 것이다 / 수집이 /
be considered + 명사: ~로 여겨지다
to be large enough / and rich enough / to be considered / an important research tool.
충분히 크고 / 충분히 풍부하게 되는 것이 / 고려될 정도로 / 중요한 연구 도구로

해석 마찬가지로 한 도서관이 한 주제에서 많은 것을 수집하지 않았고, 그래서 그 분야에서 다량으로 수집하기 시작하기로 결정한다면, 그 소장 도서가 중요한 연구 도구로 여겨질 만큼 충분히 대규모이고 충분히 풍부하게 되는 데에는 여러 해가 걸릴 것이다.

29-17 The development of historical insight / may indeed be regarded / by the outsider / as a process / of creating ever more confusion, / a continuous questioning / of certainty and precision / seemingly achieved already, / rather than, / as in the sciences, / an ever greater approximation to the truth.

(S: The development of historical insight / V: may indeed be regarded / be regarded as + 명사: ~로 여기다 / 분사 수식: seemingly achieved already → certainty and precision)

역사적 통찰의 발전은 / 정말로 간주될 지도 모른다 / 외부인에 의해서 / 과정으로 / 더 큰 혼란을 만드는 / 즉, 지속적인 질문으로 / 확실성과 정확성에 대한 / 겉보기에 이미 얻어진 / 라기보다 / 과학 안에서처럼 / 진실에 대한 훨씬 더 근접(이라기 보다)

해석 역사적 통찰의 발전은 과학에서처럼 진리에 훨씬 더 많이 근접함보다는, 훨씬 더 큰 혼란을 만들어내는 과정, 즉 이미 획득한 것처럼 보이는 확실성과 정확성에 대한 지속적인 의문 제기로 외부인에게 진정 여겨질 수도 있다.

29-18 Thus, / individuals of many resident species, / confronted with the fitness benefits / of control over a productive breeding site, / may be forced / to balance costs / in the form / of lower nonbreeding survivorship / by remaining in the specific habitat / where highest breeding success occurs.

(S: individuals / 분사 수식: confronted with ... → individuals / V: may be forced / be forced + to R: ~하게 되다 / 관계사 수식: where highest breeding success occurs → the specific habitat)

그래서 / 많은 텃새 종들의 개체들은 / 합목적성 이익에 마주하는 / 다산에 유리한 번식지에 대한 통제의 / 강요될지도 모른다 / 비용을 맞추라고 / 형식 안에서 / 더 낮은 비번식 생존의 / 특정한 서식지에 머물러 있음으로써 / 가장 높은 번식 성공이 발생하는

해석 따라서 많은 텃새 종의 개체들은 다산(多産)에 유리한 번식지를 장악[통제]하는 것이 갖는 합목적성에서 오는 이득과 마주하면, 가장 높은 번식 성공이 일어나는 특정 서식지에 머물러 있음으로써 더 낮은 비번식기 생존율의 형태로 대가의 균형을 맞추도록 강요당할 수도 있다.

UNIT 30 특수 수동태 구문

pg 142-143

30-1 It has been estimated / that every $1.00 / spent on locally produced foods / returns (or circulates) $3.00 to $7.00 / within the community.

(가주어 S: It / that이하 진주어 / S: every $1.00 / 분사 수식: spent on ... → every $1.00 / V: returns)

추정되어 왔다 / 1달러마다 / 현지에서 생산된 제품에 소비되는 / 3~7달러를 되돌려 준다 (혹은 순환한다) / 지역 사회 내에서

해석 현지에서 생산된 식품을 구매하는 데 1달러를 쓰면 지역 사회에 3달러에서 7달러를 되돌려 주는(또는 순환하는) 것으로 추정되어 왔다.

30-2 Popular formats can be said / to enhance understanding / by engaging an audience / unwilling to endure the longer verbal orientation / of older news formats.

(S: Popular formats / V: can be said / be said to R : ~라고 한다 / 분사 수식: unwilling ... → an audience)

대중적인 구성은 말해진다 / 이해력을 높인다고 / 시청자를 사로잡음으로써 / 장황한 언어 경향을 견디려고 하지 않는 / 더 오래된 뉴스 구성의

해석 대중적인 구성은 장황한 언어를 지향하는 낡은 뉴스 구성 방식을 견딜 의사가 없는 시청자의 주의를 끌어서 이해를 높였다고 할 수 있다.

S
30-3 Intense pain, exceptional sports performance, / and high stock prices /
심한 통증, 스포츠에서의 특별한 활약 / 그리고 높은 주가는 /
V be followed by A : A가 이어지다
are likely to be followed / by more subdued conditions / eventually due to natural fluctuation.
이어질 가능성이 높다 / 더욱 악화된 조건이 / 실제로 자연스러운 변동 때문에

해석 심한 통증, 스포츠에서의 특출한 활약 그리고 높은 주가는 결국 자연스러운 변동 때문에 더 약화된 상태가 뒤따를 가능성이 있다.

S_1 V_1 S_2 V_2 be outweighted by A : A가 능가하다
30-4 The hazards of migration range / from storms to starvation, / but they are outweighed /
이주 범위의 위험은 범위에 이른다 / 폭풍에서 굶주림에까지 / 하지만 그들은 능가된다 /

by the advantages / to be found / in the temporary superabundance of food / in the summer home.
이점들에 의해서 / 발견되는 / 일시적인 먹이의 풍부함에서 / 여름 이주지의

해석 (계절성) 이주의 위험은 폭풍에서 굶주림까지 범위에 이르지만 여름 이주지의 일시적인 먹이의 풍부함에서 발견되는 이점들은 그러한 이주의 위험보다 더 중요하다.

S V
30-5 In a recent article, / psychology professor Patricia Greenfield / of UCLA / discussed /
최근 기사에서 / 심리학 교수 Particia Greenfield는 / UCLA대학의 / 논의했다 /
분사수식 S 분사수식
some of the problems / caused / when a test / designed for one culture /
문제 중 일부를 / 유발된 / 테스트가 / 한 문화를 위해 고안된 /
V be used to R : ~ 하는 데 이용되다
is used to test / members of a different culture.
시험하려고 사용될 때 / 다른 문화의 구성원들을

해석 최근 기사에서 UCLA의 심리학 교수인 Patricia Greenfield가 한 문화를 위해 고안된 시험이 다른 문화의 일원들을 시험하기 위해 사용될 때 유발되는 일부 문제들에 대해 논의했다.

가주어 S V that 이하 진주어 =
30-6 It was generally assumed / that Virginia, / the region of the North American continent /
일반적으로 추정되었다 / 버지니아 / 북미 대륙의 지역인 /

to which England laid claim, / would have the same climate /
잉글랜드가 권리를 주장했던 / 같은 기후를 가질 것이다 /

as the Mediterranean region of Europe, / since it lay at similar latitudes.
유럽의 지중해 지역처럼 / 왜냐하면 그것은 비슷한 위도에 놓여있으니까

해석 잉글랜드가 권리를 주장했던 북미 대륙의 지역인 버지니아는 유럽의 지중해 지역과 비슷한 위도에 놓여 있었기 때문에 그 지역과 똑같은 기후를 가질 것이라고 추정되었다.

가주어 S　V　that 이하 진주어　S

30-7 It has long been recognized that / the expertise and privileged position /

오랫동안 인지되어 왔다 / 전문지식과 특권적 지위는 /

V　관계사 수식　be used to R: ~하는데 이용되다

of professionals / confer authority and power / that could readily be used to /

전문직들의 / 권력과 권한을 부여한다 / 쉽게 사용될 수 있는 /

관계사 생략 문장 수식

advance their own interests / at the expense of those / they serve.

그들 자신의 이익을 향상시키기 위해서 / 사람들을 희생해서 / 그들이 봉사하는

해석 전문직의 전문지식과 특권적 지위는 그들이 봉사하는 사람들을 희생시키고서 그들 자신의 이익을 향상시키기 위해 쉽게 이용될 수 있는 권위와 권한을 준다는 것이 오랫동안 인식되어 왔다.

가주어 S　V　that 이하 진주어

30-8 It is assumed that / individuals are rational actors, / i.e., that they make migration decisions /

추정된다 / 개인들은 합리적인 행위자라고 / 즉, 그들은 이주 결정을 내린다 /

based on their assessment of the costs / as well as benefits of remaining /

그들의 비용에 대한 평가를 바탕으로 / 남아있는 것에 대한 이익과 마찬가지로 /

in a given area / versus the costs and benefits of leaving.

특정한 지역에 / 떠나는 것에 대한 비용과 이익과 비교해서

해석 개인은 합리적인 행위자라고, 즉 그들은 특정한 지역을 떠나는 것의 비용 및 편익과 대비하여 남는 것의 비용과 편익 모두에 대한 자신의 평가에 근거하여 이주 결정을 내린다고 추정된다.

30-9 For example, / in a recent study of the Mlabri, / a modern hunter-gatherer group /

예를 들어 / 최근 Mlabri에 대한 연구에서 / 현대 수렵채집 집단인

가주어 S　V　that 이하 진주어

from northern Thailand, / it was found that / these people had previously been farmers, /

태국 북부 출신의 / 밝혀졌다 / 이 사람들이 이전에 농부였다고 /

but had abandoned agriculture / about 500 years ago.

하지만 농업을 포기했었다고 / 약 500년 전에

해석 예를 들어, 태국 북부 출신의 현대 수렵채집 집단인 Mlabri에 대한 최근 연구에서, 이 사람들은 이전에는 농부였지만, 약 500년 전에 농업을 포기한 것으로 밝혀졌다.

S　V　분사 수식

30-10 The federal government released a report / in 2009 / stating /

연방 정부는 보고서를 내놓았다 / 2009년에 / 언급하는 /

that the nation's air traffic control system / is vulnerable / to a cyber attack /

국가의 항공 교통 관제 시스템이 / 취약하다는 / 사이버 공격에

관계사 수식

that could interrupt / communication with pilots / and alter the flight information /

방해할 수 있는 / 조종사들과의 통신을 / 그리고 비행 정보를 바꿔놓을 수 있는 /

be used to R : ~ 하는 데 이용된다(분사)

used to separate aircraft / as they approach an airport.

비행기를 분리하는 데 사용된 / 그들이 공항에 접근할 때

해석 2009년에 연방 정부는 국가의 항공 교통 관제 시스템이 조종사들과의 통신을 방해하고 항공기가 공항에 접근할 때 그것들을 서로 떼어 놓는 데 사용되는 비행 정보를 변경할 수 있는 사이버 공격에 취약하다고 기술한 보고서를 내놓았다.

Had + S + p.p.~, S would have p.p. ==> if의 생략

31-1 Had the woman lawyer insisted / on participating, /
만약 여성 변호사가 우겼다면 / 참석하겠다고 /

S V₁ V₂
she would have spoiled the deal / and destroyed her credibility.
그녀는 거래를 망쳤을 것이고 / 그녀의 신뢰도를 해쳤을 것이다

해석 그 여성 변호사가 (협의에) 참석하겠다고 우겼다면 그녀는 그 거래를 망치고 자신의 신뢰도를 해쳤을 것이다.

S 관계사 수식
31-2 The vast store of scientific knowledge / which is today available /
과학적 지식의 거대한 양은 / 오늘날 이용 가능한 /

V If S 과거 ~, S could have p.p.
could never have been built up / if scientists did not pool their contributions.
결코 구축되었을 리가 없다 / 만약 과학자들이 그들의 기여한 것들을 모이지 않는다면

해석 오늘날 활용될 수 있는 방대한 양의 과학적 지식은 과학자들이 자신이 기여한 것들을 함께하지 않았다면 결코 축적될 수 없었을 것이다.

---

if it were not for: ~이 없다면 관계사 수식
31-3 If it weren't for the commercial enterprises / that produced those records, /
만약 상업적 기업이 없다면 / 그러한 기록을 만들어내는 .

S V 관계사 수식
we would know far, far less / about the cultures / that they came from.
우리는 훨씬 더 모를 것이다 / 그 문화에 대해서 / 그들이 생겨난

해석 만약 그런 기록을 만들어내는 상업적 기업이 없다면 우리는 그런 기록이 생겨난 문학에 대해 아주 훨씬 더 적게 알 것이다.

---

if S had p.p.~, S would
31-4 If our early African ancestors / hadn't been good at fixing / all their attention /
만약 우리의 옛 아프리카 조상들이 / 고정하는 데 익숙하지 못했었더라면 / 그들의 모든 관심을 /

S V
on the just-ripened fruit / or the approaching predators, / we wouldn't be here.
막 익은 과일이나 / 다가오는 포식자들에게 / 우리는 여기에 없을 것이다

해석 우리의 옛 아프리카 조상들이 그들의 모든 주의력을 막 익은 과일이나 다가오는 포식자들에게 집중하는 것을 잘 하지 못했다면, 우리는 여기에 없을 것이다.

S V
31-5 The ego's unconscious core feeling / of "not enough"/ causes / it to react /
자아의 무의식적인 핵심 감정이 / '충분하지 않다'는 / 유발한다 / 그것이 반응하도록 /

as if S had p.p.~ S V
to someone else's success / as if that success had taken something / away from "me."
다른 누군가의 성공에 대해 / 마치 그 성공이 무언가를 빼앗았던 것처럼 / "나"로부터

해석 '충분하지 않다'라는 자아의 무의식적인 핵심 감정으로 인해 자아는 다른 사람의 성공에 대해 마치 그 성공이 '나'로부터 무언가를 빼앗아 간 것처럼 반응한다.

접속사가 있는 분사구문 = If such careful behavior is persisted in　S　V

31-6 If persisted in, / however, / such careful behavior could interfere / with feeding and other
만약 지속된다면 / 하지만 / 그런 신중한 행동이 방해할 수도 있다 / 먹이주는 것과 다른 필요한 활동들을

동격

necessary activities / to the extent / that the benefit of caution / would be lost.
/ 정도로 / 주의의 이익이 / 사라질

해석 그러나 그러한 신중한 행동이 지속된다면, 그 행동은 조심해서 얻는 이익이 소실될 정도로 먹이 섭취와 다른 필요한 활동을 방해할 수도 있다.

S_1　V_1

31-7 The designer may look like a savant / for having "anticipated" the popular color, /
디자이너가 석학처럼 보일지도 모른다 / 인기 있는 색을 '예측했었던' /

If S had p.p.~, S might have p.p.　S_2　V_2

but if he had picked white or lavender instead, / the same process might have unfolded.
하지만 그가 흰색이나 라벤더색을 대신 선택했었더라면 / 같은 과정을 전개되었을지도 모른다

해석 그 디자이너는 인기 있는 색을 '예측해' 낸 것에 대해 마치 석학처럼 보일 수도 있지만, 만일 그가 (갈색) 대신 흰색이나 라벤더색을 골랐다면, 같은 과정이 전개되었을 것이다.

If S were ~, S would ~　S　V　S　분사 수식

31-8 If the solar surface, / not the center, / were as hot as this, / the radiation / emitted into space /
태양의 표면이 / 중심부가 아니라 / 이것만큼 뜨겁다면 / 방사에너지는 / 우주로 방출되는 /

V　so ~ that 용법

would be so great / that the whole Earth would be vaporized / within a few minutes.
너무 대단해서 / 지구 전체는 증발할지도 모른다 / 몇 분 내로

해석 태양의 중심부가 아니라 표면이 이만큼 뜨겁다면, 우주로 방사되는 방사에너지는 지구 전체가 몇 분 내로 증발될 정도로 그렇게 엄청날 것이다.

S　V　관계사 수식　(something is)

31-9 Writing lyrics / means / shaping the meaning of something / which, if left / as instrumental music, /
가사를 쓰는 것은 / 의미한다 / 무언가의 의미를 구성하는 것을 / 남겨진다면 / 기악곡으로 /

V　S

would remain undefined; / there is a change / of the level of expression.
정의되지 않은 채 남아있을 / 변화가 있다 / 표현의 수준의

해석 가사를 쓰는 것은, 만약 기악곡으로 남겨진다면 막연한 채로 있을 무언가의 의미를 만드는 것을 의미한다. (그리하여) 표현 수준의 변화가 생긴다.

V　S　동격　If S had p.p.~, S would ~

31-10 There was a 39 percent probability / that girls would be in professional or managerial posts /
39%의 가능성이 있었다 / 소녀들이 전문직이나 관리직에 있을 /

(read books at 16)

at 33 / if they had read books at 16, / but only a 25 percent chance / if they had not.
33세에 / 만약 그들이 16세에 책을 읽었더라면 / 하지만, 고작 25%의 가능성만 / 만약 그렇지 않았더라면

해석 소녀들이 만약 16살에 책을 읽었다면 33살에 전문직이나 관리직에 있었을 지도 모른다. 하지만, 읽지 않았었다면, 고작 25%만 그랬을지도 모른다.

If S had p.p.~, S would ~ S V

31-11 If you hadn't learned to speak, / the whole world would seem / like the unorganized supermarket; /
만약 당신이 말하는 법을 배우지 않았다면 / 세상은 보일지도 모른다 / 정돈되지 않은 슈퍼마켓처럼 /

S V 전치사 + 관계사
you would be in the position of an infant, / for whom every object is new and unfamiliar.
당신은 유아의 위치에 있을 것이다 / 그 아이에게 있어 모든 물체가 새롭고 낯선

해석 만약 여러분이 말하기를 배우지 않았다면, 온 세상이 정돈되지 않은 슈퍼마켓처럼 보일 것이다. 여러분은 모든 물건이 새롭고 낯선 유아의 처지에 있을 것이다.

V 계속적 용법
31-12 Think of Charles Darwin, / who might not have come up with / his theory of evolution /
Charles Darwin을 생각해 보라 / 생각해내지 못했을 / 그의 진화론을 /

If it hadn't been for~, S might have p.p. 관계사 생략 문장 수식
if it had not been for the thousands of sketches / he made of his trip / to the Galápagos Islands.
만약 수천 장의 스케치가 없었더라면 / 그가 여행에 대해서 만들었던 / 갈라파고스 군도의

해석 Charles Darwin을 생각해 보라. 갈라파고스 군도의 여행에 대하여 그린 수 천장의 스케치가 없었더라면 그는 진화론을 생각해내지 못했을지도 모른다.

If S had p.p. ~, S would have p.p.
31-13 If our ancestors hadn't agonized over losses / and instead had taken too many chances /
우리 조상들이 손실에 대해서 고심하지 않았었더라면 / 그리고 대신에 너무 많은 기회들을 얻었었더라면 /

S V_1
in going after the big gains, / they'd have been more likely to lose out /
큰 이득을 얻으려는 / 그들은 손해를 보았을 가능성이 높았을 것이다 /

(would have) V_2
and never become anyone's ancestor.
그리고 누군가의 조상도 되지 못했을 것이다

해석 우리의 조상들이 손실에 대해 고심하지 않고, 대신에 큰 이득을 얻으려고 너무 많은 모험을 했다면, 그들은 멸망하여 결코 어느 누구의 조상도 되지 못했을 가능성이 더 컸을 것이다.

If S were~, S would ~ 관계사 수식
31-14 So if adaptation to physical and social environments / were all / that cultures were designed /
그래서 만약 물리적 사회적 환경에 대한 적응이 / 모든 것이라면 / 문화들이 고안되어지는 /

S V
to facilitate, / perhaps cultures would always strive toward / an accurate understanding of the world.
촉진하도록 / 아마도 문화는 얻으려고 노력할 것이다 / 세상에 대한 정확한 이해를

해석 그러므로 만약 문화가 물리적 환경과 사회적 환경에 대한 적응을 촉진하도록 고안된 것이라면, 아마도 문화는 항상 세계를 정확하게 이해하는 방향으로 애써 나아가려고 할 것이다.

S V S 관계사 수식 V
31-15 The determinist, then, assumes / that everything / that occurs / is a function /
그리고 나서 결정론자는 추정한다 / 모든 것은 / 발생하는 / 작용이라고 /

If S were~, S could ~
of a finite number of causes / and that, / if these causes were known, /
유한한 수의 원인의 / 그리고 / 만약 이러한 원인들이 알려진다면 /

an event could be predicted / with complete accuracy.
사건은 예측될 수 있다고 / 완전히 정확하게

해석 그래서 결정론자는 일어나는 모든 것은 유한한 수의 원인들의 작용이고 이 원인들이 알려지면 사건은 완전히 정확하게 예측될 수 있다고 가정한다

가주어 S V that이하 진주어 비교급 than S would have p.p.

31-16 It turns out / that this 'land sparing' has been much better / for biodiversity /
밝혀진다 / 이 토지 절약이 훨씬 더 나았다는 것이 / 생물 다양성에 있어 /

than land sharing would have been / — by which is meant / growing crops at low yields /
토지 공유가 그랬었을 수도 있는 것보다 / 이것은 의미한다 / 낮은 생산량으로 작물을 키우는 것을 /

동격

in the hope / that abundant wildlife lives / in fields / alongside crops.
희망으로 / 풍부한 야생 동물들이 산다는 / 들판에서 / 작물와 함께

해석 이 '토지 절약'이 토지 공유가 그랬을 것보다 생물 다양성에 훨씬 더 나은 것으로 드러나는데, 이것(토지 공유)은 풍부한 야생 동물이 농작물과 함께 밭에 살기를 바라면서 낮은 생산량으로 농작물을 재배하는 것을 의미한다.

If S 과거 ~, S would ~

31-17 For example, / if most of my fellow citizens / did not pay their parking tickets, /
예를 들어 / 만약 내 동료 시민 대부분들이 / 그들의 주차 위반 벌금을 지불하지 않는다면 /

V S

there would be (unfortunately) strong pressure / for an amnesty / for such offenders, /
(불행하게도) 강한 압력이 있을 것이다 / 사면에 대한 / 그런 위반자들을 위한 /

계속적 용법

which would decrease my incentive / to pay my parking tickets too.
이는 내 동기를 감소시킬 지도 모른다 / 내 주차 벌금을 내야하는

해석 예를 들어, 만약 나의 동료 시민들 대부분이 주차 위반 벌금을 내지 않는다면, (유감스럽게도) 그런 위반자들을 사면해야 한다는 강한 압력이 있을 것이고, 이는 주차 위반 벌금을 내야 하는 나의 동기를 또한 감소시킬 것이다.

If S 과거 ~, S might ~

31-18 After all, / if the bacterium swam / in a straight line / simply because the concentration of
결국 / 만약 그 세포가 수영한다면 / 일직선으로 / 단순히 바람직한 화학물의 농도가

S V

a desirable chemical / was high, / it might travel away / from chemical nirvana, / not toward it, /
/ 높아서 / 그것은 멀리 이동할지도 모른다 / 화학적 극락으로부터 / 그쪽을 향해서가 아니라 /

분사구문 관계사 생략 문장 수식

depending on the direction / it's pointing.
방향에 따라서 / 그것이 가리키는

해석 결국 만약 그 세포가 하나의 바람직한 화학 물질의 농도가 높다는 이유만으로 직선으로 헤엄친다면, 그것은 자신이 향하는 방향에 따라 화학적 극락을 향해서가 아니라, 그것(화학적 극락)에서 멀어지게 이동할지도 모른다.

S V

31-19 Because the warmest air is near the surface, / the light takes less time / to get to your eye /
가장 따뜻한 공기가 표면 가까이에 있기 때문에 / 빛은 시간이 덜 걸린다 / 당신의 눈에 도착하는 데 /

S V (take)

if it travels down / near the ground / and then returns up to your eye / than it would /
만약 그것이 아래로 이동한다면 / 지표면 근처 / 그리고 나서 당신의 눈으로 되돌아온다면 / 그것이 걸리는 것보다 /

If S 과거 ~, S would~

if it came directly in a straight line / to your eye.
만약 그것이 직접적으로 일직선으로 온다면 / 당신의 눈에

해석 가장 따뜻한 공기는 지면 근처에 있기 때문에 빛이 지면 근처 아래쪽으로 이동하고 나서 여러분의 눈으로 되돌아온다면, 빛이 여러분의 눈에 직선으로 곧장 들어올 때보다 여러분의 눈에 도달하는 시간은 덜 걸린다.

31-20 By giving *Apocalypse Now* a setting / that was contemporary / at the time of its release, /
Apocalypse Now에 환경을 제공함으로써 / 시간대와 같은 / 그것의 발매 시점의 /
(관계사 수식)

audiences (S) were able to experience and identify (V) / with its themes / more easily /
관객들은 경험하고 식별할 수 있었다 / 그 주제를 / 더 쉽게 /

than they (S) would have (V) (experienced and identified) / if the film had been a literal adaptation of the novel.
그들이 그랬을 수도 있는 것보다 / 만약 영화가 소설의 그대로의 각색이었더라면
(If S had p.p. ~, S would have p.p.)

해석 Apocalypse Now에 그것이 개봉될 당시와 같은 시대적 배경을 제공함으로써, 관객들은 영화가 소설을 원문에 충실하게 각색한 것이었다면 그들이 그랬을 것보다 더 쉽게 그것의 주제를 경험하고 그것과 동질감을 느낄 수 있었다.

UNIT 1~31 종합 문제

pg. 150~156

01 Even today, / you (S) might find (V₁) it (가목적어) surprising / to learn about people (진목적어) / who see (V₁) an object /
심지어 오늘날 / 여러분은 놀랍다는 걸 발견할지도 모른다 / 사람들에 대해서 배우는 것을 / 대상을 보는 /
(관계사 수식)

without seeing / where it is, / or see (V₂) it / without seeing / whether it is moving.
보지 않은 채 / 그것이 어디 있는지 / 아니면 그것을 본다 / 보지 않은 채 / 그것이 움직이는지 여부를

해석 심지어 오늘날에도, 여러분은 물체가 어디에 있는지 보지 못하면서 그것을 보거나, 또는 그것이 움직이고 있는지 보지 못하면서 그것을 보는 사람들에 대해 알게 되면 놀라워할 수 있다.

02 Conflicts (S) / between the goals of science / and the need / to protect the rights and / welfare of
갈등들은 / 과학의 목표 사이의 / 그리고 필요성 / 권리를 보호하려는 /
(전치사구 수식)

human research participants / result in (V) / the central ethical tension / of clinical research.
인간 연구 참가자의 복지를 / 초래한다 / 주요한 윤리적인 긴장감을 / 임상 연구의

해석 과학의 목표와 인간 연구 참가자의 권리와 복지를 보호할 필요성 사이의 충돌은 임상 연구에서의 주요한 윤리적 긴장을 초래한다.

03 The visual novelty drive (S) / became (V), indeed, one of the most powerful tools /
시각적으로 새로운 것에 대한 욕구는 / 진짜로 가장 강력한 도구 중 하나가 되었다 /

in psychologists' toolkit, / unlocking a host of deeper insights / into the capacities of the infant mind.
심리학자들의 도구 모음 중 / 이는 많은 더 깊은 통찰을 드러낸다 / 유아의 정신 능력에 대한
(분사구문, 동시 상황)

해석 실로, 시각적으로 새로운 것에 대한 욕구는, 유아의 정신 능력에 대한 많은 깊은 통찰력을 드러내며, 심리학자의 도구 모음 중 가장 강력한 도구 중 하나가 되었다.

S V 동격절 what A is less B than C: A는 B라기보다는 C다

04 A compelling argument can be made / that what fans love / is less the object of their fandom /
강력한 주장이 만들어질 수 있다 / 팬이 사랑하는 것이 / 그들의 팬덤의 대상이라기보다는 /

관계사 수식

than the attachments to (and differentiations from) one another / that those affections afford.
서로에 대한 애착(그리고 서로 간의 차이)이라는 / 그러한 애정이 제공하는

해석 팬이 사랑하는 것은 그들의 팬덤의 대상이라기보다 그 애정이 제공하는 서로에 대한 애착(그리고 서로 간의 차이)이라는 강력한 주장이 제기될 수 있다.

---

05 Since the ancestors of rye / were very similar to wheat and barley, / to eliminate them, /
호밀의 선조들은 / 밀과 보리와 매우 유사했기 때문에 / 그것들을 제거하기 위해서 /

S would have p.p.: ~했을 것이다 V

the ancient populations of the Fertile Crescent / would have had to /
비옥한 초승달 지역의 고대 주민들은 / 했어야만 했을 것이다 /

carefully search their seeds / for invaders.
매우 조심스럽게 그들의 씨앗을 찾아야만 / 침입자를 찾기 위해

해석 호밀의 선조는 밀, 보리와 매우 유사했기 때문에 그것들을 제거하기 위해서 비옥한 초승달 지대의 고대 주민들은 침입자를 찾기 위해 그것들의 씨앗을 신중히 찾아야만 했을 것이다.

S V 분사구문, 동시 상황

06 A person can be an individual fan, / feeling an "idealized connection with a star, / strong feelings
사람은 개인적인 팬이 될 수 있다 / '스타와의 이상적인 관계'를 느끼면서 /

분사구문, 동시 상황 전치사구 수식

of memory and nostalgia," / and engaging in activities / like "collecting to develop a sense of self."
'즉 기억과 향수의 강한 감정을' / 그리고 활동에 참여하면서 / 자아감을 발전시키기 위한 수집하기같은

해석 한 사람은 개인적인 팬이 되어, '어떤 스타와 이상적인 관계, 기억과 향수의 강한 감정'을 느끼며, '자아감 형성을 위해 수집하기'와 같은 활동을 할 수 있다.

S 전치사구 수식 V

07 The ruminations of the elite class / of 'celebrity' sports journalists / are much sought after /
엘리트 계층의 생각은 / '유명인급'의 스포츠 저널리스트 중 / 많이 원해지고 있다 /

주어 다른 분사구문

by the major newspapers, / their lucrative contracts / being the envy of colleagues /
주요 신문사들에 의해서 / 그들의 돈을 많이 버는 계약은 / 동료들의 부러움이 된다 /

in other 'disciplines' of journalism.
저널리즘의 다른 '분야'의

해석 '유명인급' 스포츠 저널리스트 중 엘리트 계층의 생각은 주요 신문사들이 많이 원하고, 그들의 돈을 많이 버는 계약은 저널리즘의 다른 '부문'에 있는 동료들의 선망 대상이 된다.

분사구문 As it began ~

08 Beginning in the late nineteenth century, / with the hugely successful rise /

19세기 후반에 시작하여 / 엄청난 성공적인 등장과 함께 /

S V it-who 강조구문 V

of the artistic male couturier, / it was the designer / who became celebrated, /

예술적인 남성 고급 여성복 디자이너의 / 그 디자이너는 ~였다 / 유명하게 된 것을

(became) 생략

and the client / elevated by his inspired attention.

그리고 고객이었다 / 그의 영감 어린 관심에 의해서 치켜 세워진 것은

해석 예술적인 남성 고급 여성복 디자이너의 매우 성공적인 부상과 함께 19세기 후반에 시작하여, 유명해진 것은 바로 디자이너였고, 고객은 그의 영감 어린 관심에 의해 치켜세워졌다.

관계사 수식

V_1 S_1 S V

09 There are times / when being able to project your voice loudly / will be very useful /

시기가 있다 / 당신의 목소리를 크게 내보낼 수 있다는 것이 / 매우 유용하게 될 /

접속사 분사 구문 S_2 접속사(목적어절)

when working in school, / and knowing / that you can cut through /

학교에서 일할 때 / 그리고 아는 것은 / 당신이 가를 수 있다는 것을 /

V

a noisy classroom, dinner hall or playground / is a great skill to have.

시끄러운 교실, 구내식당이나 운동장을 / 가져야할 훌륭한 기술이다

해석 목소리를 크게 내보낼 수 있는 것이 학교에서 일할 때 매우 유용할 경우가 있으며, 여러분이 시끄러운 교실, 구내식당이나 운동장을 (목소리로) 가를 수 있다는 것을 아는 것은 갖춰야 할 훌륭한 기술이다.

S V_1 go+형용사/분사: ~하게 되다

10 A good idea / — a real breakthrough — / will often go unnoticed / at the time /

좋은 생각은 / 즉 진짜 획기적인 발전은 / 종종 눈에 띄지 않게 될 것이다 / 그 당시에 /

V_2

and may only later be understood / as having provided the basis / for a substantial advance in AI, /

그리고 오직 나중에 이해가 될지도 모른다 / 기초를 제공했던 것으로 / 인공 지능에서의 상당한 발전을 위한 /

perhaps when someone reinvents it / at a more convenient time.

아마도 누군가가 그것을 재발명할 때 / 더욱 편리한 시기에

해석 좋은 아이디어, 즉 진짜 획기적 발전은 흔히 그 당시에는 눈에 띄지 않다가, 나중에서야, 아마도 누군가가 더 알맞은 때에 그것을 재발명하면, 인공 지능에 있어 상당한 발전의 기초를 제공한 것으로 이해될 수 있다.

---

the 비교급, the 비교급 접속사(목적어절)

11 The longer we continue to believe / that computers will take us / to a magical new world, /

우리가 계속해서 믿는 걸 오래하면 할수록 / 컴퓨터가 우리를 데리고 갈 것이라고 / 마법같은 새로운 세계로 /

the longer we will delay / their natural fusion with our lives, /

우리는 더 길게 미룰 것이다 / 그들의 우리 삶과의 자연스런 융합을 /

관계사 수식

the hallmark of every major movement / that aspires to / be called a socioeconomic revolution.

이는 우리 주요한 운동의 특징이다 / 열망하는 / 사회경제학적 혁명이라고 불리우기를

해석 컴퓨터가 우리를 마법 같은 신세계로 데려다줄 것이라고 계속해서 더 오래 믿게 될수록 컴퓨터와 우리 삶의 자연스러운 융합이 더 오래 지연될 것인데, 이는 사회경제적 혁명이라고 불리기를 열망하는 모든 주요 운동의 특징이다.

부분 부정 : 부정어+100% 의미 단어 관계사 수식

12 Just as we don't always see the intricate brushwork / that goes into the creation of a painting, /

우리가 항상 복잡한 붓놀림을 보는 게 아닌 것처럼 / 그림의 창작으로 가는 /

S V 부분 부정 : 부정어+100% 의미 단어

we may not always notice / how Beethoven keeps finding fresh uses / for his motto /

우리가 항상 알아차리는 건 아닐 것이다 / 어떻게 Beethoven이 새로운 사용을 계속 발견하는지를 / 그의 반복 악구를 위한 /

or how he develops his material / into a large, cohesive statement.

아니면 어떻게 그가 그의 제재를 발전시키는지 / 커다랗고 응집된 진술로

해석 우리가 그림 작품 하나를 완성하는 데 들인 복잡한 붓놀림을 항상 볼 수 있는 것이 아니듯이, Beethoven이 자신의 반복 악구를 어떻게 계속 새롭게 사용하는 것을 찾는지 또는 그의 제재를 거대하고 응집력 있는 진술로 어떻게 전개하는지를 항상 알아보지는 못할 수도 있다.

S 동명사 주어 V (using bicycles is)

13 Using bicycles / as cargo vehicles / is particularly encouraged / when combined with policies /

자전거를 사용하는 것은 / 화물 운송 수단으로서 / 특히 장려된다 / 정책과 결합되었을 때 /

관계사 수식

that restrict motor vehicle access / to specific areas of a city, /

자동차의 접근을 제한하는 / 도시의 특정 지역으로의 /

such as downtown or commercial districts, / or with the extension of dedicated bike lanes.

도심이나 상업 지구 같은 / 아니면 자전거 전용 도로의 확장과

해석 자전거를 화물 운송 수단으로 사용하는 것은 도심이나 상업 지구처럼 도시의 특정 지역에 자동차 접근을 제한하는 정책이나 자전거 전용 도로의 확장과 결합될 때 특히 장려된다.

S 관계사 생략 V

14 If, / as the noted linguist Leonard Bloomfield argued, / the way / a person talks / is a "composite result /

만약 / 저명한 언어학자인 Leonard Bloomfield가 주장했듯이 / 방식은 / 사람이 말하는 / '합성 결과물'이라면 /

what + S + V S V

of what he has heard before,"/ then language innovation would happen /

'그가 전에 들었던 것의' / 그러면 언어 혁신은 일어날지도 모른다 /

where the most people heard and talked / to the most other people.

대부분의 사람들이 듣고 말했던 곳에서 / 대부분의 다른 사람들에게

해석 저명한 언어학자 Leonard Bloomfield가 주장하듯, 한 사람이 말하는 방식이 '그가 전에 들었던 것을 합성한 결과물'이라면, 언어 혁신은 가장 많은 사람이 가장 많은 다른 사람의 말을 듣고 가장 많은 다른 사람에게 말한 곳에서 일어날 것이다.

S V 접속사(목적어절) S

15 We understand / that the segregation of our consciousness / into present, past, and future /

우리는 이해한다 / 우리 의식의 분리는 / 현재, 과거, 미래로의 /

V S_1 V_1

is both a fiction and an oddly self-referential framework; / your present was part

허구이자 이상한 자기 지시적인 틀이다 / 당신의 현재는 당신 어머니의 미래의 부분이었다

S_2 V_2

of your mother's future, / and your children's past / will be in part your present.

/ 그리고 당신 아이들의 과거는 / 부분적으로 당신 현재일 것이다

해석 우리는 우리의 의식을 현재, 과거, 미래로 분리하는 것이 허구이며 또한 이상하게도 자기 지시적인 틀이라는 것을 이해하는데, 여러분의 현재는 여러분 어머니 미래의 일부였고 여러분 자녀의 과거는 여러분 현재의 일부일 것이라는 것이다.

S V it-that 강조구문

16 As it is the latitude on the Earth / that largely determines / the climate and length of the

바로 지구의 위도가 / 대개 결정하기 때문에 / 기후와 성장 계절의 길이를

S 분사 수식 V

growing season, / crops / domesticated in one part of Eurasia / can be transplanted /

/ 작물은 / 유라시아의 한 부분에서 키워지는 / 이식될 수 있다 /

across the continent / with only minimal need / for adaptation to the new locale.

대륙을 가로질러 / 오직 최소한의 필요와 함께 / 새로운 장소에 대한 적응에 대한

해석 바로 그 지구의 위도가 기후와 성장 계절의 길이를 주로 결정하기 때문에, 유라시아의 한 지역에서 재배된 농작물들은 새로운 장소에의 적응에 대한 단지 최소한의 필요만 지닌 채 대륙을 가로질러 이식될 수 있다.

S V 계속적 용법 (= and they)

17 This can be particularly frustrating for scientists, / who spend their lives / learning / how to understand /

이것은 특히 과학자들에게 좌절적일 수 있다 / 그들의 삶을 소비하는 / 배우는 데 / 이해하는 법을 /

only to R: 결국 ~하다 have + O + O.C

the intricacies of the world around them, / only to have their work summarily challenged /

그들을 둘러싼 세상의 복잡성을 / 그리고 결국 그들의 작업은 즉석에서 도전받게 된다 /

관계사 수식

by people / whose experience with the topic / can be measured in minutes.

사람들에게 / 그 사람들의 그 주제에 대한 경험은 / 수 분 단위로 측정될 수 있는

해석 이것은 과학자에게 특히 좌절감을 줄 수 있는데, 그들은 자기 주변 세상의 복잡성을 이해하는 방법을 배우느라 일생을 보내지만 결국 그들의 연구는 그 주제에 대한 경험이 분 단위로 측정될 수 있는 사람들에게 즉석으로 도전을 받게 된다.

삽입절 S 관계사 수식

18 For example, / as Kenneth Hodge observed, / a collection of people / who happen to go for a swim /

예를 들어 / Kenneth Hodge가 말했다시피 / 사람들의 무리는 / 우연히 수영하러 온 /

V

after work / on the same day each week / does not, strictly speaking, constitute a group /

일을 마친 후에 / 매주 같은 날에 / 엄밀히 말하자면 집단을 형성하지 않는다 /

S V

because these swimmers do not interact with each other / in a structured manner.

이 수영하는 사람들은 서로와 상호 작용하지 않으니까 / 구조적인 방식으로

해석 예를 들어, Kenneth Hodge가 진술한 바와 같이, 매주 같은 날에 일을 마치고 우연히 수영을 하러 가는 사람들의 무리는 엄밀히 말하면 집단을 구성하지 않는데, 이러한 수영하는 사람들은 구조적인 방식으로 상호 작용하지 않기 때문이다.

---

19 Instead of examining / historical periods, author biographies, or literary styles, / for example, /

검토하는 대신에 / 역사적인 시기, 작가의 전기, 아니면 문학적 양식을 / 예를 들어 /

S V 동격

he or she will approach a text / with the assumption / that it is a self-contained entity /

그 사람은 글에 접근할 것이다 / 가정과 함께 / 그것은 자족적인 실체라는 /

관계사 수식

and that he or she is looking for the governing principles / that allow the text to reveal itself.

그리고 그 사람이 지배적인 원리를 찾고있다는 / 그 글이 자신을 드러내도록 허용하는

해석 예를 들어, 역사상의 시대, 작가의 전기, 또는 문학적 양식을 검토하는 대신, 그 사람은 글이 자족적인 실체이며, 자신은 그 글이 스스로를 드러내도록 해주는 지배적인 원칙을 찾고 있다는 추정으로 글에 접근할 것이다.

---

20 For example, / a company may devise a family emergency leave plan / that allows employees the opportunity / to be away from the company / for a period / of no longer than three hours, / and no more than once a month, / for illness / in the employee's immediate family.

S: a company / V: may devise / 관계사 수식: that allows employees / allow + O + O.C

예를 들어 / 회사는 가족 비상 휴가 계획을 고안할지도 모른다 / 직원들에게 기회를 허용하는 / 회사를 떠나는 것을 / 기간 동안 / 3시간 이내 / 그리고 한 달에 한 번 정도 / 질병 때문에 / 직원의 직계 가족의

해석 예를 들어, 회사는 직원의 직계 가족의 질병에 대해 직원에게 3시간 이내, 한 달에 한 번 이내의 기간 동안 회사를 비울 기회를 제공하는 가족 비상 휴가 계획을 고안할 수 있다.

---

21 Skills-based approaches / to teaching critical thinking / now have a long history and literature, / but what has become clear / through more than 25 years of work / on critical thinking theory and pedagogy / is that / teaching students a set of thinking skills / does not seem to be enough.

S_1: Skills-based approaches / V_1: have / S_2 (what+V): what has become clear / V: is / S 동명사 주어: teaching / V: does not seem

기술 기반의 접근법은 / 비판적 사고를 가르치는 데에 대한 / 지금 긴 역사와 문헌을 가지고 있다 / 하지만 분명한 것은 / 25년이 넘는 연구를 통해서 / 비판적 사고 이론과 교수법에 대한 / 이것이다 / 학생들에게 일련의 사고 기술을 가르치는 것은 / 충분한 것 같지 않아 보인다

해석 비판적 사고를 가르치는 데에 있어서 기술에 기반한 접근법은 현재 오랜 역사와 문헌을 가지고 있지만, 비판적 사고 이론과 교수법에 대한 25년이 넘는 연구를 통해 명확해진 것은 학생들에게 일련의 사고 기술을 가르치는 것으로는 충분하지 않아 보인다는 것이다.

---

22 A squad of young competitive swimmers / who train every morning / before going to school / *is* a group / because they not only share a common objective / (training for competition) / but also interact with each other / in formal ways / (e.g., by warming up together beforehand).

S: A squad of young competitive swimmers / 관계사 수식: who train every morning / V: is / S: they / V_1: share / V_2: interact / not only A but also B: A뿐만 아니라 B도 역시

한 그룹의 경쟁을 하는 어린 수영 선수들은 / 매일 아침 훈련을 하는 / 학교에 가기 전에 / 한 그룹이다 / 왜냐하면 그들은 공통의 목적을 공유할 뿐만 아니라 / (경기를 위한 훈련) / 서로와 상호 작용을 하기 때문에 / 공식적인 방식들로 / (예를 들어 전에 함께 워밍업을 함으로써)

해석 매일 아침 학교에 가기 전에 훈련을 하는, 경쟁을 하는 어린 수영 선수들은 공동의 목표(경기를 위한 훈련)를 공유할 뿐만 아니라 공식적인 방식(예를 들면, 미리 함께 워밍업을 함)으로 상호 작용하기 때문에 집단'이다'.

---

23 As for, say, color vision, / they just say that, / despite the same internal processing architecture, / how we interpret, categorize, and name emotions / varies / according to culture / and that we learn in a particular culture / the social context / in which it is appropriate / to express emotions.

S: they / V: say / 접속사(목적어절): that / S_1 (how 의문사절): how we interpret, categorize, and name emotions / V: varies / 접속사(목적어절): that we learn / 전치사 + 관계대명사: in which / 가주어: it / V: is / 진주어: to express emotions

예를 들어 색 식별에 대해서 말하자면 / 그들은 단지 말한다 / 체내의 동일한 처리 구조에도 불구하고 / 어떻게 우리가 이해하고 범주화하며 감정에 이름을 붙이느냐하는 것은 / 다르다 / 문화에 따라서 / 그리고 우리는 특정한 문화에서 배운다 / 사회적 매락을 / 적절한 / 감정을 표현하는 것이

해석 예를 들어 색 식별에 대해 데이터들은 단지, 체내에서 일어나는 동일한 처리 구조에도 불구하고, 우리가 감정을 해석하고, 범주화하며 명명하는 방식은 문화에 따라 다르고, 우리는 감정을 표현하는 것이 적절한 사회적 상황을 특정 문화에서 배운다는 것을 말해줄 뿐이다.

24 Even without the imperative of climate change, / the physical constraints (S_1) /
심지어 기후 변화의 불가피성이 없음에도 / 물리적인 제한들 /

of densely inhabited cities / and the corresponding demands (S_2) /
밀집하여 거주하는 도시의 / 그리고 그에 상응하는 요구들 /

of accessibility, mobility, safety, air pollution, and urban livability all / limit (V) the option /
접근 가능성, 이동성, 안전, 대기 오염, 그리고 도시 거주 적합성 모든 것들의 / 선택을 제한한다 /

of expanding road networks / purely to accommodate this rising demand.
도로망 확장의 / 단지 이렇게 늘어나는 수요를 수용하기 위한

해석 기후 변화로 인한 불가피성이 없다 하더라도, 인구 밀도가 높은 도시의 물리적 제약과 그에 상응하는 접근성, 이동성, 안전, 대기 오염, 그리고 도시 거주 적합성에 대한 요구 모두가 단지 이러한 증가하는 수요에 부응하기 위해 도로망을 확장하는 선택권을 제한한다.

---

25 After the United Nations environmental conference (S) / in Rio de Janeiro in 1992 /
UN의 환경 회의가 / 1992년 리우데자네이루에서의 /

made (V, make + O + O.C) the term "sustainability"/ widely known around the world, /
'지속 가능성'이라는 용어를 만든 후에 / 전 세계에 널리 알려지도록 /

the word (S) became (V) a popular buzzword / by those / who wanted to be seen / (관계사 수식)
그 단어는 인기있는 유행어가 되었다 / 사람들에 의해서 / 보여지기를 원했던 /

as pro-environmental / but who did not really intend / to change their behavior.
친환경적이라고 / 하지만, 실제로 의도하지 않았던 / 그들의 행동을 바꾸기를

해석 1992년에 리우데자네이루에서 열린 UN환경 회의가 '지속 가능성'이라는 용어를 전 세계적으로 널리 알려지게 만든 후에 그 단어는 친환경적으로 보이기를 원하지만 자신의 행동을 진짜 바꿀 의도는 아니었던 사람들에 의해 인기 있는 유행어가 되었다.

---

26 Coming of age in the 18th and 19th centuries, (분사구문) / the personal diary (S) became (V) a centerpiece /
18세기와 19세기에 성장한 / 개인 일기는 중심물이 되었다 /

in the construction of a modern subjectivity, / at the heart of which (관계사 수식) / is the application
현대 주체성을 구축하는 데 / 현대 주체성의 중심에 / 이성과 비평의 적용이 있다

of reason and critique / to the understanding of world and self, / which (계속적 용법) allowed the creation
/ 세계와 자아에 대한 이해에 대해 / 이는 새로운 종류의 지식의 창조를 허용했다

of a new kind of knowledge.

해석 18세기와 19세기에 발달한 상태가 된 개인 일기는 근대적 주체성을 구축하는 데 중심물이 되었는데, 그것의 중심에는 세계와 자아에 대한 이해에 이성과 비판의 적용이 있었고, 이는 새로운 종류의 지식을 창조할 수 있게 해주었다.

27 The link / between scientific aptitude and solving real-world challenges / may be more apparent, /
연결은 / 과학적 재능과 실제 세계의 어려움을 해결하는 것 사이의 / 더욱 명백할지도 모른다 /
(S1, 전치사구 수식, V1)

but minds / that reason with analogy and metaphor, / minds / that represent with color and texture, /
하지만, 정신은 / 유추와 비유를 가지고 추론하는 / 정신은 / 색과 질감으로 표현하는 /
(S2-1 관계사 수식, S2-2 관계사 수식)

minds / that imagine with melody and rhythm /
정신은 / 멜로디와 리듬으로 상상하는 /
(S2-3 관계사 수식)

are minds / that cultivate a more flourishing cognitive landscape.
정신이다 / 더욱 번성하는 인지적 영역을 경작하는
(V2, 관계사 수식)

해석 과학적 재능과 실제 세계의 난제 해결 간 연결성이 더 명백할 수도 있지만, 유추와 은유로 추론하는 정신, 색과 질감으로 표현하는 정신, 멜로디와 리듬으로 상상하는 정신은 더 번성하는 인지적 영역을 가꾸는 정신이다.

---

28 Yet sports journalists / do not have a standing in their profession / that corresponds to the size of
하지만, 스포츠 저널리스트들은 / 그들의 전문성의 위치에 서있지 못한다 / 그들의 독자 수에 상응하는
(S, V, 관계사 수식)

their readerships / or of their pay packets, / with the old saying / (now reaching the status of cliché) /
/ 아니면 그들의 급여 액수에 / 옛말과 함께 / (지금 상투적 표현의 지위에 이르는) /

that sport is the 'toy department of the news media' / still readily to hand /
스포츠는 '뉴스 매체의 장난감 부서'이다라는 / 여전히 쉽게 전해지는 /
(동격, to R (형용사적 용법))

as a dismissal of the worth / of what sports journalists do.
가치의 묵살로서 / 스포츠 저널리스트들이 하는 일에 대한

해석 그러나 스포츠 저널리스트는 스포츠는 스포츠 저널리스트들이 하는 일의 가치를 묵살하는 말로 여전히 쉽게 건네지는 '뉴스 매체의 장난감 부서'라는 (이제는 상투적인 문구의 지위에 이르는) 옛말과 더불어 그들의 독자 수나 급여 액수의 크기에 상응하는 그들 전문성에서의 지위를 누리지 못한다.

---

29 For example, / the correspondences / between the characters in James Joyce's short story "Araby"/
예를 들어 / 관련성들은 / James Joyce의 단편 소설 'Araby'의 인물들 사이의 /
(S1, 전치사구 수식)

and the people / he knew personally / may be interesting, / but for the formalist /
사람들과의 / 그가 개인적으로 알고 있던 / 흥미로울 수 있다 / 하지만, 형식주의자들에게는 /
(관계사 생략 수식 구문, V1)

they are less relevant / to understanding / how the story creates meaning /
그들은 관련성이 적다 / 이해하는 것에 대해 / 어떻게 이야기가 의미를 만들어내느냐를 /
(S2, V2, 의문사 how)

than are other kinds of information / that the story contains within itself.
다른 종류의 정보보다 / 이야기가 그 자체 내에 포함하는
(than V S 도치, V, S, 관계사 수식)

해석 예를 들어, James Joyce의 단편 소설인 'Araby' 속의 등장인물들과 그가 개인적으로 알았던 사람들과의 관련성은 흥미로울 수도 있겠지만, 그 형식주의자에게 그것들은 그 이야기가 그 안에 포함하고 있는 다른 종류의 정보보다 이야기가 의미를 만들어내는 방식을 이해하는 데 덜 관련되어 있다.

S　전치사구 수식　V　접속사(목적어절)

30 Considerable work / by cultural psychologists and anthropologists / has shown that /

주목할 만한 연구는 / 문화 심리학자들과 인류학자들에 의한 / 보여주었다 /

V　S

there are indeed large and sometimes surprising differences /

진짜로 커다란 그리고 때때로 놀라운 차이가 있다는 것을 /

관계사 수식

in the words and concepts / that different cultures have / for describing emotions, /

단어와 개념에는 / 다른 문화가 가지는 / 감정을 묘사하기 위한 /

A as well as B: B뿐만 아니라 A도　관계사 수식

as well as in the social circumstances / that draw out the expression of particular emotions.

사회적 환경뿐만 아니라 / 특정한 감정의 표현을 끌어내는

해석 문화 심리학자들과 인류학자들의 주목할 만한 연구에 따르면 특정한 감정의 표현을 끌어내는 사회적 상황에서만이 아니라 감정을 묘사하기 위해 서로 다른 문화가 가지고 있는 어휘와 개념에 정말로 크고, 때로는 놀랄만한 차이가 있다.

Memo

고난도

구문독해

1 독해에 꼭 필요한 구문으로 내신과 수능을 동시에!

시험에 반드시 나오는 핵심 구문 유형으로 1등급 목표 달성

2 한눈에 파악하는 도식화된 구문 설명!

장황한 설명 없이 누구나 쉽게 알아보고 이해하는 구문 포인트

3 500개의 고난도 기출 문장으로 끝내는 효율적인 학습!

수능과 모의고사에서 뽑은 핵심 고난도 문장을 통한
가성비 좋은 독해력 키우기